Beth Reekles

THE KISSING BOOTH

DIE AUTORIN

Beth Reekles, die gefeierte Autorin von »The Kissing Booth« und anderen Jugendromanen, hat inzwischen außerdem einen Universitätsabschluss in Physik. Sie ist Bücherwurm durch und durch, überzeugte Teetrinkerin und als Buchbloggerin sehr aktiv in den Social Media. Den Roman »The Kissing Booth« schrieb sie mit 17 Jahren.

Mehr über die Autorin unter
www.bethreekles.co.uk

Mehr zu cbj/cbt auf Instagram unter
@hey_reader

BETH REEKLES

THE KISSING BOOTH

Aus dem Englischen
von Henriette Zeltner

Dieses Buch ist auch als E-Book erhältlich.

Verlagsgruppe Random House FSC® N001967

1. Auflage 2019
Erstmals als cbt Taschenbuch April 2019

Die Originalausgabe erschien unter dem Titel »The Kissing Booth« bei Random House Children's Publishers UK in der Verlagsgruppe Penguin Random House.

Aus dem Englischen von Henriette Zeltner
Lektorat: Antje Steinhäuser
Covergestaltung: init | Kommunikationsdesign, Bad Oeynhausen, unter Verwendung von Bildmaterial von Netflix. Netflix is a registered trademark of Netflix, Inc. and its affiliates. Artwork used with permission of Netflix, Inc.
kk · Herstellung: eR
Satz: Buch-Werkstatt GmbH, Bad Aibling
Druck: GGP Media GmbH, Pößneck
ISBN 978-3-570-31327-5
Printed in Germany

www.cbj-verlag.de

Im Gedenken an meine Nan, die mir bewiesen hat,
dass man immer weitermachen kann, egal, was kommt.

1

»Willst du was trinken?«, rief Lee aus der Küche, als ich die Haustür schloss.

»Nein danke«, rief ich zurück. »Ich geh gleich rauf in dein Zimmer.«

»Alles klar.«

Ich würde wohl niemals aufhören, darüber zu staunen, wie riesig Lee Flynns Haus ist. Es war praktisch eine Villa. Mit einem Zimmer im Erdgeschoss, wo es einen Fernseher mit hundertsiebenundzwanzig Zentimeter Bildschirmdiagonale und Surroundsound gab, ganz zu schweigen vom Billardtisch und dem (beheizten) Außenpool.

Obwohl ich dort ein und aus ging wie in meinem zweiten Zuhause, war der einzige Ort, wo ich mich so richtig wohlfühlte, Lees Zimmer.

Ich öffnete die Tür und sah die Sonne durch die offenen Türen zu seinem kleinen Balkon hereinstrahlen. Die Wände waren mit Postern bedeckt, in einer Ecke stand sein Schlagzeug neben einer Gitarre und sein Mac thronte auf einem schicken Mahagonischreibtisch, der perfekt zu den anderen Möbeln passte.

Doch wie im Zimmer jedes anderen sechzehnjährigen Jungen war der Fußboden übersät von T-Shirts, Boxershorts und stinkenden Socken; ein nur zur Hälfte gegessenes Sandwich vergammelte neben dem Mac und leere Getränkedosen standen auf fast jeder freien Fläche.

Ich ließ mich auf Lees Bett fallen und genoss, wie es nachfederte.

Wir waren seit unserer Geburt beste Freunde. Unsere Mütter kannten sich vom College und ich wohnte nur zehn Gehminuten entfernt. Lee und ich waren zusammen aufgewachsen. Wir hätten sogar Zwillinge sein können: Verrückterweise waren wir am selben Tag zur Welt gekommen.

Er war mein bester Freund. War es immer und wird es immer sein. Selbst wenn er mich manchmal wahnsinnig ärgerte. Genau im richtigen Moment tauchte er auf und hatte zwei schon geöffnete Dosen Orangenlimo in der Hand. Weil er wusste, dass ich sonst seine ausgetrunken hätte.

»Wir müssen entscheiden, was wir auf dem Frühlingsfest machen«, sagte ich.

»Ich weiß«, seufzte er, fuhr sich durch sein dunkelbraunes Haar und verzog das sommersprossige Gesicht. »Können wir nicht einfach dieses Spiel mit den Kokosnüssen machen? Du weißt schon, wo man Bälle werfen und damit die Kokosnüsse runterschießen muss.«

Ich schüttelte ratlos den Kopf. »Daran hab ich auch schon gedacht …«

»Natürlich.«

Ich grinste schwach. »Aber das geht nicht. Das macht schon jemand anders.«

»Warum müssen wir uns denn überhaupt einen Beitrag ausdenken? Können wir den ganzen Event nicht nur managen und andere Leute sich die Buden überlegen lassen?«

»Hey, du warst doch derjenige, der meinte, in unseren Collegebewerbungen würde es sich gut machen, wenn wir in der Schülervertretung gewesen sind.«

»Und du warst diejenige, die mir zugestimmt hat.«

»Weil ich ins Tanzkommittee wollte«, bemerkte ich. »Da war mir nicht klar, dass wir auch bei den Buden mitarbeiten müssen.«

»So ein Scheiß.«

»Ja, genau. Oh, hey, wie wär's, wenn wir so ein Ding bestellen, wo ... du weißt schon«, ich machte eine Geste, bei der ich mit beiden Händen ausholte, »so ein Ding mit einem Hammer.«

»Wo man seine Kraft beweisen muss?«

»Genau so was.«

»Nein, das gibt es auch schon.«

Ich seufzte. »Dann weiß ich auch nicht. Es ist einfach nicht mehr viel übrig – alles schon vergeben.«

Wir sahen einander an und sagten gleichzeitig: »Ich hab dir doch gesagt, wir hätten früher anfangen sollen, das zu planen.«

Da mussten wir beide lachen. Lee setzte sich an seinen Computer und drehte sich auf seinem Schreibtischstuhl.

»Eine Geisterbahn?«

Ich sah ihn mit neutralem Gesichtsausdruck an –

oder versuchte es wenigstens. Es war auch gar nicht so leicht, seinen Blick aufzufangen, während er sich weiterdrehte.

»Es ist Frühling, Lee. Nicht Halloween.«

»Na und?«

»Nein. Keine Geisterbahn.«

»Na schön«, knurrte er. »Was schlägst du stattdessen vor?«

Ich zuckte mit den Achseln. Offen gestanden hatte ich keine Ahnung. Wir standen ganz schön blöd da. Wenn uns nicht noch eine Idee für eine Bude kam, würden wir aus der Schülervertretung fliegen, was bedeutete, dass wir unsere Mitgliedschaft nächstes Jahr nicht in unsere Bewerbungen für Colleges schreiben könnten.

»Keine Ahnung. Ich kann nicht denken, wenn es so heiß ist.«

»Dann zieh deinen Pulli aus und lass dir was einfallen.«

Ich verdrehte die Augen und Lee begann, auf Google nach Ideen für Buden für das Frühlingsfest zu suchen. Ich zerrte mir den Pulli über den Kopf und spürte die Sonne auf meinem nackten Bauch. Mühsam versuchte ich, mit den Armen wieder reinzuschlüpfen, damit ich mir das Tanktop runterziehen konnte, das ich darunter trug …

»Lee«, sagte ich unter dem Pulli hervor. »Wie wär's mit ein bisschen Hilfe?«

Er kicherte und ich hörte ihn aufstehen. Im nächsten Moment wurde die Zimmertür aufgestoßen und ich dachte kurz, er hätte mich in meinem verhedderten

Zustand zurückgelassen, doch da hörte ich auch schon eine andere Stimme.

»Jeez, schließt doch wenigsten die Tür ab, wenn ihr so was vorhabt, Leute.«

Ich erstarrte und spürte, wie meine Wangen knallrot wurden, während Lee mir das Tanktop runterzog und den Pulli vom Kopf zog, wodurch meine Haare statisch aufgeladen zu Berge standen.

Ich sah seinen älteren Bruder am Türrahmen lehnen und mich angrinsen.

»Hey Shelly«, begrüßte er mich. Er wusste, dass ich das hasste. Lee ließ ich es durchgehen, aber bei Noah war das etwas ganz anderes. Er machte das ausschließlich, um mich zu ärgern. Ansonsten traute sich niemand mehr, mich »Shelly« zu nennen, nachdem ich Cam in der vierten Klasse dafür angebrüllt hatte. Jetzt nannten mich alle Elle, als Abkürzung von Rochelle. Genau wie niemand bis auf Lee und seine Eltern sich traute, ihn »Noah« zu nennen. Alle anderen benutzten seinen Nachnamen: Flynn.

»Hi Noah«, erwiderte ich schlagfertig und mit einem zuckersüßen Lächeln.

Er biss die Zähne zusammen und seine dunklen Augenbrauen bewegten sich eine Spur nach oben, als fordere er mich heraus, ihn erneut so zu nennen. Ich lächelte einfach weiter und da kehrte sein sexy Grinsen auch wieder zurück.

Noah war einfach so ungefähr der heißeste Typ auf Gottes Erdboden. Im Ernst, ich übertreibe nicht. Er besaß dunkles Haar, das ihm immer wieder in die stahlblauen Augen fiel, war groß und breitschultrig.

Seine Nase war ein bisschen schief, weil er sie sich bei einer Schlägerei gebrochen hatte und sie nicht ganz gerade verheilt war. – Noah war häufiger in Schlägereien verwickelt, dafür aber noch nie vom Unterricht ausgeschlossen worden. Abgesehen von der einen oder anderen Rauferei war er ein mustergültiger Schüler: Er hatte nur Einser und war noch dazu der Star des Footballteams.

Mit zwölf oder dreizehn war ich in ihn verknallt. Aber das ging relativ schnell vorbei, als mir klar wurde, dass er absolut nicht in meiner Liga spielte und das auch immer so bleiben würde. Und obwohl er so unglaublich heiß war, benahm ich mich in seiner Gegenwart total normal, weil ich wusste, es war ganz und gar unmöglich, dass er in mir je irgendwas anderes sah als die beste Freundin seines kleinen Bruders.

»Ich weiß, dass ich anscheinend diese Wirkung auf Frauen habe, aber könntest du bitte versuchen, in meiner Anwesenheit deine Klamotten anzulassen?«

Ich lachte sarkastisch. »Träum weiter.«

»Was treibt ihr beiden da überhaupt?«

Ich fragte mich einen Moment lang, warum ihn das überhaupt interessierte, verwarf den Gedanken aber sofort wieder. Lee sagte: »Wir müssen uns eine blöde Bude fürs Schulfest ausdenken.«

»Klingt … scheiße.«

»Und wie«, bestätigte ich und rollte mit den Augen. »Die guten Sachen sind alle schon weg. Am Ende bleibt uns bestimmt nur so was wie – wie – wie Gummientchen-Angeln oder so was.«

Die beiden sahen mich an, als sei das die schlechteste Idee aller Zeiten. Ich zuckte mit den Schultern.

»Wie auch immer. Übrigens, Lee – Mom und Dad sind heute Abend weg, also Party ab acht.«

»Cool.«

»Und Elle? Versuch heute Abend nicht vor allen anderen für mich zu strippen.«

»Du weißt doch, dass ich nur Augen für Lee habe«, erklärte ich unschuldig.

Noah lachte kurz auf und grinste. Er tippte sowieso schon irgendwas in sein Handy – wahrscheinlich, um die Nachricht von der Party zu verbreiten, genau wie Lee es machte. Dann glitt er aus dem Zimmer wie ein träger Tiger. Ich konnte nicht anders, als auf seinen süßen Hintern starren ...

»Hey, falls du dich mal für zwei Sekunden vom Anblick meines Bruders losreißen könntest«, zog Lee mich auf.

Ich wurde wieder rot und schubste ihn. »Halt die Klappe.«

»Ich dachte, du wärst inzwischen nicht mehr in ihn verknallt.«

»Bin ich auch nicht. Aber deshalb sieht er immer noch heiß aus.«

Lee verdrehte die Augen. »Schon gut. Du kannst manchmal echt widerlich sein, weißt du.«

Ich setzte mich an seinen Computer und Lee lehnte sich über meine Schulter, wobei er das Kinn auf meinen Scheitel stützte.

Ich klickte auf die nächste Seite der Suchergebnisse und scrollte runter, während meine Augen schon ganz glasig vom ständigen Starren auf den Bildschirm wurden.

Ich stoppte den Cursor, weil mir etwas ins Auge fiel. Genau im selben Moment sagte Lee: »Stopp mal.«

Wir starrten beide ein paar Sekunden auf den Bildschirm, dann richtete er sich auf und ich wirbelte auf dem Schreibtischstuhl herum. Wir strahlten beide übers ganze Gesicht.

»Kissing Booth«, sagten wir gleichzeitig und grinsten. Lee hob die Hand zu einem High Five und ich klatschte ab.

Das war *so* cool.

2

Wir beschlossen, dass der Preis bei zwei Dollar liegen sollte. Zwei Dollar für einen Kuss. Einen leeren Standardstand stellte die Schule zur Verfügung, aber wir würden jede Menge pinkfarbene und rote Deko brauchen, um die Kissing Booth, für die wir uns entschieden hatten, daraus zu machen. Ich war zunächst für Schwarz gewesen, aber Lee belehrte mich: »Es ist ja nicht Halloween, Shelly.«

»Na gut. Dann eben Pink und Rot.«

»Was brauchen wir denn? Luftschlangen, Krepppapier, Schleifen … lauter solches Zeug, oder?«

»Ja, glaub schon. Hey, meinst du, wir könnten im Werkunterricht ein großes Schild aus Holz basteln?« Ich hatte eigentlich keine Lust auf Werken gehabt, aber die einzige Alternative wäre Hauswirtschaft gewesen, und nach meiner Cupcake-Katastrophe in der Achten ließ ich vom Backen lieber die Finger.

»Ich wüsste nicht, was dagegensprechen sollte. Mr. Preston hat damit bestimmt kein Problem.«

Ich nickte. »Cool. Wir können wahrscheinlich ein paar der Sport-Cracks dafür gewinnen. Und die Cheerleader. Wir brauchen vier Leute, und dann machen wir Zweierschichten.«

»Klingt gut. Wen sollen wir fragen?«

»Also … Samantha und Lily machen es bestimmt«, sagte ich nachdenklich. »Und sie können noch ein paar andere Mädchen dazuholen.«

»Klingt super. Ich rufe ein paar von den Jungs an.«

Ich zückte mein Handy und scrollte die Nummern durch. Lee und ich gehörten zu keiner bestimmten Clique, wir hingen einfach immer ab, mit wem wir wollten. Deshalb hatten wir die Nummern von so ziemlich allen. Lee war einer von diesen charismatischen und sympathischen Typen, und wir traten immer im Doppelpack auf. Natürlich hatten wir auch ein paar richtig gute Freunde – übrigens lauter Jungs.

Ich erreichte Samantha, die mir quietschvergnügt versicherte, dass sie total dafür zu haben sei! Lily willigte auch ein und meinte, sie könne es quasi kaum erwarten, außerdem würde sie noch alle Mädchen anrufen, die sie kannte.

»Erledigt.« Seufzend ließ ich mich rücklings aufs Bett fallen. Ich wurde ein Stück in die Höhe gelupft, als Lee sofort neben mich plumpste. Wir grinsten uns an.

»Unsere Booth wird der Hit.«

»Absolut. Manchmal sind wir so gut, dass es zum Fürchten ist.«

»Absolut.«

Mein Handy piepte und ich las eine Nachricht von Lily: Dana und Karen würden auch bei der Kissing Booth mitmachen. Ich antwortete mit einem knappen Dankeschön.

»Die Mädchen haben wir schon alle«, sagte ich.

»Super. Dave hat geschrieben, er wird sich um die Jungs kümmern. Damit wäre alles erledigt.«

»Das heißt ... wir haben jetzt nichts zu tun«, sagte ich fröhlich. »Dann kannst du ja mit mir shoppen gehen.«

Lee stöhnte. »Warum musst du denn shoppen? Hast du nicht schon genug Klamotten?«

»Doch, hab ich ... Aber ihr macht heute Abend eine Party und ich bin gut gelaunt, weil wir *endlich* das mit dieser Bude fürs Schulfest geregelt haben. Deshalb gehen wir jetzt einkaufen, damit ich nachher was zum Anziehen habe.«

Lee stöhnte wieder. »Du willst doch nur ein heißes Kleid, damit du meinen Bruder beeindrucken kannst, stimmt's?«

»Nein. Ich will nur irgendwas zum Anziehen. Aber wenn ich damit am Ende deinen Bruder beeindrucke ... dann ist das einfach ein Bonus obendrauf. Wenn nicht sogar ein verdammtes Wunder. Wir wissen doch beide, dass er mich kein bisschen so sieht ...«

Lee seufzte. »Na schön, dann gehen wir eben Shoppen. Aber hör schon auf zu quengeln.«

Ich grinste triumphierend, weil ich wusste, dass ich ihn überreden konnte. Lee war klar, dass mein Gejammer nur gespielt war, aber er wollte trotzdem nichts davon hören.

Ich griff nach meinem Pulli und wartete, dass Lee sich sein Portemonnaie und seine Sneakers nahm. Er trödelte hinter mir, während ich schon vergnügt die Treppe hinunterhüpfte. Wir stiegen in sein Auto – ein 1965er Mustang, den er für einen Spottpreis auf einem Schrottplatz erstanden hatte – und Lee ließ den Motor an.

»Danke, Lee.«

»Was ich nicht alles für dich tue«, seufzte er, doch dabei lächelte er.

Nach zwanzig Minuten erreichten wir die Mall. Lee machte den Motor aus und in meinen Ohren dröhnte noch der Hip-Hop nach, den er bis dahin voll aufgedreht hatte.

»Du weißt, dass du mir was schuldig bist, weil du mich hierherschleppst.«

»Ich kauf dir einen Donut.«

Lee zögerte. »Und einen Milchshake.«

»Genehmigt.«

Er legte einen Arm um meine Schultern, und ich merkte schnell, warum. Er lotste mich direkt zu der Ecke mit den Schnellrestaurants, bevor ich meine Bestechung für ihn vergessen konnte. Sobald Lee mit Snacks besänftigt war, trottete er ganz zufrieden mit mir durch die Läden.

Nachdem ich in ein paar Shops herumgesucht hatte, entdeckte ich das perfekte Outfit: ein korallenrotes Kleid, der Rock nicht zu eng und nicht zu kurz, der Ausschnitt tief genug, um mir zu schmeicheln, aber ohne alles zu zeigen. Der weiche, hauchdünne Stoff fiel links so bauschig, dass er den langen Reißverschluss verdeckte.

»Müssen wir etwa auch noch Schuhe kaufen?«, stöhnte Lee, nachdem ich verkündet hatte, es anzuprobieren.

»Nein. Ich habe schon Schuhe, Lee«, sagte ich augenrollend.

»Ja, gut, du hast auch schon Kleider, aber das hat dich ja auch nicht gehindert«, murmelte er und folgte mir zu den Umkleidekabinen. Er dachte nicht mal darüber nach, mir in die Kabine zu folgen, und lümmelte sich darin auf den Hocker. Ich machte mir aber auch nicht die geringsten Gedanken darüber, mich vor ihm auszuziehen.

»Machst du mir mal den Reißverschluss zu?«

Er seufzte theatralisch, erhob sich aber, um meinem Wunsch Folge zu leisten. Ich schaute in den Spiegel und strich den Stoff glatt. Auf dem Bügel hatte es besser ausgesehen, dachte ich zweifelnd. Es ließ schrecklich viel Bein sehen …

Lee pfiff leise durch die Zähne. »Hübsch.«

»Klappe. Findest du es zu kurz?«

Er zuckte mit den Schultern und haute mir auf den Hintern. »Wen stört's?«

Spaßeshalber gab ich ihm einen Klaps auf den Hinterkopf. »Das meine ich ernst, Lee. Ist es zu kurz?«

»Na ja, vielleicht ein bisschen. Aber es sieht gut aus.«

»Bist du dir da sicher?«

»Denkst du, ich würde dich anlügen, Shelly?«, fragte er traurig, setzte eine schmerzliche Miene auf und taumelte zurück, während er beide Hände auf sein Herz presste.

Ich warf ihm im Spiegel einen vielsagenden Blick zu. »Muss ich darauf echt antworten, Lee?«

»Nein, wohl kaum«, meinte er lachend. »Also nimmst du es?«

Ich nickte. »Ja, ich glaube schon. Es ist um die Hälfte reduziert.«

»Cool.« Dann stöhnte er wieder. »Du willst die gesparten fünfzig Prozent aber nicht in Schuhe investieren, oder? Bitte sag mir, dass du das nicht tust. Sonst schuldest du mir noch eine Limo *und* ein Stück Pizza.«

»Ich verspreche, dass ich keine Schuhe und auch sonst nichts mehr kaufen werde, okay? Wir können nach Hause fahren, sobald ich das Kleid bezahlt habe.« Ich zog es aus und schlüpfte wieder in meine Jeans, das Top und den Pulli. Die Klimaanlage in der Mall war auf eiskalt gestellt.

»Oh«, seufzte er. »Ich hätte so gern Pizza gehabt.«

Ich lachte und verließ vor ihm die Umkleide. Da stieß ich direkt mit etwas, nein, mit jemand zusammen.

»Sorry«, entschuldigte ich mich reflexartig. Dann erst merkte ich, wer es war. »Oh, hi Jaime.«

Sie sah misstrauisch von mir zu Lee und ein hinterhältiges Grinsen stahl sich auf ihr Gesicht. Jaime war das größte Klatschmaul an der Schule. Sie war eigentlich nett, gehörte aber auch zu den Leuten, die einen grundlos so richtig aufregen können.

»Was habt ihr zwei denn da drinnen gemacht? Das ist die Damenumkleide, Lee.«

Er zuckte mit den Achseln. »Elle brauchte eine zweite Meinung.«

»Okay«, sagte sie und klang dabei irgendwie enttäuscht. So als hätte sie gehofft, etwas zu erfahren, was mehr Grund zu Klatsch und Tratsch gab. »Na klar. Hey, ich habe gehört, dass ihr heute Abend eine Party schmeißt. Dein Bruder ist auch da, oder?«

Lee verdrehte die Augen. »Klar.«

Jaime lächelte strahlend. »Super!«

»Bist du auch auf der Suche nach einem Kleid?«, fragte ich, nur um Smalltalk zu machen.

»Nein. Ich brauche eine neue Jeans. Mein Hund findet, meine alte ist als Spielzeug viel schöner als sein Quietschball.«

Ich lachte. »Braver Hund!«

»Das kannst du laut sagen. Ziehst du das heute Abend an?« Sie deutete mit dem Kopf auf das Kleid in meinen Händen.

»Genau.«

»Ich bin mir ja nicht ganz sicher, ob das wirklich deine Farbe ist …«, sagte sie, aber es zuckte ein Muskel in ihrer Wange. Diesen Ausdruck hatte ich im Laufe der Jahre zu deuten gelernt. Neid. Das nahm ich als gutes Zeichen.

»Hmm, vielleicht … Aber es ist im Sale. Und einem guten Schnäppchen kann ich nicht widerstehen.«

Sie lachte höflich. »Ja, kann ich mir vorstellen. Tja, dann sieht man sich später!«

»Bye, Jaime«, antworteten wir im Chor. Dann hörte ich Lee seufzen und irgendetwas darüber murmeln, wie sehr sie ihm auf die Nerven ging.

Ich bezahlte das Kleid und wir legten noch einen Zwischenstopp beim Food-Court ein, damit er sich ein Stück Pizza kaufen konnte, bevor wir die Mall verließen. Ich gönnte mir nur einen Milchshake.

»Verschütte davon bloß nichts in meinem Baby«, warnte er mich, als ich schlürfend ins Auto stieg.

»Natürlich nicht!« Dabei wäre es mir fast passiert.

Als ich seinen finsteren Blick bemerkte, traute ich mich den nächsten Schluck erst nehmen, als wir an einer roten Ampel stehen blieben.

Als Lee in seine Einfahrt bog, schaute ich auf die Uhr. »Schon fast sechs ... Da sehe ich besser mal zu, dass ich nach Hause komme, und mache mich fertig«, sagte ich.

»Du kannst manchmal so ein Mädchen sein, Shelly.«

Ich lachte. »Und das fällt dir erst jetzt auf?«

Lee lachte und ging ins Haus. »Ich seh dich später«, rief er mir über die Schulter noch zu.

»Bye!«

Als ich reinkam, war niemand zu Hause, was mich nicht überraschte. Mein kleiner Bruder, Brad, hatte heute ein Fußballturnier, und bestimmt war mein Dad mit ihm danach noch Burger essen gegangen oder so was.

Ich steckte meinen iPod an die Lautsprecher an und ließ Ke$ha so laut dröhnen, dass ich es unter der Dusche trotz des rauschenden Wassers noch hören konnte.

Als ich dann in ein Handtuch gewickelt das neue Kleid betrachtete, überkamen mich nagende Zweifel. Ich war mit Lee und ohne Mom aufgewachsen und deshalb nicht gerade das mädchenhafteste Mädchen. Aber das hinderte mich nicht daran, mich bei solchen Anlässen wie heute in Schale zu werfen. Schließlich schüttelte ich den Kopf und schimpfte mit mir selbst. Das Kleid war viel länger als einige Röcke der Mädchen in der Schule, verdammt noch mal. Es war total okay.

Dann setzte ich mich an meinen Schminktisch, das Make-up vor mir und den Lockenstab auf Heizen gestellt. Sorgfältig trug ich Foundation auf mein Gesicht auf und bemühte mich um einen perfekten Lidstrich, der meine braunen Augen richtig groß wirken ließ. Ich nahm mir reichlich Zeit, damit mein nach der Dusche glänzendes und nach Kokos duftendes Haar in perfekten schwarzen Locken über meinen Rücken fiel.

Als ich mich in dem Kleid – und in einem Paar schwarzer Wedges mit fünf Zentimeter hohen Absätzen – im Spiegel betrachtete, war ich doch mehr als ein bisschen unsicher. Ich wusste, dass da Mädchen sein würden, die sich total übertrieben geschminkt hatten, deren Kleider kürzer als meines und deren Absätze viel höher waren. Trotzdem war ich kurz davor, mich umzuziehen, und fragte mich, ob mein Look wirklich okay war.

Plötzlich war es allerdings schon dreizehn nach acht. Wohin waren meine zwei Stunden verschwunden?

Ich riss das Handy aus der Ladestation und entdeckte eine Nachricht von Lee, der wissen wollte, wo ich blieb.

Vorsichtig stöckelte ich zu seinem Haus. Meine Absätze waren gar nicht so hoch, aber in flachen Schuhen fühlte ich mich einfach wohler.

Im Garten war schon ziemlich was los, und die Haustür stand offen, sodass die Bässe nach draußen schallten und das Gras erzittern ließen. Ich grüßte ein paar Leute, lächelte und ging in die Küche, um mir was zu trinken zu holen.

Es überraschte mich nicht, dass sie alles Essen rausgenommen hatten, um Platz für die Getränke zu schaffen, die die Gäste mitgebracht hatten. Lee und Noah hatten sich das angewöhnt, nachdem einige Kids es vor ein paar Monaten witzig gefunden hatten, Schinkenscheiben und gekochten Truthahn mit Soßen an die Wände zu kleben.

Ich schnappte mir eine Flasche Orangenlimo und öffnete sie an der Arbeitsplatte in der Küche. Den Trick hatte Lees Dad mir beigebracht.

»Hey Elle!«

Als ich mich umdrehte, winkte eine Gruppe Mädchen mich zu sich.

»Olivia hat gesagt, du und Lee, ihr macht auf dem Schulfest eine Kissing Booth«, sagte Georgia. »Das ist so cool!«

»Danke.« Ich grinste.

»Das hat seit Jahren niemand mehr gemacht«, meinte Faith. »Das ist eine Superidee!«

»Tja, wir sind eben ziemlich super, wir beide.«

Sie lachten. »Ich komme da definitiv vorbei«, sagte Candice mit einem vielsagenden Lächeln. »Ich habe gehört, Jon Fletcher macht mit.«

»Und Dave Peterson«, fügte Georgia hinzu.

»Jon macht mit?«, fragte ich nach.

»Das hat zumindest Dave behauptet.« Candice zuckte mit den Schultern.

Faith lachte. »Das ist doch eure Booth, Elle – du solltest es wissen.«

Ich grinste verlegen. »Äh, also …«

»Hey, weißt du, wen du dazu bringen solltest mitzumachen?«, meinte Olivia zu mir. »*Flynn*.«

Einen Moment lang fragte ich mich, wen zum Teufel

sie damit meinte. Dann begriff ich, dass es natürlich Noah war.

»Ich glaube nicht, dass er es macht.«

»Tja, hast du ihn gefragt?«

»Noch nicht direkt ...«

»Könnte er es nicht als Gefallen für seinen kleinen Bruder machen?«, schlug Georgia vor. »Versuch es mit dem schlechten Gewissen – das funktioniert bestimmt.«

»Aber ich glaube, wir haben unsere vier Jungs schon ...«

»Aber wenn ihr Flynn dabeihabt, dann kreuzt jedes Mädchen aus dem ganzen Bundesstaat auf unserem Schulfest auf«, behauptete Olivia. Wie alle anderen glaubte auch sie, Chancen bei Flynn zu haben. Nun, die hatte sie als Chefin der Cheerleader auch, da Noah ja zum Footballteam gehörte, aber er würdigte sie kaum eines Blickes.

Trotzdem hatte er den Ruf eines Players, obwohl man nie sah, dass er Mädchen besondere Beachtung schenkte. Das Seltsamste war jedoch, dass er fast stolz auf diesen Ruf zu sein schien.

»Weißt du, wenn du Flynn dazu bringst, bei der Kissing Booth mitzumachen, wirst du eine Legende«, erklärte Faith mir.

»Du hast doch einen Freund, Faith«, erinnerte Georgia sie lachend. »Da kannst du gar nicht in die Kissing Booth gehen.«

»Warum denn nicht? Das ist doch alles für einen guten Zweck. Worum geht's diesmal – Rettung der Delfine?«

»Ich glaube, das war letztes Jahr«, meinte ich und lachte. »Nein, diesmal wird für die Krebsforschung gespendet.«

»Umso besser!«, rief Faith und brachte damit alle zum Lachen. »Also frag ihn.«

»Ja, mach schon«, drängte auch Olivia.

»Frag ihn einfach«, bettelte Candice. »Bitte, Elle!«

»Also ... ich weiß nicht ...«

»Schau mal, da kommt er«, sagte Candice plötzlich und unterbrach mich. Sie gab mir einen sanften Schubs in seine Richtung. »Frag ihn doch wenigstens. Wenn er Nein sagt ... hast du es immerhin probiert.«

»Na gut«, willigte ich seufzend ein. Ich marschierte zu Noah und hielt ihn auf dem Weg zum nächsten Bier auf.

Er nickte zur Begrüßung.

»Tust du uns den Gefallen und machst bei der Kissing Booth auf dem Schulfest mit? Bitte! Wir finden keinen vierten Jungen. Es ist auch für einen guten Zweck. Du würdest Lee und mir damit echt helfen.«

Noah richtete sich gerade auf und öffnete eine Bierdose. »Kissing Booth?«

»Genau.«

»Ganz schön cool.«

»Ich weiß. Ich bin ja auch ganz schön cool.«

»Besser als die Idee mit den Gummientchen.«

»Haha.«

Er lachte kurz auf und grinste dabei so, dass mein Herz wie wild zu pochen begann. »Und du möchtest, dass ich als Küsser mitmache? Bei deiner Kissing Booth?«

»Für einen guten Zweck«, wiederholte ich.

»Eher nicht, Shelly.«

»Bitte, Noah!«, bettelte ich mit Hundeblick und betonte dabei seinen Namen überdeutlich.

»Gehst du auf die Knie und flehst mich an?«

»Nein«, sagte ich zögernd. »Aber alle anderen Mädchen werden es tun. Also machst du mit?«

Er lachte wieder. »Genau darum sage ich Nein. Sorry.«

Ich seufzte. »Na schön, wenigstens können sie nicht behaupten, ich hätte es nicht versucht.«

»Moment mal«, sagte er. »Braucht ihr mich tatsächlich dafür, oder wollten sie nur, dass ich es mache?«, fragte er und deutete mit dem Kopf auf die Mädchen hinter mir.

»Letzteres.«

Er nickte. »Tja, tut mir leid. Ich glaube, ich kann meine Würde nicht riskieren. Stell dir außerdem mal vor, wie die anderen Jungs mich hassen würden, wenn ich alle Küsse kriegen würde«, meinte er grinsend.

»Ich befürchte eher, die Wohltätigkeitsorganisation könnte dich dafür hassen, dass du abschreckend auf die Leute wirkst, die sonst zur Kissing Booth kämen.«

Er grinste weiter. »*Touché*.«

»Na, egal …« Ich schüttelte den Kopf. »Vergiss es.«

Dann kehrte ich achselzuckend und mit einem zaghaften Lächeln zu den Cheerleadern zurück. »Sorry, Leute. Er macht es nicht.«

»Du hättest nicht lockerlassen dürfen«, sagte Olivia. »Pass mal auf und lern was.« Sie drückte Faith ihren Drink in die Hand und schlenderte zu Noah rüber, der sich gerade mit ein paar anderen Jungs unterhielt. In ihrem extrem kleinen Schwarzen lehnte sie sich an Noahs Arm, um nicht zu sagen, sie schmiss sich an ihn ran. Dabei klimperte sie so heftig mit den Wimpern, dass es aussah, als hätte sie was im Auge.

Aber vielleicht war ich auch zu kritisch. Immerhin schien ihre Methode ein paar andere Jungs dazu zu bringen, dass sie die Köpfe nach ihr drehten.

Selbstverständlich gab er auch ihr einen Korb. So stolzierte sie schmollend zu uns zurück. »Der Typ ist so was von unerträglich.«

»Und so heiß«, murmelte Georgia und verschüttete ein bisschen von ihrem Drink.

»Ja, verdammt«, pflichtete Olivia ihr lachend bei. Alle Mädchen kicherten und sahen prüfend zu ihm hin.

»Findest du Flynn nicht auch heiß, Elle?«

Ich blinzelte Faith an. »Äh, klar. Natürlich.«

»Warum hast du dann nichts über seinen knackigen Hintern beizutragen?«

Ich grinste ironisch. »Weil er so was von nicht in meiner Liga spielt, dass es nichts bringen würde, es auch nur zu versuchen.«

Sie sah mich mitleidig an. »Was redest du denn da? Du bist doch echt hübsch! Ich meine, für Haare wie deine würde ich töten.«

Ich zuckte mit den Achseln und spürte, wie ich ein bisschen rot wurde. »Oh, danke. Aber wie auch immer, für mich ist er einfach Lees großer Bruder.«

»Vielleicht wird daraus ja noch mehr. Das kann man nie wissen.«

Ich lachte. »Ja, klar. Vielleicht im Traum.«

Faith zuckte mit den Schultern und Candice fing ein Gespräch mit ihr an. Deshalb verzog ich mich ins Wohnzimmer, wo alle tanzten. Mit ein paar Schlucken trank ich meine Flasche aus, stellte sie weg und tanzte mit. Die gute Stimmung war ansteckend. Zwar tranken nicht alle Alkohol, aber das hinderte auch niemand daran, seine Mähne zu schütteln und ein bisschen aufzudrehen.

Ich hatte nicht vorgehabt, mich zu betrinken, weil ich wusste, dass ich mich auch ohne das Zeug amüsieren konnte. Aber weil ich so wenig vertrug, genügten schon zwei Dosen Apple Cider, damit ich ziemlich neben mir stand. Die Zeit verging wie im Flug. Ich tanzte, lachte und unterhielt mich mit irgendwelchen Leuten.

Anscheinend wussten schon alle von der Kissing Booth.

Und wenn mich jemand fragte, ob Flynn mitmachen würde, erklärte ich, dass ich ihn schon gefragt hätte. Das war die einfachste Antwort.

Irgendwann war es ungefähr elf Uhr. Ich hatte mich gerade zu ein paar Jungs ins Billardzimmer gesellt, hauptsächlich welche aus der Zwölften, dazu Lee, Jason und Dixon. Sie machten irgendwas mit Shots, die auf dem Billardtisch aufgereiht standen.

»Kann ich mitmachen?«, fragte ich und kam grinsend an den Tisch.

»Klar«, sagte Dixon und goss mir einen Shot ein.

»Äh, hast du nicht schon genug getrunken, Elle?«, fragte Lee besorgt.

»Wen juckt's?«, erwiderte ich. »Drei, zwei …«

Alle griffen nach ihren Shots und knallten danach die Gläser wieder auf den Tisch. Dixon schenkte Wodka nach. Nach der zweiten Runde verlor ich den Überblick. Dabei mochte ich Wodka noch nicht mal – widerlich. Es brannte in meiner Kehle und bis nach unten in meinen Magen. Aber ich beachtete es nicht weiter.

Alles war grell und verschwommen und laut. Ich kicherte hilflos und lachte so sehr, dass ich ins Stolpern kam.

»Elle, du bist so was von hackedicht«, lachte Chris, der zu mir kam und mir wieder aufhalf.

Ich musste noch doller kichern. »Komm, wir tanzen. Ich will tanzen. Jemand soll mit mir tanzen. Chris, tanzt du mit mir?«

»Hier drin gibt's gar keine Musik.«

»Ach, egal. Wir tanzen trotzdem.« Doch dann beschloss ich, zum Tanzen auf den Billardtisch zu klettern. Das Vibrieren der Bässe aus dem Wohnzimmer war auf dem Tisch zu spüren, was mich schon wieder zum Kichern brachte.

Ich begann, meine Hüften im Rhythmus der Musik kreisen zu lassen. Dazu wedelte ich mit den Händen durch die Luft und schüttelte meine Haare. Ich versuchte, auch Lee zum Tanzen auf den Tisch zu kriegen, aber er wollte nicht.

»Warum denn nicht?«, nörgelte ich.

»Ich tanze nicht«, sagte er. »Und jetzt komm einfach wieder da runter, Elle.«

Ich streckte ihm die Zunge raus. Er versuchte, mich zu fassen zu kriegen und herunterzuziehen, aber ich entwand mich seinem Griff und tanzte weiter. Er war so ein Partymuffel!

»Bin gleich wieder da.«

»Wo willst du denn hin?«, fragte ich. Er konnte doch nicht einfach gehen – die Party war noch längst nicht vorbei!

»Ich hol mir was zu trinken. Dixon, willst du auch was?«

»Hab hier alles, was ich brauche, Mann«, erwiderte der und zwinkerte mir lachend zu. Ich warf ihm eine Kusshand zu.

Auf einmal fand ich es in dem Raum total heiß. Ob jemand die Heizung hochgedreht hatte? Ich fing richtig an zu schwitzen. Vielleicht würde ein Sprung in den Pool mich abkühlen …

Plötzlich fiel mir die perfekte Lösung ein. »Wer kommt mit Nacktbaden?«, rief ich begeistert und griff nach meinem Reißverschluss, während ich auf meinen ungewohnt hohen Absätzen an den Rand des Billardtischs torkelte.

Plötzlich hoben meine Füße vom Boden ab und die ganze Welt drehte sich auf den Kopf. Meine Beine befanden sich in der Luft und mein Kopf hing nach unten. Ich schaute auf jemands Rücken.

»Hey!«, schrie ich. »Lass mich runter! Lass mich sofort runter!«

Ich wurde aber nicht runtergelassen. Während man mich die Treppe rauftrug, sah ich die Stufen unter mir. Meine Handflächen wurden feucht. Das konnte nicht Lee sein. Er hatte doch nichts Grünes angehabt – oder? Vielleicht doch?

Nein, ich war mir sicher. Lee hatte etwas Rotes an. Ich wusste also nicht, wer das in dem grünen Shirt war.

Aber wer auch immer es war, musste ganz schön stark sein, denn ich wehrte mich wie ein wildes Tier.

Schließlich wurde ich auf etwas Weiches fallen gelassen. Eine Matratze! Genau das war es.

Ich setzte mich richtig hin und versuchte, meine Beine unter mich zu ziehen. »Noah Flynn«, schimpfte ich, als ich seinen tadelnden Blick bemerkte. »Du bist so ein Partymuffel! Ich hatte doch bloß meinen Spaß!«

»Du wolltest gerade anfangen zu strippen«, hielt er dagegen. »Mach jetzt besser mal für zwanzig Minuten Pause.«

»Nein!«, rief ich schmollend. »Sei nicht so depri. Ich wollte doch nur nackt baden gehen!«

Er schüttelte schmunzelnd den Kopf. »So verlockend das wäre, ich glaube, du bleibst jetzt besser noch ein bisschen hier – wenigstens bis du etwas nüchterner bist.«

Seufzend ließ ich mich nach hinten in die Kissen sinken. Dann setzte ich mich ruckartig wieder auf. »Lässt du mich jetzt hier ganz alleine?«

»Nein. Ich trau dir nicht, dass du im Zimmer bleibst.«

»Du traust mir nicht? Warum nicht? Ich bin Lees beste Freundin. Du kennst mich schon seit *ewig*! Da solltest du mir schon vertrauen.«

Noah schüttelte den Kopf, während er die Tür schloss und den Schlüssel im Schloss umdrehte.

Ich zog eine Augenbraue hoch, als er zurückkam, sich rittlings auf einen Stuhl setzte und mich ansah.

Sogar in meinem Zustand wusste ich, dass allein die Vorstellung lächerlich war.

»Bist du nicht betrunken?«, fragte ich ihn.

»Nicht wirklich.«

»Ach, warum denn? Das ist doch eure Party. Lass es krachen!«

»Ich glaube, du hast es so krachen lassen, dass es für uns beide reicht.«

»Tut mir leid«, sagte ich und schmollte ein bisschen. »Ich wollte dir nicht den Abend verderben.«

Noah lachte.

Ich krabbelte an die Bettkante, ließ meine Beine herunterbaumeln und setzte mich auf meine Hände. »Noah ...«

»Ja?«

»Kannst du nicht *bitte* bei unserer Kissing Booth mitmachen?«

»Nein.«

»Bitte?«, wiederholte ich und wippte dabei auf der Matratze auf und ab. Wow. Die war ja beinah ein Trampolin oder so was! Wie Lees Bett. »Bitte, bitte, ein ganz schönes Bitte mit einer Kirsche obendrauf?«

»Nein.«

»Und warum nicht?«, jammerte ich. »Du bist so gemein!«

»Weil ich nicht bei einer Kissing Booth mitmachen will, ganz einfach.«

»Aber *warum*?«

»Weil ich nicht will.«

»Bitte! Es ist – ich glaube für Krebs. Oder vielleicht für die Delfine. Das ist doch ein lustiges Wort, oder?

Delfine … Del … fine … Wie Delle und dann fine wie Ende. Dellefine.«

»Ich mache bei der Kissing Booth nicht mit, egal für wen oder was sie veranstaltet wird.«

Ich stand auf und kauerte mich direkt vor ihn hin. So nah, dass unsere Nasen sich fast berührten. »Nicht mal mir zuliebe?«

Er schüttelte den Kopf. Dann – »Mann, du hast ja vielleicht eine Fahne. Wie viel Wodka hast du eigentlich getrunken, Elle?«

»Keine Ahnung. Dixon hat immer nachgeschenkt.«

Er seufzte. »Diese Typen … ich schwör dir …«

»Was?«

»Nichts.«

»Na gut, dann sagst du es mir eben nicht.« Ich sprang abrupt auf, taumelte rückwärts und das Zimmer drehte sich, wobei es an den Rändern grau und unscharf wurde.

»Ich glaube, mir wird schlecht.«

Noah schob mich bereits ins Badezimmer und gerade noch rechtzeitig über die Toilettenschüssel, bevor ich mir die Seele aus dem Leib kotzte.

Nachdem das vorbei war und aus meinem Magen nichts mehr kam, ließ ich mich auf den kühlen Fliesenboden rutschen. Mein Kopf lehnte schlaff am Badewannenrand. Ein Glas kaltes Wasser berührte meine Lippen, und er zwang mich, es auszutrinken.

»Es tut mir echt leid, Noah«, jammerte ich. Nach der Kotzerei fühlte ich mich total eklig. »Es tut mir so leid. Ich wollte deine Party nicht ruinieren.«

»Du hast meine Party nicht ruiniert, Elle«, beruhigte er mich.

Ich nickte heftig, hörte aber gleich damit auf, als ich spürte, wie mir davon wieder schlecht wurde. »Doch, das habe ich. Und es tut mir echt leid!«

»Ist schon gut«, meinte er lachend. »Ganz ruhig.«

Ich verzog das Gesicht und stieß ihn gegen die Brust. *Wow. Das war mal eine kräftige Brust. Garantiert hatte er auch ein Sixpack. Vielleicht sogar ein Eightpack, das war Noah zuzutrauen. Oder ein Tenpack! Gibt es so was überhaupt? Vielleicht …* Falls es so was gab, hatte Noah es.

Ich unterbrach mein stummes Selbstgespräch und sagte: »Lach mich nicht aus.«

Da musste er erst recht lachen und zog mich auf die Füße. Als ich fast hinfiel, legte er einen Arm um meine Taille, um mich zu stützen. Nachdem er mir geholfen hatte, zum Bett zurückzuwanken, ließ er mich einfach auf die Überdecke sinken.

»Ich bin in zehn Minuten wieder da, um nach dir zu seh–«

Da war ich auch schon eingeschlafen.

3

Sonnenlicht versuchte die Vorhänge zu durchdringen, aber es war erst das schwache Morgenlicht, sodass das Zimmer trotzdem irgendwie dunkelblau wirkte. Ich schloss die Augen wieder und grub den Kopf tiefer in das weiche, kuschelige Kissen, auf dem ich lag. Ich rollte mich unter einer dicken Tagesdecke fest zusammen.

Es war so gemütlich und warm. Und alles duftete … nach einer Mischung aus Zitrusfrüchten und Holz. Was auch immer das war, der Duft war richtig gut. Ganz sicher hatte ich den schon irgendwo gerochen. An irgendwem …

Plötzlich schnappte ich nach Luft und schoss hoch.

Mein Zimmer roch nicht so. Und mein Bett war nicht so komfortabel. In meinem Zimmer gab es auch keine blauen Vorhänge.

Also … wo zum Teufel war ich?

Ich blickte um mich. Alles war irgendwie vertraut … Aber ich war hier definitiv noch nie gewesen. Ich warf die Decke zurück und stellte fest, dass ich ein Jungs-T-Shirt trug. Es war mir zu groß und einfarbig grau. Es roch genau wie die Kissen.

Meine Unterwäsche hatte ich noch an – das zumindest war ein gutes Zeichen.

Zögernd kletterte ich aus dem Bett. Was zum Teufel war gestern Abend passiert? Ich zermarterte mir das Gedächtnis, kam aber nicht drauf. Vage erinnerte ich mich daran, auf dem Billardtisch getanzt zu haben. Hatte ich wirklich so viel getrunken?

Der eklige Geschmack in meinem Mund passte gut zu den hämmernden Kopfschmerzen.

Ich musste mich übergeben haben und erinnerte mich noch, dass mir jemand die Haare aus dem Gesicht gehalten hatte. Das musste Lee gewesen sein. Bestimmt hatte er sich um mich gekümmert.

Aber wo war ich bloß?

Auf Zehenspitzen schlich ich zur Tür und steckte den Kopf hinaus. Fast schrie ich vor Erleichterung auf, als mir klar wurde, dass ich mich im Haus von Lee und Noah befand. Das musste also Noahs Zimmer sein, in dem ich geschlafen hatte – in all den Jahren hatte ich es nie betreten.

Also … warum war ich in Noahs Zimmer? Warum nicht in einem der Gästezimmer? Oder in Lees?

Ich kehrte zum Bett zurück, weil mein Kopf so schmerzte, dass ich mich kaum noch auf den Beinen halten konnte. Beim Blick auf den Wecker stellte ich fest, dass es halb acht war. In der Hoffnung, meinen Kater wegzuschlafen, kuschelte ich mich wieder unter die Decke und atmete Noahs Duft.

Als ich gerade wieder einschlummern wollte, wurde die Tür langsam geöffnet und quietschte in den Angeln.

Sofort schlug ich die Augen wieder auf und begegnete Noahs Blick. Er stand nur mit einem Handtuch um die Hüften, das auch noch ziemlich tief hing, in der Tür. An seiner Brust und seinem muskulösen Bauch hingen noch einzelne Wassertropfen, sein schwarzes Haar war nass.

Meine Augenbrauen schossen unwillkürlich in die Höhe. Sixpack. Wer hätte das gedacht?

Ich konnte nicht anders, als rot werden, weil er mein Herz allein dadurch zum Rasen brachte, dass er mich ansah.

»Sorry«, sagte er leise. »Ich wollte dich nicht wecken.«

»Schon okay«, krächzte ich. Als ich mich räusperte, tat sogar dieses Geräusch meinem Kopf weh. »Ich bin sowieso gerade aufgewacht.«

»Okay. Schlimmer Kater?«

Ich schnitt eine Grimasse, was Noah zum Kichern brachte. »Du hast keine Vorstellung. Ich wusste gar nicht, dass ich so viel getrunken habe.«

»Du hattest eine Menge Wodka, das weiß ich«, sagte er und setzte sich ans Fußende des Betts. Mein Herz spielte verrückt. Hätte er sich nicht ein T-Shirt oder eine Jeans anziehen können, bevor er reinkam, um mit mir zu plaudern?

»Wie meinst du das, dass du das weißt? Wann hast du mich denn gesehen?«

»Als du gerade vor einer Reihe von den Jungs strippen und dann nackt baden gehen wolltest«, sagte er ganz unbefangen und sah mich dabei mit diesen strahlend blauen Augen von der Seite an.

Ich fragte mich, ob er mein Herz rasen hörte. Wahrscheinlich. Hoffentlich war ich wenigstens nicht mehr so rot wie eine Tomate, sondern nur noch pfirsichfarben.

Mir fiel die Kinnlade runter, sobald ich begriffen hatte, was er da gerade erzählte. »O Gott. Sag mir, dass ich es nicht getan habe.«

»Nein, hast du nicht. Aber ich musste dich wegtragen.«

Ich schnappte nach Luft und meine Wangen glühten. Ich schlug die Hände vors Gesicht und spähte zwischen meinen Fingern durch. »Ich kann einfach nicht glauben, dass ich das gemacht habe.«

»Ja, also …«

»Aber danke. Dafür, dass du mich davon abgehalten hast. Das wäre heute Morgen ja echt peinlich gewesen.«

»Was du nicht sagst«, meinte er sarkastisch, lächelte aber dabei. »Du hast übrigens auch gekotzt. Nur falls es dich interessiert.«

»Was? Vor allen Leuten?«

O Gott, das wird ja immer schlimmer!, dachte ich entsetzt.

»Nein«, meinte er kopfschüttelnd, wodurch Wassertropfen auf mich sprühten. »In meinem Badezimmer. Ich habe versucht dafür zu sorgen, dass du dich nicht zur Idiotin machst oder dir was passiert.«

Ich stöhnte gedemütigt auf. »Das tut mir leid. Es tut mir echt leid, Noah, ich wollte doch nicht, dass du die Party verpasst oder so was …«

Er zuckte mit den Achseln. »Schon okay. Hat mir nichts ausgemacht.«

Ich schnaubte. »Klar. Egal. Ich glaube, wir wissen

beide, dass es nicht gerade das Highlight deiner Nacht war, dich um mich kümmern zu müssen.«

»So schlimm war es gar nicht«, sagte er nach kurzem Nachdenken und lächelte wieder. Das war kein Grinsen, sondern ein echtes Lächeln, bei dem das Grübchen in seiner linken Wange und die kleinen Fältchen in seinen Augenwinkeln zu sehen waren. Das steckte an. Ich musste zurücklächeln.

»Also, danke, Noah.« Ich konnte nicht anders, als scherzhaft seinen Namen zu betonen.

»Jederzeit, Shelly.«

Er streckte den Arm aus, um mir durch die Haare zu strubbeln, und als ich ihn wegstoßen wollte, schaffte ich es irgendwie, aus dem Bett zu kippen und ihn mitzureißen.

Noah war echt schwer. Er hatte bestimmt kein überflüssiges Pfund am Körper, aber verdammt viel Muskelmasse. Und damit erdrückte er mich gerade.

Aber seine strahlenden Augen zogen mich in ihren Bann. Er rührte sich auch nicht – schaute nur zurück.

Bevor das noch in ein Blickduell ausartete, fand ich zum Glück meine Stimme wieder. »Noah …«, keuchte ich.

»Ja?«, sagte er in ebenso gedämpftem Ton.

»Du zerquetschst mich.«

Er blinzelte ein paarmal, als müsse er sich erst zurück in die Realität zwingen. Dann sagte er: »Oh, stimmt. Mist. Sorry.«

Er stand auf und hielt dabei das Handtuch fest – keine Ahnung, was ich gemacht hätte, wenn er es hätte fallen lassen.

Nein, Elle! Verschwende keinen Gedanken daran! Klappe! Hör sofort damit auf!

Er streckte mir die andere Hand hin und ich kam auch auf die Füße. Das T-Shirt bedeckte kaum meinen Hintern, was mich extrem verlegen machte.

»Äh, wann habe ich mich eigentlich umgezogen?«, fragte ich, während ich an dem Shirt zerrte und mich umblickte. Dann entdeckte ich mein Kleid, das über einem Stuhl hing.

»Oh, als ich wieder raufkam, um nach dir zu sehen, bist du aufgewacht. Und dann hast du angefangen, dein Kleid auszuziehen, damit es nicht verknittert, hast du gesagt, also habe ich dir ein T-Shirt gegeben.« Er zuckte mit den Achseln und rieb sich den Nacken.

Ich blinzelte und mein träger Verstand versuchte, das Gesagte zu verarbeiten. »Dann … hast du mich … in Unterwäsche gesehen …« *Bitte, sag Nein, bitte, sag Nein, bitt–*

Er verzog den Mund und gab sich größte Mühe, nicht zu grinsen. »Äh …«

»O mein Gott.« Ich schlug mir die Hände vors Gesicht.

»Ich habe nicht hingeschaut, ich schwör's.«

Ich lachte, als wäre das unwichtig. »Mach dir darüber keine Gedanken.« Dabei raste mein Puls dermaßen, dass es in meinen Ohren rauschte. Mr. Player hatte nicht hingeschaut? Klang sehr überzeugend.

»Lee ist unten und macht Frühstück, falls du irgendwas möchtest«, erklärte er. Seine Worte purzelten irgendwie raus, als wolle er schnell das Thema wechseln.

Mein Magen beschloss, als Antwort zu knurren, und wir mussten beide lachen. »Großartig.«

Ich verließ sein Zimmer und machte die Tür hinter mir zu. Ich wollte einfach nur kurz die Luft aus mir herauslassen, von der ich gar nicht gemerkt hatte, dass ich sie angehalten hatte, bevor ich nach unten ging. Deshalb rutschte ich mit dem Rücken an der Tür entlang auf den Boden.

»O mein Gott«, flüsterte ich im Selbstgespräch. Da hatte ich gedacht, Noah komplett überwunden zu haben. Aber nach diesen fünf Minuten – er nur mit einem Handtuch und ich in seinem T-Shirt, und wie er auf mich gefallen war … Mein Herz wollte sich einfach nicht wieder einkriegen!

Dabei war es lächerlich. Ich wusste doch, dass Noah in mir nie etwas anderes gesehen hatte als das nervige Mädchen, das die beste Freundin seines kleinen Bruders war. Für ihn war ich nie mehr als das gewesen, da war ich mir absolut sicher.

Aber trotzdem …

Plötzlich fiel ich nach hinten, weil die Tür hinter mir nachgab.

Ich brach in Gelächter aus. »Du trägst Superman-Boxershorts!«

Er sah an sich herunter, als brauche er die visuelle Bestätigung dafür. Da sah ich, wie seine Wangen sich rosa färbten, und konnte nur noch denken: *Ich habe Noah Flynn dazu gebracht, rot zu werden!*

Er grinste, als sei es ihm egal, zwinkerte mir zu und sagte: »Du weißt doch selbst, dass du sie unwiderstehlich findest, Shelly.«

Ist das so offensichtlich?

»Oh ja, stimmt«, schnaubte ich. »Und wie.«

Ich kam wieder auf die Beine und zog mir das T-Shirt so weit runter wie nur möglich. Immer noch grinsend, weil er wegen etwas, das ich gesagt hatte, rot geworden war, lief ich die Treppe runter und in die Küche.

»Rochelle, Rochelle«, seufzte Lee, kaum dass ich mich auf einen der Barhocker an der Frühstückstheke hatte fallen lassen. »Was soll ich nur mit dir machen, meine strippende, nackt badende kleine Freundin?«

»Machst du mir vielleicht Frühstück?«, fragte ich hoffnungsvoll zurück.

Er lachte und drehte sich wieder zum Herd um, wo er noch ein paar Scheiben Speck in die Pfanne warf. »Was ich nicht alles für dich tue.«

4

Den Großteil des Tages über spielte ich mit Lee *Mario Kart*.

»Ich war echt ziemlich überrascht, dass Noah sich um mich gekümmert hat«, gab ich zu.

Lee lachte. »Du warst nicht die Einzige. Ich hätte mich auch gekümmert, wenn ich da gewesen wäre. Aber mir wurde quasi aufgelauert …«

»Ja, du hast mir schon von Veronica erzählt. Hast du sonst noch ein Mädchen geküsst oder nur sie? Du musst echt aufpassen – sonst wirst du noch wie dein Bruder.«

Lee rollte mit den Augen. »Sagt die Stripperin. Wir sind wirklich ein schönes Paar.«

»Ich war betrunken.«

»Ich auch, also ein bisschen.«

»Noah anscheinend nicht.«

»Ich glaube schon, wenn er sich so um dich gekümmert hat. Normalerweise ist er ja nicht so … nett.«

Ich lachte. »Was für eine höfliche Umschreibung.«

»Tatsache. Hey, vielleicht ist er in dich verknallt, so wie du in ihn.«

Ich warf Lee einen vielsagenden Blick zu. »Sei nicht albern. Außerdem bin ich darüber schon seit Jahren hinweg. Und das weißt du ganz genau.«

Lee rümpfte die Nase. »Das wäre ja auch schräg.«

»Wie auch immer.« Ich schubste ihn, sodass sein Kart von der Strecke abkam und Yoshi den Wasserfall runterstürzte, während ich mit Luigi in Führung ging.

Gegen fünf kam ich nach Hause. Ich musste noch meine Hausaufgaben fertig machen. Weil ich mir eine Jeans von ihm geliehen hatte, in der ich aber nicht gesehen werden wollte, hatte ich Lee dazu gebracht, mich nach Hause zu fahren. Als ich zur Haustür rannte, hörte ich meinen besten Freund über mich lachen.

»Hey!«

»Was denn?«, rief ich und drehte mich zu ihm um.

Da warf er mir mein Kleid zu, das ich gerade noch fing, bevor es auf den Boden fiel. »Man sieht sich morgen früh!«

»Bye, Lee!«

Ich zog die Haustür hinter mir zu und hörte: »Rochelle, bist du das?«

»Ja! Hi, Dad!«

»Komm mal kurz in die Küche.«

Ich seufzte und fragte mich, ob ich jetzt eine Strafpredigt zu hören bekäme. Ich hasste es, wenn Dad sauer auf mich war.

Er saß am Küchentisch vor seinem Laptop. Aus dem Wohnzimmer hörte ich Brad mit der Wii spielen.

»Hey«, sagte ich und schaltete die Kaffeemaschine ein.

»Du kannst mir auch gleich eine Tasse machen, wenn du schon dabei bist«, sagte er.

»Okay.«

»Gute Party gehabt?«

Ich nickte. »Ja, war cool.«

»Du hast doch nicht zu viel getrunken? Oder irgendwelchen anderen Unsinn gemacht?« Über den Rand seiner Brille sah er mich streng an. Er meinte eindeutig Jungs.

Ich weiß nicht genau, warum er sich überhaupt die Mühe machte, danach zu fragen. Es war wirklich kein Geheimnis, dass ich noch nie einen Freund gehabt oder auch nur einen Jungen geküsst hatte.

»Ich, äh … Es war nicht soo schlimm … ich hab nur ein bisschen was getrunken.«

Dad nahm seufzend seine Brille ab und rieb sich die Wange. »Rochelle … du weißt, was ich dir über Alkohol gesagt habe.«

»Alles okay, ehrlich. Lee und Noah haben sich außerdem um mich gekümmert.«

»*Noah*?«

Das überraschte sogar meinen Vater dermaßen, dass er kurz das Thema Alkohol vergaß.

»Ja. Ich fand das auch seltsam.«

»Mm … egal, lenk jetzt nicht vom Thema ab, junge Dame. Du weißt, was ich dir über Alkoholkonsum gesagt habe.«

»Das weiß ich. Tut mir leid.«

»Mm. Wenn das noch mal vorkommt, kriegst du einen Monat Hausarrest, verstanden? Und denk nicht, ich würde es nicht erfahren.«

»Botschaft vernommen, laut und deutlich.«

Er sah nicht ganz überzeugt aus, beließ es aber dabei. Es war ja auch nicht so, dass ich jeden zweiten Abend ausging und was trank, sondern nur hin und wieder.

»Habt du und Lee jetzt schon eine Idee für euren Beitrag? Das Frühlingsfest ist doch schon in zwei Wochen.«

»Ja. Wir machen eine Kissing Booth.«

»Eine von diesen Buden, in denen man Geld zahlt, um einen Kuss zu bekommen? Das ... ist ja mal ungewöhnlich.« Dad lachte. »Seid ihr sicher, dass das erlaubt ist?«

Ich zuckte mit den Achseln und schenkte uns zwei Becher Kaffee ein. »Warum denn nicht?«

»Na ja, es ist besser, als mit Bällen auf Kokosnüsse zu werfen«, meinte er. »Aber noch was anderes: Du musst morgen auf Brad aufpassen, ja? Ich muss länger arbeiten.«

»Ja, klar.« Nachdem ich mir ganz viel Milch reingekippt hatte, schüttete ich den Kaffee in mich hinein. »Ich gehe mich jetzt duschen und mache dann meine Hausaufgaben.«

»Okay. Abendessen um sieben. Es gibt Hackbraten.«

»Cool.«

Ich hasste Montage. Sie waren einfach zum Kotzen. So ein Montagmorgen hatte nicht den geringsten Lichtblick. Ich stellte meinen Wecker schon immer zwanzig Minuten zu früh, weil ich das Aufstehen hasste.

Irgendwann quälte ich mich schließlich aus dem

Bett und schnappte mir meine schwarze Hose aus dem Schrank. Unsere Schule war ungefähr um 1900 erbaut worden, und aus irgendeinem bescheuerten Grund hielt man an der Tradition von Schuluniformen fest. Es war zwar nicht die schlimmste Uniform der Welt, aber ich wünschte mir trotzdem, wir hätten gar keine gebraucht.

Als ob ein Montagmorgen nicht schon schlimm genug wäre, sollte dieser eine für mich noch bedeutend schlimmer werden.

Raaatsch!

Ich erstarrte mit einem Bein in der Hose. Dann schlüpfte ich hektisch wieder raus und besah mir den Schaden. Letzte Woche war da nur ein winziges Loch am Saum der Innenseite des rechten Hosenbeins gewesen. Jetzt klaffte dort ein Riesenloch.

»Oh Mist!«, murmelte ich und warf die Hose in die Ecke. Ich war bestenfalls schlecht im Nähen, und Dad würde das so schnell auch nicht hinkriegen. Also musste ich online eine neue bestellen – die könnte bis Donnerstag da sein, rechnete ich. Doch bis dahin musste ich mit meinem alten Rock auskommen.

Ich hasste den offiziellen Schulrock. Es war ein Faltenrock mit einem blau-schwarzen Schottenmuster. Man musste Kniestrümpfe dazu tragen. Keine Strumpfhose, keine nackten Beine. *Lange Kniestrümpfe*. Bei manchen Leuten sah das gut aus, aber ich hatte mich allenfalls damit abgefunden und die Strümpfe im letzten Jahr eine Zeit lang getragen, bevor ich mir schwor, es nie wieder zu tun.

Jetzt hatte ich keine andere Wahl.

Und was es noch schlimmer machte: Der Rock war inzwischen ein bisschen zu kurz.

Ich seufzte tief. Für heute musste es so gehen. Mir blieb nichts anderes übrig. Ich kramte in einer Schublade, bis ich die Strümpfe fand, die ich mir letztes Jahr zum Rock gekauft hatte. Als ich mich im Spiegel ansah, bevor ich zum Frühstück hinunterlief, verzog ich das Gesicht.

Brad verschluckte sich, als ich in die Küche kam. Dann musste er so lachen, dass die Cheerios überallhin flogen. »Was zum Teufel soll das denn sein?«

»Brad, nicht solche Ausdrücke«, schimpfte Dad mit ihm. Dann drehte er sich zu mir um und zog die Augenbrauen hoch. »Ist das nicht ein bisschen ... unpassend für die Schule, Elle?«

Ich schnaubte und runzelte die Stirn. »Meine Hose ist gerissen.«

»Wie hast du das hingekriegt?«

»Ich habe vergessen, das kleine Loch zu nähen, und ... keine Ahnung, dann ist sie einfach zerrissen.«

Dad seufzte. »Dann musst du eine neue bestellen. Ich habe keine Zeit, mit dir in die Mall zu fahren und eine zu besorgen.«

»Ja, ich weiß.«

Ich war kaum mit meinem Müsli fertig, als ich Lee draußen ungeduldig hupen hörte. Also stellte ich meine Schale ins Spülbecken und verabschiedete mich. Dann stürzte ich zum Auto hinaus und sprang hinein, bevor jemand mich in meinem Rock sehen konnte.

»Du hast einen Rock an«, bemerkte Lee.

»Was du nicht sagst, Sherlock«, murmelte ich. »Lass uns einfach losfahren.«

»Was war denn mit deiner Hose?«, bohrte er nach.

»Die hat ein Loch.«

»Das wolltest du doch nähen, oder?«

»Hab's vergessen.«

»Sieht gut aus, Shelly, keine Sorge. Du solltest echt öfter Röcke anziehen.«

Ich gab ihm einen Klaps, er grinste und drehte das Radio lauter. Es dauerte nicht lange, bis wir die Schule erreichten und ich mir sagte, da musst du jetzt durch. Ich holte tief Luft und stieg aus. Wir waren ein bisschen später dran als sonst, und die meisten Leute waren schon da.

Ich knallte die Autotür zu und ging nach vorn, um mich mit Lee auf die Motorhaube zu setzen, als ein paar Jungs rüberkamen, um uns zu begrüßen.

»Hey, siehst gut aus«, sagte Dixon und nickte mir augenzwinkernd zu.

Ich verzog das Gesicht und verschränkte die Arme. »Halt die Klappe.«

»Was denn?«, protestierte er unschuldsvoll. Ich wusste, dass er mich nur aufzog, war dafür aber nicht in Stimmung.

Also beschloss ich, lieber mit ein paar Mädchen zu reden. Lisa und May, die mit mir im Chemiekurs waren, standen ein paar Autos weiter. Im Vorbeigehen haute mir jemand auf den Hintern. Wütend fuhr ich herum.

Es war Thomas, einer der Jungs aus der Fußballmannschaft. Er grinste.

»Hast du mir gerade auf den Hintern gehauen?«, fragte ich und biss die Zähne zusammen.

»Schon möglich.«

»Hey, ich habe die Party am Samstag verpasst«, sagte sein Freund Adam. Ich kannte ihn nicht besonders gut, aber wenn ich ihn richtig einschätzte, war er ein arroganter Scheißkerl. Als wolle er das beweisen, fügte er hinzu: »Krieg ich eine Wiederholung der Vorstellung zu sehen?«

Einige Jungs lachten und johlten, woraufhin Adam die Hüften mädchenhaft zu schwingen begann und sein Hemd aus der Hose zog, als beginne er zu strippen. Das wäre witzig gewesen, wenn ich mich nicht so über ihn und sein verächtliches kleines Gesicht geärgert hätte.

Ich knirschte mit den Zähnen. »Ach, werde erst mal erwachsen.«

Da packte Adam mich am Handgelenk und zog mich an sich. Wahrscheinlich hielt er das alles für einen Scherz, ich aber nicht. Ich riss mich los und funkelte ihn an.

»Hey, verschwinde«, fauchte Lee und kam näher.

»Dazu musst du mich schon bringen«, erwiderte Adam und schwang herausfordernd die Fäuste.

Da verpasste ich ihm einen Schlag.

Oder zumindest versuchte ich es – doch bevor meine Faust sein Kinn traf, fing jemand meine Hand ab.

Ich machte mich los, doch da hatte schon eine andere Faust Adam im Gesicht getroffen. Er taumelte gegen den alten Geländewagen gleich neben uns.

Ich blickte mich um. Na klar. Das musste ja Noah sein, der sich einmischte.

»Schlagt euch! Schlagt euch!«

Plötzlich drängte sich eine Riesenmenge mitten auf

dem Parkplatz. Die Leute riefen entweder »Schlagt euch!« oder »Ooh« oder »Autsch, das muss wehgetan haben!«. Ich befand mich quasi im Auge des Sturms, stand wie angewurzelt da und konnte mich nicht bewegen.

Es dauerte ein paar Sekunden, bis ich wieder Herrin meiner Sinne war. Dann stürzte ich los und versuchte, Noah von Adam wegzuzerren, dessen Lippe schon aufgeplatzt war und blutete. Noah sah unglaublich wütend aus.

»Noah!«, rief ich mehrmals, doch er hörte nicht. Die Jungs schrien und stritten sich. Jetzt tauchte auch noch ein Lehrer auf, der versuchte, die Sache unter Kontrolle zu kriegen, aber mein Verstand registrierte das alles irgendwie nicht.

»Lee!«, rief ich hilflos und zerrte an seinem Arm. »Tu doch was!«

»Was, denkst du, mache ich gerade?«, erwiderte er scharf. »Niemand behandelt meine beste Freundin so und kommt damit durch.«

»Lee …«, seufzte ich resigniert, während er wieder weiterschrie und die anderen Jungs wegschubste.

»Alter, ist ja okay, wenn du sie magst«, blaffte Thomas Noah an. »Aber ich bin sicher, dass es da genug für alle gibt.«

Geschickt wich er einem Schlag aus und sah Noah herausfordernd an.

Ich stand da und starrte ihn wütend an. »*Was* hast du da gerade gesagt?«

»Du hast mich schon gehört«, sagte er mit einem Augenzwinkern.

Ich schnitt eine Grimasse.

»Das reicht«, knurrte Noah.

»Flynn!«, brüllte der Lehrer und bahnte sich seinen Weg durch die sich rasch zerstreuende Menge.

Die anderen hörten zögernd auf, und Noah hielt nur inne, weil ich direkt vor ihm stand und ihn gegen die Brust stieß.

»Was soll das hier?«, verlangte der Lehrer zu erfahren – ich erkannte die Stimme des Konrektors Mr. Pritchett.

»Das ist nur ein großes Missverständnis«, erklärte ich ihm. »Ehrlich.«

»Ihr alle«, verkündete er, »werdet eine Woche nachsitzen. Noah Flynn, Rogers, sofort in mein Büro. Du auch, Rochelle.«

Mir fiel vor Staunen die Kinnlade runter. »Was habe ich denn gemacht?«, rief ich.

»Nichts. Aber ich würde dich gern sprechen.«

Resigniert seufzte ich, aber da legte sich plötzlich ein Arm um mich. Lee.

»Danke«, murmelte ich. »Aber du hättest da nicht mit reingezogen werden sollen.«

»Doch, verdammt noch mal. Keiner darf dich so behandeln, Shelly.«

»Das machst du doch dauernd.«

»Ich darf das auch. Wir sind beste Freunde. Diese Idioten … die können auf keinen Fall ungestraft so mit dir reden.«

»Tja, danke«, sagte ich und drückte ihn unbeholfen von der Seite.

Er legte den Arm noch ein wenig fester um mich.

»Weißt du«, murmelte er mir ins Ohr, »ich fange an zu glauben, dass mein großer Bruder auf dich steht, Shelly.«

Ich schnaubte. »Entweder das oder er wollte sich schlagen.«

»Oh, dann wahrscheinlich Letzteres.«

»*Definitiv*«, korrigierte ich ihn, was ihn zum Lachen brachte. Die Schulglocke läutete, als wir das Büro des Konrektors erreichten. Lee seufzte.

»Ich muss zur ersten Stunde.«

»Klar. Also dann bis später, schätze ich.«

»Ja. Viel Glück«, fügte er noch mit ernster Miene hinzu. Lachend winkte ich ihm nach und ließ mich auf einen Stuhl fallen. Jemand setzte sich direkt neben mich – Noah. Der Konrektor und Thomas marschierten an uns vorbei ins Büro. Hinter ihnen schloss sich die Tür mit einem unheilvollen Klick.

Nach ein paar Sekunden Stille sagte ich leise: »Danke.«

Aus dem Augenwinkel sah ich, wie Noah sich gerade aufrichtete. »Keiner darf ein Mädchen so behandeln und damit durchkommen. Vor allem nicht, wenn du dieses Mädchen bist.«

Ich schielte zu ihm rüber, ohne den Kopf zu drehen. »Tja, dann danke. Du hättest dich trotzdem nicht einmischen müssen. Ich meine, du hättest mich den einen Schlag schon landen lassen können.«

»Das wäre ein guter Treffer geworden, das muss ich zugeben.«

»Warum hast du mich dann daran gehindert?« Das musste ich ihn einfach fragen.

Er zuckte mit den Achseln. »Um ehrlich zu sein … ich weiß es selbst nicht genau.«

»Ach so, aber wenn wir schon dabei sind, warum musstest du dich einmischen? Lee, Dixon und Cam hätten das schon geregelt.«

»Vielleicht«, sagte er.

»Du weichst meiner Frage aus.«

Noah grinste. »Stimmt, tue ich. Ich schätze mal … ich wollte nicht zusehen, wie du in eine Prügelei gerätst, und ich wollte nicht, dass sie so über dich reden …« Er verstummte und fuhr sich mit der Hand durch die Haare, während mein Herz immer schneller schlug.

Dann sagte er die Worte, die das letzte kleine bisschen Hoffnung, das in mir gekeimt war, zunichtemachten. Sie purzelten geradezu aus ihm heraus: »Ich glaube, du bist einfach wie meine kleine Schwester oder so.«

»Oh, verstehe«, sagte ich und nickte. »Klar.«

Er nickte auch und schüttelte dann den Kopf, als versuche er, einen klaren Gedanken zu fassen.

Ich versuchte, meinen neutralen Gesichtsausdruck beizubehalten. »Denkst du, dass du großen Ärger kriegen wirst?«, fragte ich beiläufig und musterte gründlich meine Fingernägel.

»Nee. Kriege ich nie. Schon gar nicht, wenn rauskommt, dass ich deine Ehre verteidigt habe«, fügte er grinsend hinzu.

»Ha-ha«, machte ich und verdrehte die Augen. »Das war ernst gemeint.«

Noah schüttelte den Kopf. »Ich fange Prügeleien nie an, ich beende sie nur. Verstehst du? Weil ich mich verteidige.«

»Ich verstehe nur nicht, warum ich herkommen musste.«

»Oh, die werden eine Zeugin brauchen, einfach um es zu bestätigen oder so was. So läuft das normalerweise immer.«

Ich lachte, sah Noah an und schüttelte den Kopf.

Eine Weile saßen wir schweigend da, aber es war nett, ein angenehmes Schweigen, was mich echt überraschte. Mir fiel auf, dass das gerade die längste Zeitspanne war, die ich im letzten Jahr allein mit Noah verbracht hatte – außer ich rechnete die Zeit mit ein, an die ich mich nicht erinnerte, weil ich betrunken war.

Als Thomas rauskam und Noah reingerufen wurde, formte ich mit den Lippen noch stumm »Viel Glück«. Er grinste nur und salutierte, bevor er die Tür zum Büro des Konrektors hinter sich schloss. Ich hatte nichts zu tun, außer zu versuchen, mit meinem Handy ins Internet zu kommen, was in dieser Schule nicht einfach ist.

Als er wieder rauskam, lächelte er mich schnell an, um mir zu bedeuten, dass alles cool war.

Konrektor Pritchett rief »Rochelle?« und winkte mich rein.

Seufzend stand ich auf und marschierte in sein Büro. Bisher war ich noch nie drin gewesen, immer nur vorbeigegangen – und es war kein besonders einladender Ort. Irgendwie roch es nach Regeln und Strafen.

Er fragte mich, worum es bei der Prügelei gegangen sei. Ich sagte die Wahrheit: dass ein paar Idioten mich wegen etwas Blödem, was ich auf einer Party am Samstagabend gemacht hatte, aufziehen wollten und ich richtig gekränkt gewesen sei, sodass die Jungs sich einmischten und die Prügelei begann.

»Verstehe … tja, dann danke ich dir, Rochelle.«

»Ich habe doch damit jetzt niemand in Schwierigkeiten gebracht, oder? Ich meine, es wurde ja niemand schwer verletzt oder so …« Ich sagte das zögernd, während ich schon aufstand und mir meine Tasche umhängte.

Der Konrektor gab mir eine schriftliche Entschuldigung für meine Verspätung. »Nein, du hast mir nur ihre Version bestätigt, das ist alles. Mach dir weiter keine Gedanken darüber, ja? Aber benimm dich.«

Ich nickte unbehaglich. »Okay …«

»Und jetzt ab in den Unterricht.«

Das war der eindeutige Hinweis, mich zu verkrümeln, also zögerte ich keine Sekunde länger.

5

In der Mittagspause klapperten um mich herum Tabletts und als ich hochschaute, drängelte sich ein ganzer Schwarm Mädchen aus der Elften und Zwölften vor mir.

»Also«, flötete Jaime und setzte sich mit einem breiten Grinsen mir gegenüber. »Erzähl uns alles!«

»Worüber denn?« Verwirrt runzelte ich die Stirn und legte die Gabel neben meinen Teller mit Salat.

»Über Flynn natürlich!«, quietschte Olivia, die sich vorbeugte, um besser hören zu können. »Wir wollen alles wissen. Seid ihr beide jetzt, na ja, zusammen oder so?«

Ich schnaubte. »Meine Güte, nein.«

»Aber du nennst ihn doch Noah«, sagte Tamara. Sie hatte sogar die Stimme gesenkt und seinen Namen nur geflüstert, als hätte sie Angst, er könne sie sonst hören. »Du nennst ihn nicht Flynn.«

Ich zuckte mit den Schultern. »Das habe ich schon immer gemacht. Er war schon immer da, seit ich klein war. Heute Morgen meinte er sogar, ich sei so was wie seine kleine Schwester. Er ist einfach ein netter Kerl.«

»Ein netter Kerl, der dauernd in Prügeleien gerät?« Georgia zog skeptisch die Augenbrauen hoch. »Ach, komm, er beschützt dich – hat er schon immer gemacht.«

Ich merkte, wie ich die Augen leicht zusammenkniff und meine Stirn sich in Falten legte. »Wie meinst du das, dass er mich schon immer beschützt hat?«

Die Mädchen sahen einander an. Irgendwann sagte Faith: »Willst du damit etwa sagen, du wusstest das nicht?«

»Anscheinend nicht«, fauchte ich und war von Sekunde zu Sekunde genervter. »Was weiß ich nicht?«

»Flynn hat den anderen Jungs immer gesagt, sie sollen die Finger von dir lassen«, sagte Olivia in vertraulichem Ton. »Hat ihnen gesagt, wenn sie dich jemals verletzen würden, dann würde es ihnen noch leidtun.«

Ich blinzelte ein paarmal, starrte sie an und lachte dann los. »Das soll ein Witz sein, oder?«

Die Mädchen sahen einander an und ich fühlte mich auf einen Schlag ernüchtert.

»Ach, kommt schon«, sagte ich. »Er benimmt sich doch einfach wie ein großer Bruder, der einen beschützt, oder? Das ist auch schon alles.«

Sie warfen sich wieder skeptische Blicke zu.

Schließlich sagte Jaime. »Na ja, wenn du dir ganz sicher bist …«

»Zu hundertzehn Prozent. Fragt Lee, wenn ihr mir nicht glaubt.«

»Apropos: Wo steckt denn deine andere Hälfte?«, fragte Tamara.

»Der ist beim Werken«, sagte ich. »Er wollte schon mal mit unserem Schild anfangen. Ich dagegen wollte erst was zu Mittag essen.«

»Dagegen kann man nichts sagen«, meinte Candice. »Hey, hast du Flynn dazu gebracht mitzumachen?«

»Wird er nicht. Ich hab's versucht. Glaubt mir, ich hab's echt versucht.«

Alle seufzten. »Ich wünschte, er würde es machen. Dann würde ich an eurer Kissing Booth richtig Geld springen lassen«, sagte Georgia, was uns alle zum Lachen brachte.

»Hat er gesagt, warum nicht?«, fragte Karen.

Ich zuckte mit den Achseln. »Nicht wirklich.«

»Hey«, meinte Lily plötzlich und mit glitzernden Augen blickte sie von Karen zu Dana und dann Samantha. »Vielleicht kommt Flynn ja vorbei, auch wenn er nicht mitmacht.«

Plötzlich quietschten alle vor Aufregung.

Ich konnte es ihnen nicht verübeln.

»O mein Gott! Elle, wenn du ihn schon nicht überreden kannst, bei euch mitzumachen, dann überrede ihn wenigstens dazu, vorbeizuschauen!«

Ich zögerte. »Versprechen kann ich euch nichts ...«

»Aber du wirst es versuchen?«, drängte Dana mich.

Ich hörte mein Handy piepen und wollte schon in meine Tasche greifen, als ich merkte, dass dieser verdammte Rock gar keine Taschen hatte. Seufzend griff ich nach meiner Schultasche und wühlte darin nach dem Handy.

Komm zum Werkraum, brauche bisschen Hilfe!, lautete die Nachricht.

Ich steckte mein Handy wieder weg, stand auf und nahm mein Tablett. »Ich muss Lee helfen gehen. Wahrscheinlich fehlt der weibliche Touch.«

Die anderen lachten und verabschiedeten sich.

»Ach, Elle?«

Ich drehte mich noch mal um. »Ja?«

»Frag ihn«, sagte Samantha und sah mich dabei eindringlich an.

Kichernd nickte ich, was alle erneut zum Quietschen brachte, dann runzelte ich die Stirn.

Okay, zugegeben, ich war selbst auch nicht viel besser. Aber ich war nicht mehr verrückt nach ihm. Schon gar nicht, seit er mir gesagt hatte, ich sei wie eine kleine Schwester für ihn.

Natürlich machte ihn das nicht weniger attraktiv.

Als ich den Werkraum betrat, tippte Lee bereits ungeduldig mit einem Bleistift auf ein großes Holzbrett. Schon nach zehn Sekunden machte mich das verrückt, und ich konnte es Mr. Preston nicht verübeln, dass er Lee sich selbst überlassen und in sein Büro weiter hinten im Raum verschwunden war.

»Hey«, sagte ich, doch Lee bemerkte mich erst, als ich direkt vor ihm stand und meine Tasche laut zu Boden fallen ließ. Da zuckte er zusammen.

»Oh, hab dich gar nicht kommen gehört.«

»Das sehe ich. Wozu brauchst du mich denn?«

Er zeigte auf das Brett vor sich. »Wie groß soll ich die Buchstaben machen?«

Seufzend schüttelte ich erst mal meine Haare aus und band sie dann zu einem Pferdeschwanz zusammen. »Na gut, großer Junge, gib mir mal den Bleistift.«

Ich zeichnete die Buchstaben von KISSING BOOTH auf das Holz.

»Aber die sind nicht ganz gleichmäßig. Das eine O ist viel schmäler als das andere. Und das H ist nur halb so hoch wie das S.«

»Das weiß ich. Aber du kannst ja noch mal drüber gehen und sie gleichmäßiger machen. Für das, was ich mir vorstelle, spielt das gar keine Rolle.«

»Dann verrat mir das mal.«

Ich biss mir auf die Lippe und bemühte mich, die richtige Beschreibung für das zu finden, was ich im Sinn hatte. Das war gar nicht so einfach. »Also, wir haben doch das große Brett vorne an der Bude, und da nageln wir die einzelnen Buchstaben dran. In verschiedenen Winkeln, sodass sie sich teilweise überdecken und in alle Richtungen zeigen. Das sieht cooler aus, als es flach und eindimensional zu machen. Klingt das logisch?«

Lee nickte und musterte das Brett. Ich konnte fast hören, wie er sich meinen Vorschlag vorstellte. »Ich sehe, was du meinst. Das wird cool.«

»Absolut«, erklärte ich.

Lee fing an, die Linien kräftiger nachzuzeichnen und alles gerade und perfekt abzumessen. Ich setzte mich auf eine Bank, sah ihm zu und baumelte mit den Beinen.

»Hey«, sagte ich, »wusstest du, dass dein Bruder Jungs gewarnt hat, damit sie sich von mir fernhalten?«

Lee schaute nicht mal hoch und zuckte nur mit den Achseln. »Klar, das weiß doch jeder.«

»Jeder außer *mir*. Wie kann es sein, dass ich nichts

davon wusste? Und vor allem, warum hast du es mir nicht gesagt?«

»Keine Ahnung – weil ich dachte, mit der Zeit würdest du dahinterkommen. Warum dachtest du denn, dass dich kein Junge je nach einem Date gefragt hat?«

Darüber musste ich kurz nachdenken. Ehrlich gesagt, hatte ich mich das nie gefragt. Ich war auch noch nicht in Panik geraten, nur weil ich keinen Boyfriend hatte. Ich hatte es eher locker gesehen, dass ich vielleicht zu den Jungs gezählt wurde, weil ich immer mit Lee zusammen war. Sodass Jungs mich nicht als Mädchen betrachtet hatten, das für Verabredungen infrage kam.

»Du weißt doch, dass du für mich der Einzige bist, Lee«, zog ich ihn auf. Er schaute hoch und zwinkerte mir zu. Daraufhin warf ich ihm eine Kusshand zu. Wir mussten beide lachen und er widmete sich wieder dem exakten Zeichnen der Buchstaben.

»Aber mal im Ernst – hast du gerade erst davon erfahren?«

»Ja. Eine Truppe Mädels hat es mir erzählt, als sie den neuesten Klatsch von heute Morgen erfahren wollten. Nicht dass es da irgendwelchen Klatsch gegeben hätte. Ich habe denen gesagt, dass Noah mich quasi als seine Schwester sieht.«

»Er hat die Rolle des überbeschützenden Bruders ein bisschen zu extrem aufgefasst«, bestätigte Lee. »Obwohl ich natürlich das Gleiche getan hätte. Vor allem nachdem diese Typen sich dir gegenüber heute Morgen so aufgeführt haben …« Der Bleistift in seiner Hand zerbrach.

»Meine Güte, komm wieder runter«, sagte ich leise.

Lee warf die beiden Bleistifthälften beiseite und nahm einen anderen hinter seinem Ohr weg. »Tut mir leid. Die haben mich heute Morgen einfach richtig aufgeregt.«

»Was du nicht sagst.«

»Ja, aber ist ja auch egal. Der Punkt ist, dass Noah total recht damit hat, den Jungs zu sagen, sie sollen die Finger von dir lassen. Du bist so gutgläubig, da würdest du total leicht verletzt.«

»Was?«, rief ich gekränkt. »Inwiefern bin ich denn ›gutgläubig‹?«

Lee zuckte wieder mit den Achseln. »Du bist manchmal einfach zu nett, Shelly. Und das ist ja gar nicht negativ. Ich meine nur ... also, du weißt schon, die Wahrscheinlichkeit ist groß, dass du dich in irgendeinen Scheißkerl verliebst, der dir dann wehtut.«

»Oh«, sagte ich. »Verstehe.«

»Ich passe doch nur auf dich auf. Genau wie Noah.«

»Tja, dann muss ich mich wohl bedanken, was?«

»Gern geschehen, was?«, erwiderte er lachend. Ich schnalzte ein Gummiband, das auf dem Tisch neben mir gelegen hatte, gegen seinen Arm. Er wischte es nur weg und machte mit seiner Arbeit weiter, während ich ihm zusah.

Ich fragte mich immer noch, warum Noah so weit gegangen war, Jungs zu warnen, damit sie mich in Ruhe ließen. Eigentlich war das unglaublich unfair. In gerade mal zwei Monaten würde ich siebzehn. Bisher war ich ungeküsst, hatte noch nie ein Date und noch nie einen Freund gehabt. Das war einfach dermaßen rücksichtslos von Noah. Wie konnte er es wagen, sich dermaßen in mein Leben einzumischen? Klar, es war nett von ihm, auf mich aufzupassen – aber deshalb musste er Jungs doch nicht daran hindern, mich auch nur zu daten?

Als ich Lee fragte, was genau Noah getan hatte, um die anderen abzuschrecken, sagte er: »Er hat den Jungs erklärt, wenn sie dir jemals in irgendeiner Form wehtun würden, bekämen sie es mit ihm zu tun.«

Ich seufzte. Es schien offensichtlich, dass Noah in mir nur eine verletzliche, zu vertrauensvolle kleine Schwester gesehen hatte, aber ich konnte nicht umhin mir zu wünschen, er hätte es aus anderen Gründen getan.

6

Brad war nicht der schwierigste zehnjährige Junge zum Babysitten. Meist spielte er einfach Videospiele und schrie den Fernseher an. Alles, was ich tun musste, war, ihm sein Abendessen hinstellen. Dann versuchte ich so gegen halb neun, ihn die Treppe nach oben zu scheuchen, bis er rief: »Meinetwegen! Dann gehe ich eben ins Bett!«

Seufzend genoss ich die Ruhe, nachdem er seine Zimmertür zugeknallt hatte.

Ich warf mich vor dem Fernseher auf die Couch und machte mir endlich einen blutrünstigen Film mit Römern und Gladiatoren oder etwas in der Art an.

Als ich kurz vor dem Einnicken war, klingelte mein Handy. Ich zuckte zusammen und fiel fast vom Sofa.

»Hallo?«, murmelte ich ins Telefon, ohne mir vorher den Namen oder die Nummer des Anrufers anzusehen. Dabei klang ich ein bisschen gereizt, was mir aber ziemlich egal war. Wer auch immer da dran war, musste eben damit klarkommen.

»Äh, Elle?«

»Ja?«, fragte ich schnippisch.

»Hier ist, äh, Adam. Hör mal, leg nicht gleich auf. Ich wollte mich nur für heute Morgen entschuldigen. Ich schätze, ich habe einfach nicht über das nachgedacht, was ich da gesagt habe. Also … ja. Sorry.«

Ich blinzelte ein paarmal und versuchte, einen klaren Gedanken zu fassen. Adam? Der anrief, um sich zu *entschuldigen*?

Das nahm ich ihm nicht ab. Vielleicht lag es auch daran, dass er klang, als versuche er, nicht zu lachen.

»Äh … Elle? Bist du noch dran?«

»Ja-ja«, stammelte ich schnell. »Sorry. Ich – ich stehe gerade am Herd.« Was zum Teufel sollte das? Wer wurde denn schon beim Telefonieren abgelenkt, weil er gerade am Herd stand? Um zehn Uhr abends?

»Du rufst ganz schön spät an, weißt du«, beeilte ich mich hinterherzuschieben. »Vielleicht ein bisschen zu spät für Entschuldigungen?«

»Aber ich wollte dir sagen, dass es mir leidtut.«

»Okay, danke«, sagte ich kurz angebunden. »Ich muss jetzt Schluss machen, Adam, man sieht si–«

»Warte kurz.«

»Ich will's gar nicht hören, egal, was es ist.«

»Dann willst du also nicht mit mir Abendessen gehen?« Ich konnte mir sein fieses Grinsen dank seines forschen Tons ganz gut vorstellen. Es brachte mich dazu, mit den Zähnen zu knirschen. »Mir nicht die Chance geben, mich richtig zu entschuldigen?«

»Nein. Bye.«

Ich legte auf und warf mein Handy auf die Couch, bevor er noch eine weitere Silbe sagen konnte. Was für ein Arschloch.

Und Lee meint, ich wäre zu nett! Ha!

Bei dem Gedanken schnaubte ich leise und war ganz zufrieden mit mir, weil ich Adam entschlossen abserviert hatte. Doch als ich die Treppe raufging, musste ich an etwas anderes denken.

Es gab nur eine einzige Sache, die mich beschäftigte. Wie vorherzusehen, war das Noah.

Aus irgendeinem Grund musste ich dauernd an Sonntagmorgen denken, als wir aus dem Bett gefallen waren: Dieser Blick seiner Augen – ein Blick, den ich noch genau in Erinnerung hatte, aus dem ich aber nicht schlau wurde. Strahlende, im Schatten liegende Augen, die meinen Blick festhielten.

So sieht man doch nicht seine behelfsmäßige kleine Schwester an, oder?

Natürlich war das lächerlich. Meine schläfrigen Gedanken waren wohl schon auf dem Weg ins Traumland. Aber das brachte mich zu der Überlegung, dass es vielleicht doch noch einen anderen Grund dafür gab, dass er heute Morgen in diese Prügelei geraten war.

Ich machte mich über mich selbst lustig, während mir die Augen schon fast zufielen.

»Du bist eine Idiotin, Elle«, murmelte ich. »Total bescheuert …«

Die Schule am nächsten Tag war gar nicht so schlimm. Es gab ein paar anerkennende Pfiffe und neckende laute Kommentare, aber ich schenkte ihnen keinerlei Beachtung. Außerdem bekam ich sie nur zu hören, wenn Noah nicht in der Nähe war.

Lee murmelte irgendwas dazu und ich meinte: »Na

ja, es ist ja schon meine Schuld. Ich habe ja versucht, mich auszuziehen, um nackt baden zu gehen …«

Er sah mich mit einem Blick an, der mich verstummen ließ. »Was habe ich dir gestern gesagt? *Zu nett.*«

»Was war denn daran *zu nett*?«, fragte ich.

»Es ist ja nicht so, dass du rumstolzierst und dich anbietest, oder? Du hast Anstand. Ein Versehen, während du betrunken bist, und diese Typen ziehen dich praktisch mit den Augen aus.«

Ich seufzte. »Ach komm. Ich bin doch nicht *so* scharf.«

»Hast du in letzter Zeit mal in den Spiegel geschaut, Miss 70 C?«

»Lee!«, rief ich und gab ihm einen Klaps auf den Arm. Gleichzeitig spürte ich, wie ich rot wurde. »Sag das nicht so laut!«

Lachend legte er einen Arm um meine Schulter. »Ich kann gar nicht glauben, dass dies dasselbe Mädchen ist, das Nacktbaden gehen und vor einer Horde Jungs strippen wollte –«

»Halt die Klappe.«

»Sorry.«

»In der Mittagspause haben wir ein Treffen für das Schulfest«, erinnerte ich ihn, als es schon läutete. Ich hatte Chemie, Lee Bio. Das waren die einzigen Fächer, die wir nicht gemeinsam hatten.

»Ja, ich weiß.«

»Bis dann.«

»Bye, Elle.«

Ich wollte zu meinem üblichen Platz im Chemiesaal, aber da hörte ich: »Hey, Elle! Komm, setz dich zu mir.«

Ich blickte über die Schulter und sah, wie Cody den Stuhl neben sich zurückschob.

»Er ist so gut wie tot«, murmelte Dixon hinter mir.

»Und ich will gar nicht erwähnen, was Noah mit ihm anstellen wird«, stimmte Cam ihm zu und beide grinsten mich an, bevor sie sich setzten. Ich warf ihnen nur einen erstaunten Blick zu und dachte: *Jungs*.

»Äh ... klar, okay«, sagte ich zu Cody und ging zu ihm. Ich kannte ihn nicht besonders gut, aber er wirkte wie ein ganz netter Kerl. Er hatte schwarz gefärbte Haare und ein Zungenpiercing. Außerdem spielte er fantastisch Klavier; ich hatte ihn mal bei einem Schulkonzert gehört.

»Hab von der Prügelei gestern erfahren«, sagte er, um Konversation zu machen, und zeichnete gleichzeitig Schnörkel an den Rand seines Arbeitshefts. »Ich kann gar nicht glauben, dass die solche Sachen zu dir gesagt haben.«

»Oh, also, ähm ...« Ich lachte nervös und wusste nicht, was ich darauf erwidern sollte.

Ein paar Augenblicke später sagte er: »Stimmt es, dass du und Lee eine Kissing Booth macht? Auf dem Frühlingsfest?«

Ich nickte grinsend und war ihm dankbar für den Themenwechsel. »Jawohl! Cool, was?«

»Und wie«, stimmte er mir lächelnd zu. »Wirst du da dann auch arbeiten?« Er zog eine Augenbraue hoch und seine grünbraunen Augen glitzerten amüsiert. Er lächelte vielsagend, aber ich konnte seinem Lachen anhören, dass er es nicht ganz ernst meinte.

»Nein.« Ich lachte. »Werde ich nicht.«

»Schade. Ich hatte gehofft, mich nicht blamieren zu müssen.«

»Ach?«

»Du würdest wohl nicht … also … äh, mit mir« – er räusperte sich – »ins Kino gehen oder so … mit mir … irgendwann mal?«

Ich hätte am liebsten gelacht, weil er dermaßen nervös war. Aber ich schaffte es, mich zusammenzureißen. Stattdessen lächelte ich nur ironisch und sagte: »Hast du denn keine Angst, dass Noah dir den Arm bricht?«

Er zuckte mit den Achseln. »Ich glaube, für ein nettes Mädchen wie dich kann ich das riskieren.«

»Tja, wenn du es so siehst«, sagte ich, immer noch lächelnd, »warum nicht?«

»Wirklich?« Seine Augen leuchteten.

»Wirklich, wirklich.«

»Cool. Also, dann können wir ja mal telefonieren.«

Ich nickte. Dann fiel mir ein: »Ich habe deine Nummer gar nicht.«

»Hier.« Er zog mit den Zähnen die Kappe von einem Kugelschreiber, packte meinen Arm und drehte die Innenseite nach oben. Er war ziemlich geschickt, wie ich zugeben musste, denn er schrieb seine Nummer von meinem Ellbogen bis nach unten, wobei die Ziffern alle auf dem Kopf standen.

»Du hättest sie auch einfach in mein Handy tippen können.«

»Aber das macht keinen Spaß.«

Ich lachte.

Inzwischen war der Lehrer reingekommen. »Na schön, ihr alle, jetzt seid ihr still und beruhigt euch. Wir haben heute eine Menge Arbeit. Schlagt eure Arbeitshefte auf Seite 137 auf. In der letzten Stunde haben wir uns mit der Produktion von Alkohol beschäftigt. Mit der kommerziellen Nutzung und den sozialen Folgen …«

»Genau«, rief irgendein Junge – ich glaube, es war Oliver. »Elle hat er zum Strippen gebracht!«

Ich wurde rot und erwiderte: »Du hast ja keine Ahnung! Du warst da doch schon längst im Koma, du Lauch!«

»Nett.« Cody lachte anerkennend. Die anderen fingen an, Witze zu reißen, aber ich schenkte ihm ein Lächeln.

Lee störte es nicht, als ich ihm erzählte, ich hätte ein Date mit Cody. Er kannte ihn noch ein bisschen besser als ich. Aber ich machte mir Sorgen wegen Noah.

»Hey«, sagte Cody, als es geklingelt hatte und ich schnell zu meiner Besprechung wegen des Schulfests wegwollte.

»Ja?«, fragte ich.

»Ruf mich an.« Er zwinkerte mir zu und lachte.

Ich grinste. »Bye, Cody.«

Zu der Besprechung kam ich gleichzeitig mit Lee. »Hey, du errätst nie, was gerade bei mir in Chemie passiert ist.«

»Jemand hat dich um ein Date gebeten?«

Aus meinem Grinsen wurde ein Schmollen. »Woher weißt du das?«

»Dixon hat es mir geschrieben. Er meinte, jemand riskiere Kopf und Kragen. Cody, stimmt's?«

»Ja«, sagte ich mit einem strahlenden Lächeln.

»Kannst du nicht ein bisschen aufgeregter tun, Lee?« Spaßeshalber knuffte ich gegen seinen Arm. »Ich habe ein Date! Kannst du dich nicht für mich freuen?«

Lee lachte. »Tu ich doch, Shelly!« Er umarmte mich, aber das machte er vielleicht nur, damit ich aufhörte, vor Aufregung herumzuspringen. »Cody ist ein netter Kerl. Ich frage mich nur, was mein Bruder sagen wird, wenn es ihm jemand erzählt.«

Ich lachte. »Keine Sorge. Das geht schon in Ordnung.«

»Wenn du meinst …«

»Also, Lee und Elle«, sagte Tyrone, Vorsitzender der Schülervertretung, und rief die Versammlung mit einem kurzen Klatschen seiner großen Hände zur Ordnung. Er saß am Tisch vor Kopf, neben sich Gen mit Stift und Papier, um zu protokollieren. Sie nahm ihre Funktion als Sekretärin der Schülervertretung sehr ernst. Alle sahen zu Tyrone und verstummten sofort. »Ich habe gehört, ihr habt euch endlich etwas überlegt.«

»Genau«, sagten wir einstimmig.

»Eine Kissing Booth.«

»Mhmm«, machten wir im Chor.

Er sah uns skeptisch an. »Findet ihr das nicht ein bisschen … ein bisschen gewagt?«

»Was? Wieso denn gewagt? Wir sagen einfach, dass man bei der Kissing Booth nicht mitmachen darf, wenn man erkältet ist. Keine große Sache.«

»Nein. Ich meine … also, findet ihr das nicht ein bisschen zwielichtig?«, sagte er. »Manche Leute sind davon nicht begeis–«

»Aber wir haben schon mit dem Schild angefangen!«, rief Lee entrüstet. »Wir haben auch schon Küsser, die mitmachen wollen! Alle lieben die Idee!«

»Tyrone«, sagte ich ruhig und verpasste Lee einen Stoß mit dem Ellbogen. »Niemand wird sich darüber aufregen. Außerdem gibt es auf vielen Schulfesten Kissing Booths. Wir können ja auch ein paar Regeln aufstellen. So wie die Höhenbeschränkung bei einer Achterbahn. Wir können eine Altersgrenze festlegen, falls du dir deshalb Sorgen machst.«

»Es gibt einige Lehrer, die darüber nicht glücklich sind«, sagte er. »Ich finde, es ist eine super Idee. Ich bin mir nur noch nicht ganz sicher …«

»Das wird prima«, versprach ich ihm und grinste von einem Ohr zum anderen.

»Tja, wenn ihr das alles berücksichtigt, müsst ihr für euren Stand aber ranklotzen. Das Fest ist nächsten Samstag, also muss am Freitag alles fertig sein.«

»Klar. Wissen wir. Er wird fertig sein«, sagte Lee.

»Cool. Nächster Punkt – Kaitlin, hast du die Telefonnummer der Firma dabei, die Zuckerwatte macht?«

»Erinnere mich, dass ich deinen Bruder frage, ob er wenigstens mal bei der Kissing Booth vorbeischaut«, flüsterte ich Lee zu. »Die Mädchen hören nicht auf, mich deswegen zu belagern.«

»Du weißt, dass er Nein sagen wird.«

»Ja, aber ich muss ihn trotzdem fragen.«

»Was habe ich dir gesagt, Shelly?« Lee lächelte und stupste mir auf die Nase, sodass ich das Gesicht verzog. »Du bist einfach zu nett.«

Lee musste noch kurz zum Supermarkt und ein paar Sachen für seine Mom besorgen. Also ließ er mich vor seinem Haus schon aussteigen, weil wir nachher an einer Playlist für die Kissing Booth arbeiten wollten. Ich würde schon mal ein paar Love Songs raussuchen, deshalb ging ich gleich rein.

Die Haustür war nicht abgeschlossen und ich sah Noahs Auto, eines, das er selbst restauriert hatte, in der Einfahrt stehen.

»Mom sagt, du sollst noch Milch mitbringen – wir haben überhaupt keine mehr«, hörte ich ihn rufen.

»Macht er gerade«, rief ich zurück. »Ich bin's.«

Ich lief auf die Küche zu, aus der Noah gerade hinauswollte – wir prallten direkt aufeinander. Er verschüttete Wasser aus einem Glas auf mein Top. Noch dazu war das Wasser eiskalt. Ich schnappte nach Luft und machte einen Riesensatz nach hinten.

»Noah!«, schrie ich und zerrte mir das Top von der Haut weg. Der Stoff klebte mir auf der Haut und es war auch nicht gerade hilfreich, dass ich heute einen pinkfarbenen BH trug, weil alle meine weißen gerade in der Wäsche waren. Ich seufzte. *Wenn ich schon mal Glück hatte …*

Wütend starrte ich ihn an. Ich sah einen Muskel an seinem Kiefer zucken und wie er die Stirn runzelte.

»Was? Wieso siehst du mich so an?«, fragte ich gereizt. Als er nicht antwortete, stürmte ich einfach an ihm vorbei in die Küche, um mir auch etwas zu trinken zu nehmen.

»Hey, was ist das denn da auf deinem Arm?«

Ich antwortete nicht.

»Stimmt es, dass du ein Date mit irgendeinem Typen hast?«

Ich stellte das leere Glas auf die Arbeitsplatte. »Mein Gott, Noah! Was spielt das für eine Rolle? Ich habe schon von Lee gehört, dass ich zu nett bin – da musst du mich jetzt nicht auch noch nerven!«

»Du hast meine Frage nicht beantwortet.«

»Du meine auch nicht.«

»Ich habe aber zuerst gefragt, Rochelle.«

O Mann. Er benutzte meinen vollen Namen. Oh-oh. Ich drehte mich zu ihm um. »Ja, ich habe ein Date – mit Cody. Er ist ein netter Typ.«

»Ein *netter* Typ?« Noah machte ein finsteres Gesicht. »Elle, ist das dein Ernst? Kennst du den Kerl überhaupt? Ich meine, kennst du ihn richtig?«

»Also – also, nein, nicht richtig. Aber deshalb bin ich ja mit ihm verabredet. *Um ihn besser kennenzulernen*. So macht man das, weißt du? Oh, Moment – nein, sorry, du weißt das natürlich nicht, Mr. Player. Du legst Mädchen einfach flach und servierst sie dann am nächsten Morgen ab. Solange du ihren Namen noch weißt, ist alles okay.«

Ja, er machte mich wütend. Normalerweise hätte ich mich nicht getraut, solche Dinge zu sagen, vor allem weil ich nicht mal wusste, ob sie überhaupt stimmten. Aber er brachte mich wirklich, *wirklich* auf die Palme. Außerdem war ich immer noch sauer, weil er alle Jungs davor gewarnt hatte, sich für mich zu interessieren. Ich redete mir ein, dass Wut für mein Herzklopfen verantwortlich war.

»Der will dich nur flachlegen.«

»Ach ja?«, schrie ich und warf die Hände in die Luft. »Woher willst du das wissen? Du kennst ihn noch nicht mal.«

»Cody Kennedy. Konzertpianist. Ist in ein paar Kursen auf Collegeniveau.«

Ich blinzelte. Okay, vielleicht kannte er ihn doch.

»Genau«, sagte Noah überheblich. »Ich weiß, von wem ich rede. Und weißt du noch was? Er will dich genau wie jeder andere Kerl nur flachlegen.«

»Du willst mir also erzählen, dass es in der Schule keinen einzigen anständigen Jungen gibt, der nicht nur Sex von einem Mädchen will? Oder möchtest du etwa behaupten, dass ich für nichts anderes zu gebrauchen wäre? Habe ich wirklich keine Persönlichkeit, Noah?«

»Das habe ich nicht gesagt. Aber die sind alle gleich.«

»Woher willst du das wissen? Du bist der Grund dafür, warum ich in meinem ganzen Leben noch kein Date hatte! Wie kommst du überhaupt dazu?«

»Du bist zu gutgläubig«, fauchte er dazwischen. »Dir müsste ein Kerl nur erzählen, dass er dich liebt, aber nicht mehr lange auf dich warten wird.«

Ich starrte ihn wütend an. »Glaubst du echt, ich wäre dermaßen leicht zu haben?«

Noah starrte zurück, bevor er wütend die Küchentür zustieß, die vom Türrahmen abprallte.

»Verdammt, kannst du mir nicht einmal im Leben zuhören? Ich versuche hier, auf dich aufzupassen!«

»Ich *brauche* niemand, der auf mich aufpasst!«, schrie ich zurück. »Kannst du dich nicht aus meinem Leben raushalten? Ich glaube, ich schaffe es, zu einer Verabredung auszugehen, Noah!«

»Woher willst du das wissen? Jungs starren dich immer an und reden darüber, wie scharf du bist – hast du das noch nie bemerkt? Wenn ein Idiot denkt, er kann dich daten und dir dann wehtun, kommt er gleich noch auf andere Gedanken.«

Frustriert schrie ich ihn an: »Halt dich doch einfach aus meinem Leben raus!«

»Dann bist du am Ende nur verletzt.«

»Bin ich nicht. Für den Fall, dass du es noch nicht bemerkt haben solltest, ich bin schon ein großes Mädchen. Ich *kann* auf mich selbst aufpassen.«

»Und deshalb wolltest du dich am Samstag vor allen ausziehen?«

»Da war ich betrunken!«

»Und an wem blieb es hängen, auf dich aufzupassen?«, erwiderte er.

»Ich habe dich nicht darum gebeten! Und ich habe dich auch nicht gebeten, anderen Jungs zu sagen, sie sollten sich von mir fernhalten!« Ich wollte an ihm vorbeistürmen und mich in Lees Zimmer verziehen.

Doch Noah packte mich am Arm. »Hey! Wir sind hier noch nicht fertig, Rochelle!«

Ich fuhr herum und stieß ihn mit aller Kraft gegen die Brust, was ihn aber nicht erschütterte.

»Hoppla!«, rief da eine andere Stimme – Lee. Wir schauten beide hin und sahen ihn im Türrahmen stehen. »Warum geht ihr euch denn an den Kragen? Was habe ich verpasst?«

Weder Noah noch ich antwortete; wir starrten einander nach wie vor wütend an.

»Nichts«, sagte ich schließlich. »Ich sehe dich dann oben, Lee.«

Ich hörte die beiden leise in der Küche miteinander reden und seufzte. Noah machte mich einfach ... so wütend! Klar sah er unglaublich gut aus. Aber verdammt, warum musste er sich einmischen? Wie konnte er automatisch annehmen, dass ein Junge nicht vielleicht deshalb ein Date mit mir wollte, weil er mich echt mochte?

Ich warf mich auf Lees Bett und schrie ins Kissen, um meine ganze Wut rauszulassen.

Als Lee raufkam, um Musik für die Booth auszusuchen, hatte ich mich schon wieder beruhigt und surfte in seiner iTunes-Bibliothek.

Er stellte mir auch keine Fragen, außer: »Schon was gefunden?«

Darum liebe ich Lee so.

Er wartete, bis wir uns chinesisches Take-away-Essen im Wohnzimmer gönnten, bevor er mich fragte.

»Also, was war da zwischen dir und Noah los?«

»Ich habe ihn angeschrien, weil er so überfürsorglich ist. Er hat mich angeschrien und behauptet, er würde nur auf mich aufpassen. Danach habe ich noch ein bisschen lauter rumgeschrien und dann bist du reingekommen.«

»Er hat aber auch gute Gründe«, sagte Lee nach einer Weile vorsichtig. »Ich habe ja versucht, es dir zu erklären ...«

»Ja, das weiß ich schon, Lee. Aber bei dir ist das was anderes. Ich meine, du bist mein bester Freund.«

Lee grinste. »Mm … schon, aber – aber Noah hat auch recht. Nicht jeder Typ ist ein netter Kerl.«

»Klar, aber … aber ich bin nicht so blöd, darauf reinzufallen.«

»Ich passe auf dich auf, Shelly.« Er legte eine Hand auf mein Knie und ich grinste zurück. Eben – wenn Lee das so sagte, war es nett. Als Noah es gesagt hatte, war ich einfach nur sauer auf ihn gewesen.

»Das weiß ich doch. Ich habe nur mit Noah ein Problem. Er übertreibt. Ich werde ein Date mit Cody schon überleben. Du weißt doch, wie Cody ist. Der würde doch so was nicht versuchen.«

»Klar, weiß ich.«

»Noah anscheinend nicht.«

»Ihr beiden habt mir vorhin echt Angst gemacht, weißt du. Das meine ich ernst.«

»Ja, weiß ich.« Aber ich musste mir trotzdem das Lachen verbeißen.

»Dann … sei wenigstens vorsichtig, ja?«

»O mein Gott. Hunderte von Leuten haben Dates, Lee. Du verabredest dich doch auch. Und du versuchst nicht, ein Mädchen gleich beim ersten Date zu belästigen.«

Das brachte Lee zum Lachen. »Vielleicht beim dritten.«

»Und deshalb wollte Karen auch nicht mit dir ins Kino gehen.«

Er lachte wieder, weil wir einfach nur rumalberten, aber als wir beide uns beruhigt hatten, sagte er mit ernster Stimme: »Ganz ehrlich, Elle. Wir wollen nicht, dass jemand dir wehtut.«

»Ich weiß.«

»Sei einfach vorsichtig.«

»Werde ich sein. Entspann dich.«

»Versprochen?«

»Mit kleinem Finger«, sagte ich, hakte meinen kleinen Finger unter seinen und grinste. Mit Lees Fürsorge kam ich zurecht. Ich mochte sie sogar ganz gern. Es störte mich auch nicht, wenn Noah sich wie ein großer Bruder aufspielte und auch fürsorglich war – aber dass er dagegen zu sein schien, dass ich überhaupt irgendwelche Dates hatte, regte mich auf.

Was für ein Penner.

7

Der Rest der Woche verging schnell: Wir waren damit beschäftigt, eine Playlist für die Kissing Booth zusammenzustellen, den Schriftzug fertig zu machen, die nötige Deko zu besorgen und außerdem Schilder und Plakate zu malen. Von so alltäglichen Sachen wie Hausaufgaben ganz zu schweigen.

Ich gab mir Mühe, Noah aus dem Weg zu gehen, wenn ich bei Lee war. Erstens ärgerte ich mich immer noch über ihn, zweitens wollte ich einen weiteren lautstarken Streit vermeiden.

Dann war auch schon Freitag und ich konnte den ganzen Tag über kaum still sitzen. Am Abend würde ich mit Cody ins Kino gehen. Wir wollten uns um sieben dort treffen. Ich hatte beschlossen, erst um fünf nach aufzutauchen. Es hieß doch immer, man sollte einen Jungen ruhig ein bisschen warten lassen, oder?

Kaum war ich zu Hause, durchwühlte ich meinen Kleiderschrank. Meine Hände zitterten ein bisschen und mein Atem ging flach. Sorgen und Zweifel gingen mir durch den Kopf, aber ich weigerte mich, darauf zu achten.

Ich wollte etwas anziehen, das gut, aber nicht zu gewollt aussah. Es war ja nur Kino, also konnte ich mich sowieso nicht zu sehr aufstylen. Und da Cody kaum größer war als ich, kamen hohe Absätze überhaupt nicht infrage.

Also entschied ich mich für eine dunkelgraue Jeans. *Okay, gut. Ein Fortschritt.*

Aber damit hatte ich erst ein halbes Outfit.

Irgendwelche Mädchen konnte ich nicht um Rat fragen: Es war zu peinlich, zuzugeben, dass ich noch nie mit einem Jungen ausgegangen war und nicht wusste, was man bei einem gemeinsamen Kinobesuch am besten anzog. Klar war ich schon oft mit Jungs im Kino gewesen, aber immer nur als gute Freunde. Das hier war etwas anderes. Den Jungs war egal gewesen, was ich anhatte, aber diesmal … Cody würde darauf achten.

Ich wusste, dass meine Panik total unnötig war, konnte aber nichts dagegen tun.

Endlich entschied ich mich für einen blassrosa Pulli mit Dreiviertel-Ärmeln. Der Ausschnitt war mit pinkfarbener Spitze verziert, also ein bisschen hübscher als ein einfacher Pullover. Dazu noch eine silberne Halskette und ein paar Armreifen. Das musste reichen.

Aber vielleicht sollte ich doch etwas anziehen, das mir mehr schmeichelte? Dieser Pulli brachte meinen Busen nicht optimal zur Geltung. Und wenn man schon etwas zum Vorzeigen hatte, sollte man das auch ausnutzen, nicht wahr? Oder doch lieber nicht?

Ich schaute auf die Uhr.

Mist. Es war schon fünf Minuten über die Zeit, zu der ich eigentlich hätte aufbrechen sollen.

Also musste der Pulli reichen.

»Bye!«, rief ich, als ich die Treppe hinunterrannte.

»Viel Spaß«, rief Dad zurück. Brad schrie weiter sein Videospiel an. Kaum hatte ich die Haustür zugeknallt, sah ich Lees Wagen schon draußen stehen. *Oops.*

Ich rannte um den Wagen herum und stieg an der Beifahrerseite ein.

»Tut mir leid«, sagte ich etwas atemlos. »Aber es schadet ja nichts, ihn ein bisschen warten zu lassen, oder?« Nervös lachend schaute ich zur Seite. Dann stöhnte ich laut auf. »Noah. Was machst du denn hier?«

»Lee hatte noch was zu erledigen. Das heißt, ich muss heute deinen Chauffeur spielen.«

»Wenn ihr mir das vorher gesagt hättet, dann hätte ich ein Taxi genommen oder Dad gebeten, mich hinzufahren. Warum hat Lee mir nicht geschrieben und Bescheid gesagt?«

»Ich dachte, das hätte er.«

»Nein.«

»Tja, dann weiß ich es auch nicht.« Noah drehte sich zu mir und musterte mich prüfend.

Ich zupfte nervös an meinem Pulli. »Sieht das okay aus? Ich weiß nicht, ob es zu *casual* ist oder … Einer bestimmten Person habe ich ja zu verdanken, dass ich so was noch nie gemacht habe.«

Er lächelte sarkastisch. »Ist in Ordnung.«

»Wie sind meine Haare?«

»Okay?«, antwortete er unsicher. Dann legte er den Gang ein und meinte achselzuckend: »Immerhin hast du dich normal angezogen.«

»Was meinst du mit *normal*?«

»Für deine Verhältnisse normal. Ich meine, du zeigst nicht zu viel Haut oder so.«

»Wow. War das jetzt beinah ein Kompliment?«

»Nicht ganz. Aber, Elle, wenn dieser Kerl irgendwas versucht, und ich meine, irgendwa–«

»Noah. Er ist ein Junge. Ich bin ein Mädchen. Weißt du, viele Leute küssen sich bei ihrem ersten Date. Er wird wohl nicht in der Mitte des Films versuchen, mit mir zu schlafen. Wir reden hier ja schließlich nicht von dir.«

Noah zuckte mit den Schultern und machte ein finsteres Gesicht. »Ich sage ja nur …«

Dann schwiegen wir eine Weile.

»Ich glaube, in dieser Woche habe ich mehr mit dir geredet als im ganzen letzten Jahr«, bemerkte ich beiläufig.

»Stimmt. Seltsam.«

Ich verdrehte die Augen. Also da war bestimmt nichts zwischen uns, selbst *wenn* ich immer noch in ihn verknallt gewesen wäre. Er verhielt sich mir gegenüber total teilnahmslos – abgesehen davon, dass er überfürsorglich war. All die Zeit, die ich damit vergeudet hatte, ihn anzuhimmeln …

Obwohl er wirklich gut aussah – vor allem wenn ihm das Haar so in die Augen fiel und das Licht des Armaturenbretts ihm Schatten ins Gesicht zeichnete.

Du gehst zu einer Verabredung mit einem anderen Kerl! Hallo! Erde an Elle!

Im Geiste schüttelte ich mich selbst. »Danke fürs Fahren. Du kannst hier anhalten.«

»Schön. Brauchst du jemand, der dich nach Hause fährt?«

»Cody hat gesagt, er wird mich nach Hause bringen. Wenn nicht, rufe ich meinen Dad oder Lee an.«

»Okay.«

Ich verdrehte noch mal die Augen, stieg aus und marschierte zum Eingang des Kinos.

Dann blickte ich um mich. Kein Cody. Hatte er mich versetzt? Ich schaute drinnen nach, aber da war er auch nicht … Wo steckte er bloß? Meine Handflächen begannen, feucht zu werden. Mein Magen fühlte sich an, als wäre er aus Schmetterlingen gemacht.

Nach ein paar Minuten schrieb ich ihm eine Nachricht: *Bin jetzt da. Bist du schon drin?*

Na bitte. Perfekt. Ich klang nicht zu klammernd oder so. Ich drückte auf Senden und wartete, dass er antwortete. Das dauerte geschlagene dreieinhalb Minuten.

Fast da.

Na toll. Jetzt war ich diejenige, die wartend rumstand. Ich lehnte mich an einen Laternenpfahl und schaute auf mein Handy, als hätte ich etwas zu tun. Dabei klickte ich nur durch beliebige Apps und hoffte, nicht so besorgt und nervös auszusehen, wie ich mich fühlte.

»Versetzt worden?«

Vor Schreck fuhr ich fast aus der Haut und gab Noah einen Klaps auf seine steinharte Brust. »Erschreck mich nicht so! Und nein, er ist tatsächlich unterwegs.«

Er grinste abfällig. »Ich dachte, du wolltest ihn warten lassen.«

»Ja, äh …«

»Ich hab's dir doch gesagt.«

»Noah, geh nach Hause. Was machst du überhaupt hier? Mich stalken?«

»Ich genieße nur die Vorstellung«, spottete er. »Du siehst nämlich aus, als wärst du versetzt worden, weißt du.«

»Tja, eigentlich nicht, weil du ja jetzt da bist«, erwiderte ich. »Ha. Da sehe ich jetzt gar nicht mehr so blöd aus, was? Außerdem ist Cody wahrscheinlich nur im Verkehr stecken geblieben. Keine große Sache.«

Er nickte zögernd. Eine weitere endlose Minute standen wir schweigend da. Ich fragte mich, ob ich ein Gespräch anfangen sollte, aber dann fiel mir ein, dass ich noch sauer auf ihn war, und ich klappte den Mund wieder zu. Wahrscheinlich sah ich dadurch aus wie ein Fisch, der nach Luft schnappt.

Es war auch nicht gerade hilfreich, dass Noah mich dermaßen ablenkte: Er lehnte am Laternenpfahl mir gegenüber und beobachtete, wie ich nervös die Hände wrang.

»Hey!«

Lächelnd drehte ich mich um und sah Cody auf mich zukommen. »Hi.«

Sein Blick huschte an mir vorbei zu Noah, der ihn so eiskalt anstarrte, wie ich es noch nie gesehen hatte. Furchterregend. Drohend.

Ich bemühte mich, nicht mit den Zähnen zu knirschen. »Musst du nicht langsam gehen, Noah?«

Er funkelte Cody noch einen Moment lang an, bevor er achselzuckend, aber wortlos zum Wagen zurückging. Ich seufzte erleichtert und entspannte mich.

»Sorry, ich musste noch tanken. Die Schlangen waren unglaublich. Tut mir leid. Lass uns reingehen«, sagte Cody und deutete mit dem Kopf zum Eingang.

Lächelnd folgte ich ihm. »Möchtest du irgendeinen Snack mitnehmen? Dann besorge ich die Tickets.«

»Klar. Ist gesalzenes Popcorn okay?«

»Ja, cool.« Er lächelte mir kurz zu, aber nachdem ich mich umgedreht hatte, fragte ich mich, ob das nicht ein bisschen angestrengt gewirkt hatte. Ach, wahrscheinlich bildete ich mir das bloß ein. Als ich das Popcorn kaufte, überlegte ich noch, ob ich etwas weniger ... also etwas hätte vorschlagen sollen, das nicht so in den Zähnen hängen bleibt. Falls wir uns überhaupt küssen würden, dann ... Ich seufzte. Was das korrekte Benehmen beim Dating anging, war ich einfach viel zu unerfahren.

Ich bedankte mich bei der Verkäuferin und kehrte zu Cody zurück, der mit finsterem Blick auf mich wartete.

»Was wollte Flynn eigentlich da draußen?«, fragte er mich. Oh, das war also der Grund für sein Stirnrunzeln.

»Er ... ach, typisch Flynn eben«, murmelte ich kopfschüttelnd. »Vergiss es einfach.«

»Ich wusste gar nicht, dass ihr so eng seid.«

»Sind wir auch nicht. Lee konnte mich nicht fahren, also ist Noah – also Flynn eingesprungen.«

»Oh. Verstehe.«

Wir gingen in den Kinosaal, wo schon die Werbung lief. Ich ließ Cody vorgehen und die Plätze wählen. Er entschied sich für die Mitte. Nicht hinten, wo die Paare alle knutschen würden. Ich wusste nicht, ob das ein gutes Zeichen war.

»Willst du hinterher noch was essen gehen oder so?«, flüsterte ich mutig geworden.

»Ich hab schon gegessen, sorry ... ich wusste nicht ... aber, ich meine, wenn du ...«

»Oh, nein, ist okay«, sagte ich schnell.

»Pssst!«, machte jemand hinter uns.

Ich rollte mit den Augen und ließ mich tief in meinen Sitz rutschen. Der Film begann und ich wusste nicht, was ich tun sollte. Ich fragte mich, ob Cody sich schlecht benehmen, gähnen und den Arm um mich legen würde. Oder ob er die Lehne für sich beanspruchen und ich seine Hand halten würde. Oder ob er versuchen würde, mich zu küssen.

Ich wusste nicht, ob dieses Date bis hierher ein Erfolg gewesen war. Er hatte sich verspätet, aber auch höflich dafür entschuldigt. Er hatte noch keinen Annäherungsversuch gemacht, aber vielleicht waren meine Vorstellungen auch übertrieben. Vielleicht gab es das nur in Büchern und Filmen, dass Jungs die Initiative ergriffen oder ein Mädchen beim ersten Date küssten. Möglicherweise war er einfach genauso nervös wie ich. Wahrscheinlich. Und es war auch sein gutes Recht, nervös zu sein, nachdem Flynn jedem Jungen gedroht hatte, der mich nur ansah. Von einem Date ganz zu schweigen.

Es war einfach lächerlich. Manchmal hasste ich Noah richtig.

Dann war der Film zu Ende und wir verließen das Kino. Cody begann ein Gespräch – erst über den Film, dann darüber, welche Art von Filmen er mochte. Science-Fiction und Thriller. Ich persönlich stand mehr auf Action oder romantisches Zeug. Es gab nicht viele Filme, die uns beiden zusagten.

Wir hatten auch nicht wirklich den gleichen Musikgeschmack.

Aber Cody war nett, und man konnte sich problemlos mit ihm unterhalten.

Wir ... wir hatten nur anscheinend nicht viele Gemeinsamkeiten.

Auf der ganzen Heimfahrt unterhielten wir uns, dann blieb er vor meinem Haus stehen. Ich öffnete meinen Sicherheitsgurt, rührte mich aber nicht. Ich bemühte mich, cool zu bleiben, wie ich das aus Filmen kannte. (Die waren meiner Ansicht nach eine ausgezeichnete Möglichkeit, sich zu bilden. Was für ein Glück, dass ich mir am Wochenende noch die Highschool-Komödie *Rache ist sexy* angesehen hatte.)

»Tja, danke, Cody«, sagte ich lächelnd. »Ich hatte echt Spaß.«

»Ja. Das sollten wir mal wieder machen. Hast du meine Nummer noch?«

»Klar. Seit heute Abend habe ich sie bestimmt nicht verloren.« Ich lachte nervös und er lächelte zurück. Ich sah ihn auf meinen Mund schauen und mein Puls beschleunigte sich. Oh Gott. Du meine Güte. Er würde mich gleich küssen, oder? Oh Mann.

Er beugte sich vor – jawohl, definitiv um mich zu küssen.

Mein erster Kuss. Meinen ersten Kuss würde ich von Cody Kennedy bekommen. Er war nett, irgendwie süß und freundlich ... Aber ehrlich gesagt empfand ich überhaupt nichts für ihn. Und was, wenn ich an seinem Piercing hängen blieb, falls er mich mit Zunge küsste? Ich war so was von nicht bereit für das hier. Total unvorbereitet. Aber es passierte. Er kam noch näher ... *Mein erster Kuss!*

Ich machte einen Rückzieher.

Im letzten Moment drehte ich den Kopf weg und gab ihm einen Kuss auf die Wange.

Und dann sprang ich aus dem Wagen, bevor ich mich zu sehr für mein Verhalten schämte. Ich lächelte ihn noch mal an, winkte und marschierte dann bemüht lässig, aber so schnell ich konnte, zu unserer Haustür. Kaum war ich drinnen, machte ich die Tür zu und lehnte mich mit dem Rücken dagegen. Mit einem Riesenseufzer rutschte ich auf den Boden und stützte den Kopf in die Hände.

»Ich bin so was von *bescheuert*.«

Cody würde wahrscheinlich kein zweites Mal mit mir ausgehen wollen. Nicht dass ich mir absolut sicher war, es selbst zu wollen, aber ich könnte ja auch nicht wirklich Nein sagen, wenn er fragen würde. Schließlich reichte ein Date ja wohl kaum, um ihn richtig kennenzulernen. Vor allem nachdem ich so nervös gewesen war.

Irgendwann schleppte ich mich nach oben ins Bett und ignorierte Lees Anrufe ausnahmsweise mal. Ich wollte mich jetzt nicht mit ihm auseinandersetzen. Alles, was ich wollte, war, mir vorwerfen, wie sehr ich bei meinem ersten Date versagt hatte.

Genau deshalb werde ich auch nicht selbst an der Kissing Booth mitmachen, dachte ich.

8

Ich lieferte Lee eine Zusammenfassung der Verabredung und er lächelte mitfühlend.

»Würdest du überhaupt noch ein zweites Date wollen? Es klingt nicht so, als hättest du dich besonders amüsiert …«

»Eigentlich nicht wirklich«, murmelte ich und zupfte nicht vorhandene Fusseln von meiner Jeans. »Aber ich weiß nicht. Wahrscheinlich würde ich Ja sagen, wenn er mich fragt – autsch! Wofür war das denn?«, rief ich, als Lee mir einen festen Klaps auf den Oberschenkel gab.

»Zu nett!«, schimpfte er. »Du mochtest den Kerl anscheinend höchstens als Kumpel. Aber du würdest ihm was vormachen, nur um nett zu sein.«

»Ich würde ihm nichts vormachen. Sondern ihm nur eine zweite Chance geben. Es ist ja schließlich nicht so, dass Leute ihre perfekten Partner schon beim ersten Date finden.«

Lee zog nur eine Augenbraue in die Höhe.

»Ich würde ihm nichts vormachen!«

»Doch, würdest du. Unabsichtlich. Aus Höflichkeit.«

Seufzend ließ ich mich nach hinten umfallen, sodass ich auf dem Rücken im Gras lag. »Bin ich wirklich so schlimm?«

»Zu Noah bist du nicht nett.«

»Ja, aber das liegt an Noah. Danke übrigens«, fügte ich sarkastisch hinzu, »dass du mir vorher Bescheid gesagt hast, dass er mich fahren würde.«

»Oh stimmt. Meine Schuld. Aber hey, ihr seid euch ja nicht gegenseitig an die Gurgel gegangen.«

»Ich war kurz davor, glaub mir. Und dieser Blick, den er Cody zugeworfen hat, als er auftauchte! Ich schwöre bei Gott, dein Bruder ist der mich am meisten aufregende Idiot auf dem ganzen Planeten!«

Lee lachte. Ich starrte grimmig zu den Wolken hinauf, die über meinem Kopf vorbeizogen wie Baumwolle vor einem strahlend blauen Himmel. Meine Atemzüge wurden immer gleichmäßiger. In die Wolken zu schauen hatte etwas Beruhigendes.

»Tut mir leid«, sagte Lee irgendwann. »Du bist lustig, wenn du wütend wirst.«

»Was du nicht sagst.«

»Egal. Hat Cody sich seitdem bei dir gemeldet?«

Es war Samstagnachmittag und nein, Cody hatte mir keine Nachricht geschrieben oder angerufen. Irgendwas sagte mir, dass er sich bei unserem Date auch nicht wahnsinnig amüsiert hatte.

»Nein«, antwortete ich. »Hat er nicht.«

Lee zuckte mit den Achseln. »Dann ist er nicht interessiert.«

»Was? Woher willst du das wissen? Vielleicht ist er beschäftigt. Oder vielleicht will er sich rarmachen.«

Lee schenkte mir ein mitleidiges halbes Lächeln. »Sorry, Elle, aber er ist einfach nicht interessiert. Glaub mir. Ich bin ein Typ. Ich weiß, wie der männliche Teil der Bevölkerung funktioniert, wenn es um Mädchen geht.«

»Schön«, murmelte ich. »Vielleicht ist er nicht mehr interessiert. Vielleicht hätte ich mich einfach zusammenreißen und ihn küssen sollen.«

»Siehst du, da haben wir es schon wieder«, brummte Lee. »Du warst doch nicht im Geringsten verpflichtet, ihn zu küssen. Es hat zwischen euch beiden einfach nicht gefunkt – keine große Sache. Hak es ab.«

»Ich bin mir gerade nicht sicher, ob ich deinen Rat hilfreich finde oder nicht.«

»Ich bin kein Mädchen. Ich werde jetzt nicht hier mit dir sitzen und deinen Abend analysieren.«

»Du hast mir gerade dabei zugehört, wie ich ihn analysiert habe«, sagte ich.

»Genau.«

Ich seufzte. »Na schön, ich schätze, du hast recht. Es wird in der Schule trotzdem peinlich sein, glaubst du nicht?«

»Nur wenn du es peinlich werden lässt.«

»Ja, vermutlich.« Ich setzte mich so abrupt kerzengerade auf, dass mir ein bisschen schwindelig wurde. »Erzähl deinem Bruder nicht, wie mies mein Date mit Cody gelaufen ist, okay?«

»Warum sollte ich?«

»Ach, nur falls er fragt. Sag, es lief gut. Wenn du ihm mehr erzählen musst, dann sag, dass es zwischen uns nur nicht gefunkt hat. Aber erzähl ihm nicht, dass es so schlimm war, wie ich dir gesagt habe.«

»Okay …«, sagte er misstrauisch, stellte aber keine weiteren Fragen.

Ich wollte mir den selbstgefälligen Ausdruck in Noahs Gesicht nicht mal vorstellen, wenn er erfuhr, wie mein Date mit Cody tatsächlich verlaufen war. Aus welchen Gründen auch immer er verhindern wollte, dass ich einen Boyfriend fand, aber Noah gelang es ziemlich gut, dafür zu sorgen, dass ich Single blieb.

Ich seufzte leise, schloss die Augen und ließ mir die Wangen von der Sonne wärmen. Dann spürte ich, wie Lee sich neben mir ins Gras fallen ließ. So blieben wir liegen, genossen den Sonnenschein, zufrieden und entspannt, und es bedurfte keiner weiteren Worte mehr.

Das ganze Wochenende verging faul und träge. Wir konnten uns nicht aufraffen, etwas Besonderes zu unternehmen. Also schauten wir ein paar Filme, lagen in der Sonne, machten Arschbomben in Lees Pool und versuchten, ein paar Hausaufgaben zu erledigen (damit kamen wir allerdings nicht sehr weit). Der Montag stand viel schneller bevor, als uns lieb war.

In der ersten Stunde hatte ich Chemie. Mit Cody. Der mich das ganze Wochenende über weder angerufen noch mir geschrieben hatte. Ich wusste nicht, ob es daran lag, dass er schlicht und einfach auch kein zweites Date wollte, oder ob ich mir Sorgen darüber machen sollte, dass er mich nicht mochte.

Ein paar Leute hatten mir schon geschrieben oder am Telefon gefragt, wie das Date gelaufen sei. Ich sagte immer »okay«. Wenn man mich fragte, ob ich mich noch mal mit ihm treffen würde, sagte ich: »Keine

Ahnung.« Die Frage, ob wir uns geküsst hatten, verneinte ich.

Aber jetzt musste ich ihm begegnen und wusste nicht, wie ich mich verhalten sollte.

Klar, Cody war nett und man konnte sich problemlos mit ihm unterhalten. Aber ich empfand nichts Besonderes für ihn. Und anscheinend erging es ihm mit mir genauso, weil er sich ja nicht gemeldet hatte. Ich hätte erleichtert sein sollen. Wenn unsere Gefühle auf Gegenseitigkeit beruhten, konnte es doch nicht allzu peinlich werden, oder?

»O nein!« Ich schaute von meinem Spind hoch und sah Dixon auf mich zukommen. »Du trägst ja wieder Hosen. Ich vermisse den Rock. Du sahst heiß darin aus.«

»Sehr witzig.«

»Das war kein Witz«, sagte er lachend. Ich verdrehte die Augen und suchte weiter nach meiner Mathehausaufgabe. »Jedenfalls reden alle über dein großes Date mit Cody …«

»Warum? Es war nicht sehr spannend. Echt nicht.«

»Ja, weiß ich. Aber er ist der erste Typ, der es riskiert hat, dich nach einer Verabredung zu fragen.«

Ich zuckte mit den Achseln und bemühte mich, nicht mit den Zähnen zu knirschen beim Gedanken daran, wie wütend Noah mich mit dieser ganzen Sache, von wegen »verhindern, dass jemand mich verletzt«, gemacht hatte.

»Cody hat allen erzählt, dass du ihn nicht küssen wolltest.«

»So war es nicht – Moment mal, er hat es allen erzählt? Hat er das wirklich gesagt?«

»Na ja, das sage ich. Ein paar Jungs haben ihn in die Zange genommen, und dabei kam es ziemlich schnell raus. Einfach weil, du weißt schon, dein Date so eine große Neuigkeit war. Also … denkt jetzt jeder, dass du ihn nicht küssen wolltest.«

»Es ist nur … ich weiß nicht …«

»Hey, du musst dich nicht rechtfertigen«, meinte Dixon wieder mit einem breiten Lächeln. »Es ist nur so, dass einige Leute reden und Fragen stellen werden, mach dich einfach darauf gefasst.«

»Danke für die Warnung«, murmelte ich.

»Gern geschehen.«

Und er behielt recht – andauernd kamen Leute zu mir und sagten: »Stimmt es, dass du Cody nicht küssen wolltest? Warum hast du ihn nicht geküsst?«

Beim ersten Mal bekam ich noch Panik. Ich wollte den wahren Grund nicht erzählen, also laberte ich ausweichend irgendwas in der Art von »na ja, mir ging's nicht so gut. Ich wusste nicht, ob es was Ansteckendes war«.

Was für eine Lüge. Ich war mir sicher, dass alle mich durchschauten, aber falls es wirklich so war, ließ es sich zumindest niemand anmerken.

Als ich den Chemiesaal betrat, war Cody schon da. Ich überlegte eine Sekunde, ob ich mich neben ihn setzen sollte.

Aber er warf mir ein Lächeln zu, also ging ich zu ihm.

»Hey«, sagte ich lässig.

»Weißt du, wenn du am Freitag krank warst, hättest du es sagen sollen«, bemerkte er.

»Ich weiß, aber ich fühlte mich ganz gut und wollte nicht absagen.«

Ich versuchte, nicht zu sehr zu nuscheln. »Tut mir leid.«

»Kein Problem.«

»Also, äh … ja …« Ich räusperte mich und Cody lachte nervös.

»Ich will jetzt echt nicht wie ein Scheißkerl klingen oder so, aber … Ich habe drüber nachgedacht und …«

»Wir sollten besser nur gute Freunde bleiben?«, vollendete ich seinen Satz und bedauerte es sofort, weil er ja vielleicht etwas ganz anderes hatte sagen wollen. O Mann, was, wenn ich mir gerade mein eigenes Grab geschaufelt hatte?

»Äh, ja«, sagte er und lächelte nervös. »Nimm's mir nicht übel. Es scheint nur zwischen uns einfach nicht … gefunkt zu haben.«

»Nehm ich nicht«, sagte ich und lächelte jetzt auch. »Ich habe genau das Gleiche gedacht.« Hoffentlich war meine Erleichterung nicht zu offensichtlich. »Hast du die Hausaufgaben? Ich habe Frage 8 nicht kapiert.«

Und so einfach schaltete mein Leben zurück in den (traurigerweise) komplett unromantischen Modus.

Wir arbeiteten gemeinsam am Schild für die Kissing Booth. Die Buchstaben waren schon ausgesägt und Lee hatte die Kanten abgeschliffen. Wir mussten sie also nur noch anmalen und an die Bude nageln. Bei mir zu Hause hatten wir noch ein bisschen Dekomaterial und die Plakate waren bereits fertig. Wir hatten auch den Preis auf ein paar Bretter gemalt.

»Die ganze Woche über hat jeder mich gefragt, was zwischen dir und Cody passiert ist«, sagte Lee. Es war Mittwochnachmittag, nach dem Unterricht. Wir mussten uns beeilen, um alles fertig zu kriegen, damit wir die Bude am Freitagabend vorbereiten konnten.

»Du hast aber nichts zu Belastendes gesagt, oder?«

»Ich habe ihnen nicht die Wahrheit erzählt, nein«, lachend tauchte er seinen Pinsel wieder in rosa Farbe. »Obwohl ich nicht verstehe, warum du gesagt hast, du wärst krank gewesen.«

»Weil es glaubwürdig war«, verteidigte ich mich. »Und das Erste, was mir einfiel.«

»Ja, klingt so, Aber jede Menge Jungs glauben, Noah habe ihn abgeschreckt.«

»Er sah auch ziemlich bedrohlich aus, als ich auf Cody gewartet habe«, bestätigte ich, während ich meinen Lippenstift-Stempel auf einen der bereits getrockneten Buchstaben drückte.

Lee zuckte mit den Schultern. Es dauerte eine Weile, bis er das Schweigen brach. »Shelly ...«

»Ja?«

»Macht er dir manchmal Angst? Ich meine ... Ich weiß, dass er nicht der Unglaubliche Hulk ist, aber er kann schon ziemlich schnell die Beherrschung verlieren.«

»So ist er eben. Ich bin ja mit ihm aufgewachsen. Deshalb könnte er mir gar keine Angst machen – aber ich weiß schon, dass er ... andere einschüchtern kann ...«

»Das kann man wohl sagen«, sagte Lee und nickte. Plötzlich ließ er seinen Pinsel in den Topf fallen und spritzte mich mit pastellrosa Farbe voll – mein Gesicht, meine Bluse, meine Krawatte, mein Haar …

»*Lee!*«, kreischte ich.

»Sorry!«

Ich packte mir einen Pinsel, tauchte ihn in die schwarze Farbe und wollte gerade Lee damit anspritzen, als etwas Kaltes, Nasses in meinem Gesicht und auf meinem Hals landete. Er hatte mich schon wieder vollgespritzt und dabei dermaßen erschreckt, dass ich meinen Pinsel einfach fallen ließ. Die schwarze Farbe lief in einer dicken Spur an mir herab.

Lee prustete und brach dann in schallendes Gelächter aus. Ich starrte ihn böse an und wartete, dass er damit aufhören würde.

»Das ist nicht lustig, Lee!«

»Doch, ist es! Du s-s-solltest dein Ge-ge-gesicht sehen!« Er hielt sich den Bauch vor Lachen. Wütend schnappte ich mir meine Tasche. »Wo-wo-wo willst du hin?«

»In die Umkleide, um mir diesen Mist vom Gesicht zu waschen«, fauchte ich. »Und hör gefälligst auf zu lachen!«

»Ich kann nicht anders!«, keuchte er und beugte sich vornüber. »Dein *Gesicht*!«

Ich stürmte hinaus und knallte die Tür hinter mir zu. Vielleicht hatte ich in meinem Spind noch eine Ersatzbluse. Wir wollten später noch Burger essen gehen und ich hatte nicht die Absicht, dabei wie ein Picasso auszusehen.

Die Umkleiden an der Schule fand ich schon immer eigenartig: ein langer gemeinsamer Gang mit tonnenweise Aushängen und Zetteln an den Wänden; von da ging es zur »Fitness Suite« mit Laufbändern und Gewichten sowie zum Sportplatz im Freien. Die Spinde der Mädchen waren ganz links, die der Jungs ganz rechts.

Gerade als ich in den Gang einbog, strömte die komplette Footballmannschaft herein. Ich hatte mir meine Krawatte schon über den Kopf gezerrt und einen weiteren Knopf geöffnet. Darüber, dass ich vielleicht nicht allein war, hatte ich mir keine Gedanken gemacht.

Die Jungs wurden alle langsamer, als sie mich entdeckten, und auch ich blieb wie angewurzelt stehen.

Und dann brach das Gelächter los, weil alle mich offenbar urkomisch fanden.

»Was ist denn passiert?«, fragte Jason, der sich auf die Lippe biss, um nicht loszuprusten.

»Wir waren dabei, das Schild für unsere Kissing Booth zu malen«, erklärte ich. »Lee hatte einen Eimer Farbe. Muss ich mehr sagen?«

Er schüttelte den Kopf. Die meisten Jungs trotteten schon in Richtung Umkleide, wobei sie noch lachten und mich anstarrten. Ein paar glotzten schamlos auf meine aufgeknöpfte Bluse, weshalb ich rasch einen Arm davorhielt.

»Ach, kommt schon«, sagte ich, drehte mich einmal um mich selbst und grinste frech. Lieber wollte ich die Sache ins Lächerliche ziehen, als mich zu schämen. »Sehe ich wirklich so schlimm aus?«

»Also ich würde Eintritt dafür bezahlen, dich in einer Kunstgalerie zu sehen«, meinte einer von ihnen lachend.

Ich verdrehte die Augen und wandte mich den Gang runter zu den Umkleiden der Mädchen ab. Über die Schulter rief ich noch einen Abschiedsgruß.

In dem Moment packte mich eine Hand am Arm. Ich taumelte ein Stück zurück, wurde aber aufgefangen, sodass ich nicht hinfiel.

Ich drehte mich um, weil ich sehen wollte, wer das gewesen war. Da verging mir das Lächeln sofort. »Oh.«

»Was treibst du da?«, zischte Noah. »Man läuft nicht halb ausgezogen rum, Elle.«

»Ich laufe verdammt noch mal so rum, wie es mir passt. Aber danke«, giftete ich zurück und riss mich aus seinem Griff los. »Das ist doch keine große Sache. Schließlich stolziere ich hier nicht in Unterwäsche herum, zum Teufel noch mal.«

»Ja, aber trotzdem …« Sein Blick glitt an mir herab, dann sah er mir streng ins Gesicht.

»Lass mich gefälligst in Ruhe!«, rief ich und funkelte ihn an. »Ganz ehrlich, es ist schon schlimm genug, dass du so überfürsorglich bist, aber musst du dich dermaßen … extrem aufführen?«

»Also, was ist zwischen dir und Cody passiert? Ich weiß genau, dass das mit dem ›Kranksein‹ gelogen war.«

Ich schnappte nach Luft. Wollte er mich etwa erpressen? »Das hast du doch keinem gesagt, oder?«

Er grinste und sah mich gönnerhaft an. »Ich verbreite keinen Klatsch. Aber nein, ich habe es keinem gesagt. Weil ich mir dachte, du musst einen guten Grund haben. Also, was war los?«

Ich zuckte mit den Achseln. »Nichts.«

»Irgendwas war definitiv – ich kenne dich gut genug, um zu sehen, wenn du lügst. Also, was war wirklich?«

Ich biss mir auf die Unterlippe und überlegte, ob ich es Noah erzählen oder ob ich ihn nur auffordern sollte, sich um seine eigenen Angelegenheiten zu kümmern. Doch wenn ich es ihm nicht sagte, kam er vielleicht zu dem dämlichen Schluss, dass Cody seine Grenzen überschritten hatte.

Während ich noch mit mir rang, konnte ich nicht anders, als zu bemerken, wie gut Noah in seinem Footballdress mit Schulterpolstern und dem Helm unterm Arm aussah. Sein Haar war leicht verschwitzt und sein Anblick war einfach ... *wow*.

Bevor er noch bemerkte, wie ich ihn musterte, antwortete ich lieber: »Er wollte mich am Ende des Abends küssen, aber ich habe ihm stattdessen einen Kuss auf die Wange gegeben. Sonst hat er nichts versucht. Es war eine ganz normale Situation, und ich habe mich zur Idiotin gemacht, indem ich den Kopf zur Seite drehte. Keine große Sache. Es wurde unverhältnismäßig aufgeblasen. Dabei ist es nur peinlich.«

Er studierte einen Moment lang mein Gesicht, bevor er sagte: »Das war's? Sicher?«

Ich hatte den Eindruck, er bemühe sich, nicht zu lachen.

Ich schnaubte und war kurz davor, mit dem Fuß aufzustampfen. »Ja. Absolut sicher. Warum musst du immer so ein Drama veranstalten? Es ist ja nicht so, als würde jeder Junge an dieser Schule mich im nächsten Moment zu irgendwas zwingen wollen.«

Er hob nur eine Augenbraue, als wollte er sagen, ich sei einfach zu naiv.

Aber ich zuckte nur mit den Achseln. »Kann ich jetzt gehen und mir diese blöde Farbe abwaschen oder hat die Spanische Inquisition noch weitere sinnlose Fragen?«

Er grinste. »Da hat aber jemand schlechte Laune.«

»Ich bin voller Farbe und du nimmst mich hier wegen nichts ins Kreuzverhör! Natürlich habe ich da keine gute Laune.« Damit stürmte ich Richtung Umkleide davon.

Als ich mich im Spiegel sah … da musste ich selbst lachen. Ich sah vielleicht aus! Farbspritzer überall auf meinen Haaren, im Gesicht, am Hals, auf meiner Bluse …

Als die nicht abgingen, war es allerdings nicht mehr so witzig.

Oder als ich in meinem Sportspind keine Wechselklamotten fand.

Nach etwa zehn Minuten unermüdlicher Schrubberei hatte ich einiges aus meinen Haaren und das meiste von meinem Gesicht abbekommen. Das Wasser war mir unter die Bluse gelaufen, sodass ich in langer Hose und BH dastand, als die Tür aufging.

Weil ich dachte, das müsse Lee sein, drehte ich mich nicht mal um.

»Hey, Elle? Lee sagt, er würde mit den Jungs noch was essen gehen, aber wenn du eine Mitfahrgelegenheit nach Hause …« Noah verstummte, als er mich sah.

Ich erstarrte und blinzelte in den Spiegel. Meine Wangen wurden warm und ich drehte mich um in der

Hoffnung, dass ich nicht wirklich so rot geworden war wie mein Spiegelbild.

»Was?«, fauchte ich.

»Nichts.«

»Nein, ich meine, was hast du gerade gesagt?«

»Oh. Oh, stimmt, ja, also, ähm, Lee fährt jetzt, um mit den Jungs noch irgendwo was zu essen. Aber er meinte, wenn du direkt nach Hause möchtest, dann muss ich dich fahren. Und angesichts der Tatsache, dass du immer noch aussiehst wie ein Picasso …«

Ich blickte auf die pinkfarbenen Spritzer auf meinem Schlüsselbein und lachte, weil ich meine Verlegenheit darüber kaschieren wollte, dass er mich im BH sah. Zwar hatte er mich schon im Bikini gesehen, aber das schien mir irgendwie was anderes zu sein. »Ja. Sag Lee, er soll ohne mich fahren.«

»Alles klar. Wie lange wirst du noch brauchen?«

Ich zuckte mit den Achseln. »Keine Ahnung. Da du mich direkt nach Hause fahren wirst, kann ich ja dort duschen, also …« Ich schlüpfte in meine feuchte Bluse, machte hastig die Knöpfe zu und warf mir die Tasche über die Schulter. »Gehen wir.« Ich freute mich nicht gerade darauf, mit Noah im Auto zu sitzen, denn ich war auf eine weitere Strafpredigt gefasst.

»Wie geht es mit der Bude voran?«, fragte er höflich, während wir gemeinsam den Parkplatz überquerten. Ich sah ihn misstrauisch an, was er bemerkte und mit einem kleinen Achselzucken quittierte. »Was denn?«, sagte er. »Kann ich nicht mit dir reden?«

Meine Antwort bestand lediglich in einem skeptischen Heben der Augenbrauen.

Er zuckte wieder mit den Schultern. »Egal. Antwortest du mir jetzt oder nicht?«

Ich seufzte und schloss ganz kurz die Augen. Eigentlich sollte ich sauer auf ihn sein, aber mir fiel irgendwie kein richtiger Grund dafür ein.

Ich vermute, Noah hatte einfach eine seltsame Wirkung auf mich. Ob diese Wirkung gut oder schlecht war, musste ich allerdings erst noch herausfinden.

»Es geht schon. Wir haben vor Freitag noch einiges zu machen, aber das kriegen wir hin – solange Lee nicht wieder anfängt, mich anstatt der Buchstaben anzumalen.«

»Na ja, du wärst ein gutes Beispiel für Impressionismus, das muss ich schon sagen.«

Ich blieb abrupt stehen, was Noah erst ein paar Schritte weiter bemerkte. Ich zog wieder die Augenbrauen hoch.

»Was?«

»Ich glaube, das war ein Kompliment. Noah Flynn hat soeben jemand ein Kompliment gemacht. Verständige doch mal jemand die Presse.«

Er lachte sarkastisch, aber ich sah seine Augen blitzen. Grinsend setzte ich den Weg mit ihm fort.

»Wirst *du* denn auf das Frühlingsfest kommen?«, fragte ich ihn.

»Schon. Irgendwie muss ich ja. Das ist eine der Sachen, bei denen alle Lehrer erwarten, dass man Gemeinschaftssinn und diesen Mist zeigt.«

»Wäre es denkbar, dass du bei der Kissing Booth vorbeischaust?«

Er zog eine Augenbraue hoch und sah mich mit

eindeutig zweideutiger Miene an. »Warum fragst du, Shelly?«

»Alle Mädchen, vor allem diejenigen, die an der Bude arbeiten, haben mich gebeten, dich dazu zu überreden. Die Chance, Noah Flynn zu küssen, scheint für manche eine wahnsinnig aufregende Aussicht zu sein.«

Sein Grinsen wurde breiter. »Ah, dann fragst du also nicht für dich selbst?«

Höchstens im Traum.

»Nein, sicher nicht.«

»Tja, ich kann nichts versprechen. Du kannst ihnen aber sagen, dass ich *vielleicht* vorbeischaue, falls sie noch mal fragen. Und weil sie mich kennen, werden sie sicher noch mal fragen.«

»Du bist so was von eingebildet«, murmelte ich kopfschüttelnd. Dann blieb ich stehen und hielt nach seinem Wagen Ausschau. Er hatte inzwischen einen Schlüsselbund hervorgeholt, aber ich sah das Auto nirgends.

»Wo ist dein Auto?«, fragte ich und folgte ihm weiter.

»Das habe ich heute nicht genommen.«

»Und … wie bist du dann hier?«

»Mit dem Motorrad.«

Stöhnend ließ ich mich zurückfallen und blieb stehen, sobald ich die schnittige rotschwarze Maschine entdeckt hatte, die er in ihrem Schuppen aus einem Haufen Schrott selbst restauriert hatte. Das Ding sah fantastisch aus, keine Frage. Aber ich hatte in meinem ganzen Leben noch auf keinem Motorrad gesessen. Allein die Vorstellung ängstigte mich zu Tode.

Und da stand ich nun mit keiner anderen Option, als

auf diese zweirädrige Todesfalle zu steigen. Und das auch noch mit Noah.

»Wenn ich sterbe, bist ganz allein du dran schuld.«

»Du wirst aber nicht sterben, Elle. Hier. Du kannst sogar den Helm haben.«

»Du hast nur einen Helm? Aber was ist, wenn …?«

»Mir passiert schon nichts«, unterbrach er mich. »Ich bin mit diesem Ding noch nie gestürzt.« Er tätschelte die Lenkergriffe, als müsse er mir zeigen, wie stabil alles war.

»Aber wenn du runterfällst? Wenn du einen Unfall baust? Die Helmpflicht gibt es ja nicht ohne Grund! Oder hast du einen geheimen Todeswunsch?« Meine Stimme wurde mit jeder Silbe hysterischer. Dabei hielt ich den Blick die ganze Zeit auf das Motorrad gerichtet. Mit jeder Sekunde schien es monströser und furchterregender zu werden.

»Machst du dir etwa Sorgen um mich, Shelly?«, neckte Noah mich.

Meine Augen wurden schmal. Er grinste und sah mich mit strahlenden Augen an, während er den Helm sanft von einer Hand in die andere gleiten ließ. Ich riss ihn ihm weg.

»Du musst vor der Maschine keine Angst haben«, sagte er und tätschelte sie wie einen niedlichen Schoßhund. »Sie wird dich nicht beißen.«

»Sie vielleicht nicht, aber du möglicherweise«, murmelte ich leise vor mich hin. Aber er hatte es gehört und lachte glucksend. Dann stopfte er seine Tasche in das Fach unter dem Sitz und meine gleich dazu.

Schwungvoll drückte ich den Helm auf meinen Kopf

und biss die Zähne zusammen. Ich wollte das hier so was von gar nicht … Aber mir blieb keine Wahl. Irgendwie musste ich nach Hause kommen, bevor ich mit Lee und den Jungs weggehen konnte. Obwohl ich fast lieber in diesem Picasso-Zustand geblieben wäre, als mit Noah aufs Motorrad zu steigen.

Ich nestelte an dem Verschluss herum. Der Helm war riesig, und ich konnte nicht sehen, was ich machte. Er roch ein bisschen nach Zitrusfrüchten. So wie Noahs Kopfkissen damals. Ein angenehmer Duft.

Ungeduldig zwang ich meine Gedanken zurück zu den Herausforderungen der Gegenwart – den Helm zukriegen, damit die Wahrscheinlichkeit zu sterben kleiner wurde.

»Hier …« Noahs Finger strichen über meine und er schloss den Helm für mich. Seine Fingerspitzen kitzelten mich am Hals, und aus irgendeinem Grund bekam ich auf einmal ganz weiche Knie. Seltsam … Ich schüttelte das Gefühl ab und schob es auf die Angst davor, dieses sogenannte Fahrzeug zu besteigen.

»Schau nicht so ängstlich.« Er lächelte mich an – wieder mit diesem echten Lächeln, bei dem ein Grübchen zum Vorschein kam. Mein Herz machte davon einen Salto. Ich liebte dieses Lächeln.

Er schwang sich in den Sattel und ich stieg vorsichtig hinter ihm auf. *Gott sei Dank habe ich nicht auch noch einen Rock an*, war alles, was ich denken konnte.

Noah griff hinter sich, tastete nach meinen Händen und zog meine Arme um seine Taille. Ich erstarrte kurz, und er sagte: »Entspann dich einfach, Elle.«

Er trat auf den Anlasser und knurrend erwachte

die Maschine unter mir zum Leben. Wir waren noch keinen halben Zentimeter gefahren, aber ich presste meine Arme schon um seine Taille und drückte mich, so eng es ging, an ihn. Mein Herz hämmerte vor Angst.

Ich hörte ihn über das Rauschen des Bluts in meinen Ohren und das drohende Knurren des Motors hinweg lachen.

Dann fuhren wir los.

Ich wollte ihn anschreien und rufen: »Fahr langsamer! Du wirst uns noch umbringen!«

Doch als ich meinen Mund öffnete, nahm der scharfe Fahrtwind jedes Geräusch, das ich hätte von mir geben können, einfach mit. Wir rasten über Straßen, glitten durch den Verkehr, vorbei an Schlangen aus Autos und Lastwägen.

Mein Haar wehte unter dem Helm hervor und die Bluse wurde an meine Haut gepresst. Ich hörte nichts, bis auf das Rauschen in meinen Ohren, das Motorengeräusch und den Wind.

Als Noah eine scharfe Kurve fuhr und plötzlich, aber geschmeidig vor meinem Haus stehen blieb, konnte ich mich erst einmal nicht rühren.

Meine Arme waren noch fest um seine muskulöse Mitte geschlungen. Meine Beine pressten sich so dicht wie nur möglich an seine.

Noah löste langsam meine Arme von sich, und das holte mich irgendwie in die Gegenwart zurück. Ich glitt vom Motorrad, wobei meine Beine sich so zittrig anfühlten, dass Wackelpudding im Vergleich dazu stabil war. Mit zitternden Fingern nestelte ich am Helm herum.

Noah öffnete ihn rasch und problemlos für mich, bevor er ihn mir vom Kopf nahm.

»Deine Haare sind statisch aufgeladen«, sagte er und strich mit einer Hand darüber.

Ich machte ein finsteres Gesicht und versuchte, meine Haare mit zitternden Händen glatt zu streichen – was nicht funktionierte. Sie fühlten sich an wie ein Vogelnest. Ich würde Stunden brauchen, um sie zu bändigen. Und die restliche Farbe darin würde es nicht leichter machen.

»Ach, komm«, sagte er und lehnte lässig an seiner Maschine. »Sag mir jetzt nicht, dass es dir keinen Spaß gemacht hat.«

»Ich fand es schrecklich«, sagte ich wahrheitsgemäß.

»Mochtest du den Wind in deinen Haaren, die Freiheit oder den Rausch der Geschwindigkeit denn nicht?«

Ich schüttelte den Kopf. »Kein bisschen. Ich hab's *gehasst.*«

»Nicht mal das Ankuscheln?«, fragte er mit einem frechen Grinsen. »Erzähl mir nicht, dass du das nicht genossen hast.«

»Noah, das war das Furchterregendste, was ich je in meinem ganzen Leben getan habe. Mir ist egal, wie heiß du bist, ich habe jede Sekunde davon gehasst.«

»Du findest mich also heiß?« Sein Grinsen wurde breiter und ich spürte, wie meine Wangen zu glühen begannen.

»Ach, halt die Klappe. Als ob du das nicht schon wüsstest.«

»Stimmt. Aber es ist nett zu hören, dass du es zugibst.«

»Du bist so ein Blödmann, weißt du das? Und ich werde nie mehr in meinem Leben auf diese Maschine steigen.«

»Aber ich bin ein heißer Blödmann, was?«, ärgerte er mich.

Ich machte ein böses Gesicht. »Hör schon auf damit. Gib mir einfach meine Tasche. Bitte.«

Er verdrehte die Augen, gab mir aber meine Tasche.

»Danke«, sagte ich knapp und marschierte auf die Tür zu.

»Ach, Elle?«

»Was?« Seufzend drehte ich mich um und sah ihn genervt an.

»Du hast da ein bisschen Farbe … Nur da.« Er fuhr sich mit der ganzen Hand übers Gesicht, wie um eine riesige Farbspur nachzuahmen.

Ich funkelte ihn noch einmal böse an und knallte dann die Tür hinter mir zu.

»Elle? Bist du das?«, rief Dad. Er steckte den Kopf aus der Küchentür und zuckte merklich zurück. »Was ist denn passiert?«

»Das willst du gar nicht wissen.«

9

Wir wurden gerade noch rechtzeitig mit der Kissing Booth fertig. Am Freitag mussten wir die ganze Mittagspause durcharbeiten und bis sechs Uhr am Abend bleiben, um sie zusammenzubauen.

In der Schule fragten Mädchen mich immer wieder, ob Noah bei der Kissing Booth vorbeischauen würde. Ich gab jedes Mal dieselbe Antwort: »Er hat gesagt, vielleicht, aber ich würde mir keine allzu großen Hoffnungen machen.« Und jedes Mal konnte ich sehen, wie ihre Gesichter vor Aufregung strahlten, weil sie sich eben sehr wohl Hoffnungen machten.

Ich hatte Noah nicht mehr gesehen, seit er mich am Mittwoch zu Hause abgesetzt hatte. Wahrscheinlich würde er mich bei unserer nächsten Begegnung damit aufziehen, dass mir rausgerutscht war, wie heiß ich ihn fand. Er würde das bestimmt groß aufblasen, nur um mich in Verlegenheit zu bringen.

Am Samstag holte Lee mich in aller Frühe ab, genauer gesagt: um acht Uhr morgens.

»Ich hasse Morgen«, murmelte ich, als ich bei Starbucks aus dem Wagen kletterte, und sehnte mich geradezu verzweifelt nach meinem Latte mit halbfetter Milch und Schlagsahne. Schließlich schlief ich noch halb. In der Hoffnung, mich wach zu kriegen, entschied ich mich für einen extra Shot Espresso.

»Das kannst du laut sagen«, brummte Lee zustimmend. Wir schleppten uns an die Theke, bestellten unsere Kaffees und bezahlten.

Das Schulfest fing um zehn an, aber wir mussten schon um neun da sein, damit wirklich alles rechtzeitig bereit wäre. Den Kaffee tranken wir an Ort und Stelle und aßen auch noch Brownies dazu. Das war unser einziges Frühstück – aber das kümmerte mich nicht. Ich brauchte Koffein und ein Zuckerschub konnte definitiv auch nicht schaden.

Lee inhalierte seine zwei Brownies praktisch, bevor ich mit einem fertig war. Dann brachen wir gerade rechtzeitig auf, um pünktlich um neun an der Schule zu sein.

»Immer adrett und pünktlich, wie ich sehe. Typisch«, kommentierte Tyrone lachend und kopfschüttelnd, als wir um zwei Minuten vor neun aufkreuzten. »Eure Bude ist da drüben, neben dem Stand mit der Zuckerwatte.«

»Fantastisch«, sagte Lee und wir marschierten los.

In der Bude stellten wir vier Barhocker auf und drapierten noch die Deko aus Krepppapier. Auf dem Gelände hatten wir mehrere Plakate verteilt, die Werbung für unsere Kissing Booth machten.

Dann machte ich allein eine Runde über das ganze Festgelände. Alles sah richtig beeindruckend aus. Manche der angebotenen Spiele waren großartig. Es gab sogar eine Hüpfburg mit einem Bällebad für kleinere Kinder. Alles passte wirklich gut zusammen, und ich musste zugeben, dass das Angebot meine Erwartungen deutlich übertraf.

Als ich zu unserer Bude zurückkehrte, flirtete Lee dort gerade mit Rachel, einem Mädchen aus seinem Biokurs. Sie war eine dieser Schülerinnen, die richtig selbstbewusst und intelligent, aber immer total sympathisch waren. Und ich wusste, dass Lee sie mochte – in letzter Zeit redete er fast dauernd von ihr. Allerdings sah ich die beiden nie zusammen. So konnte ich bisher nur hoffen, dass sie ihn auch mochte.

Als ich jetzt zu unserer Bude zurückkam, hatte ich allerdings den ziemlich deutlichen Eindruck, dass ich nicht umsonst gehofft hatte.

»Wie ich sehe, wird in der Kissing Booth schon hart gearbeitet«, zog ich die beiden auf. Rachel drehte an ihren Haaren und hatte sich dicht zu Lee gebeugt.

Sie wurde rot und er verdrehte die Augen in meine Richtung.

»Lee hat mich gerade gefragt, ob wir zusammen ins Kino gehen wollen«, verriet Rachel mir.

»Ooh!«, machte ich und strahlte. »Dann wünsche ich euch beiden ganz viel Spaß. Wann geht ihr denn?«

»Morgen Abend.«

»Cool«, sagte ich. Sie hatte dieses Lächeln im Gesicht, mit dem man fast schon doof aussieht, aber dazu ein Glitzern in den Augen. Ich schaute kurz Lee an und nickte kaum merklich. Rachel stand ganz sicher auf ihn.

Lee hatte schon seit Monaten keine Freundin mehr. Ich konnte nur hoffen, dass seine neue Freundin nicht bald genug davon hatte, dass wir beide quasi an der Hüfte zusammengewachsen waren. Das war nämlich der übliche Trennungsgrund: Seine Freundin fand es übel, dass er so viel Zeit mit mir verbrachte, Lee bekam es satt, dass sie sich über mich beschwerte, und – *zack!* – ging jeder wieder seiner Wege.

Also ließ ich die beiden wieder allein und schlenderte zu anderen Jungs und Mädchen, die inzwischen, eine Viertelstunde, bevor das Fest anfing, alle da waren.

»Hey!«, begrüßte ich Samantha und Lily. Jason und Dave waren gerade in ein Gespräch über das letzte Spiel der Mets vertieft. Am Schluss tauchte auch Jon noch auf.

»Auf wen warten wir noch?«, fragte Dave mich.

»Auf Karen, Dana und Ash«, sagte ich. »Aber die müssten gleich da sein.«

»Sollen wir schon mal rübergehen?«, fragte Lily.

»In ein paar Minuten«, sagte ich. »Lee flirtet gerade mit Rachel und die beiden testen die Kissing Booth wahrscheinlich schon.«

Alle lachten. Samantha meinte: »Gehen die beiden jetzt endlich mal miteinander aus? Das wurde aber auch Zeit. Rachel hört schon seit Wochen gar nicht mehr auf, von Lee zu schwärmen!«

»Oh Gott, hör bloß auf«, mischte Lily sich ein. »Ich sitze in der Nähe der beiden, und letztens hätte ich sie am liebsten angeschrien: Jetzt verabredet euch doch endlich!«

»Oh, noch was, Leute – ihr macht alle Dreißig-Minuten-Schichten, einverstanden? So hat jeder mal Pause.«

»Klar.«

»Ja, ja.«

»Das passt.«

»Cool.«

In dem Moment hörte ich »Hey, hey!« und sah Dana und Karen auf uns zulaufen und -hüpfen. Wie die anderen Mädchen trugen sie niedliche pinkfarbene oder rote Sommerkleider. Die Jungs steckten alle in Jeans und Hemden, die ihre sportlichen Figuren gut zur Geltung brachten.

Jedenfalls sahen sie alle viel besser aus als ich mit meinen abgeschnittenen Shorts und dem schwarzen Top.

»Oh, Mist!«, rief Karen und wühlte hektisch in ihrer Handtasche. »Jetzt habe ich meinen Lippenstift vergessen!«

»Ich habe einen dabei, keine Sorge«, beruhigte Lily sie.

Karin seufzte erleichtert. »Gott sei Dank.«

»Alles in Ordnung, Leute – ich bin da, kein Grund mehr zur Panik«, verkündete eine Stimme. Ich drehte mich um und sah Ash auf uns zuschlendern.

»Hey, bestens«, sagte ich. »Okay, also, Ash und Dave, ihr seid die ersten Jungs. Dazu Lily und Karen. Dann schreiben wir euch anderen um fünf vor halb, um euch daran zu erinnern, dass ihr zum Ablösen kommt.«

Alle nickten zustimmend.

Zu neunt spazierten wir über das Festgelände und

besahen uns interessiert die anderen bunten, leuchtenden Stände und Buden. Rachel war bei unserer Ankunft schon verschwunden, Lee befestigte gerade eine Kordel in der Mitte der Bude, damit die Mädchen sich an der einen und die Jungs sich an der anderen Seite anstellen konnten.

»Alle bereit?«, fragte ich, als Tyrone rief, es blieben nur noch ein paar Minuten, bevor die Tore für Besucher geöffnet würden.

»Jawohl, alle bereit«, antworteten mir die anderen im Chor.

Ich sah Lee an und wir mussten beide grinsen.

Schon strömten die Leute herein und nach zwanzig Minuten hatte sich bereits eine lange Schlange an unserer Kissing Booth gebildet.

Lee und ich mussten bereitstehen, um das Geld einzusammeln und sicherzustellen, dass keiner von den Jungs – und natürlich auch kein Mädchen – versuchte, für sein Geld mehr zu kriegen als einen schnellen Schmatzer.

Schon in der ersten Stunde nahmen wir fast zweihundert Dollar ein.

»Das ist der Wahnsinn!«, rief ich, als Lee und ich mit Zählen fertig waren und unsere Geldkassette abschlossen.

»Das kannst du laut sagen! Da werde ich meine Wette gegen Joel so was von klar gewinnen.«

»Was für eine Wette?«

»Ich habe mit ihm um dreißig Dollar gewettet, dass unsere Kissing Booth mehr einbringt als seine Bude mit den Wasserbomben.«

»Ach ja, ich erinnere mich.« Joel und Francis hatten einen Stand, an dem man mit Dartpfeilen auf wassergefüllte Luftballons werfen musste. Wer drei zum Platzen brachte, gewann einen der riesigen Teddybären. Man konnte ihn von uns aus sehen.

»Ich weiß nicht«, sagte ich skeptisch. »Die scheinen ganz schön beschäftigt zu sein ...«

»Ja, aber ich wette, sie haben noch keine zweihundert eingenommen«, sagte er überheblich und klopfte auf unsere Geldkassette.

Ich musste wieder grinsen. Unsere sorgsam zusammengestellte Playlist schallte aus den Lautsprechern, und wenn man sich so umsah, hatten die Leute eindeutig eine Menge Spaß bei uns.

Viel Gelächter erfüllte die Luft. Dazu der Duft von Zuckerwatte und Popcorn. Auf dem ganzen Gelände herrschte richtig viel Betrieb.

Lee und ich spazierten zwanzig Minuten herum und überließen Tyrone die Aufsicht. Wir holten uns Hotdogs, Limo und kehrten dann mit zwei Riesenportionen Zuckerwatte zurück – die waren natürlich aufs Haus gegangen, weil Rachel an dem Stand arbeitete.

Ich hatte Lee richtig von dort wegzerren müssen. »Ihr beiden seid ein süßes Paar«, versicherte ich ihm. »Anscheinend ist sie schon seit Wochen in dich verknallt.«

»Echt?« Mit großen Augen grinste er mich an.

»Yup.«

»Cool.«

»Ich bin froh, dass du dich mit ihr verabredet hast. Du bist ja schon ewig Single.«

»Hast du meine Gesellschaft etwa satt?«, scherzte er und stupste mich in die Seite.

»Nein«, meinte ich lachend. »Ich freue mich nur für dich, das ist alles!«

»Ja, ich freu mich auch. Ich mag sie.«

»Ich weiß. Das hast du ja schon oft genug gesagt.«

Lachend legte er einen Arm um meine Schultern, und so schlenderten wir zurück. »Jetzt müssen wir nur noch einen Typen finden, der mutig genug ist, meinen Zorn zu riskieren und dir eine Verabredung vorzuschlagen – ganz zu schweigen von mutig genug, sich Noahs Drohungen auszusetzen.«

Ich grinste. »Das wird nie passieren. Ich werde noch als alte Jungfer enden, wenn er das nicht sein lässt.«

»Ach, komm. Vielleicht als vierzigjährige Jungfrau …«

Ich stieß ihm meinen Ellbogen in die Seite und naschte von der Zuckerwatte. »Halt die Klappe«, sagte ich mit vollem Mund.

»Ich mache doch nur Spaß, und das weißt du.«

»Ja, weiß ich.«

Karen, Lily, Dave und Ash waren pünktlich erschienen. Lee und ich zogen uns hinten in unsere Bude zurück, um das Geld zu übernehmen und sicher in unserer Kassette zu verwahren. Die Schlange war inzwischen noch länger. Aufgeregte Mädchen frischten ihren Lipgloss auf, um die Sportasse zu küssen. Jungs versuchten sich auszurechnen, welches Mädchen sie küssen würden, und verglichen deren Vorzüge.

Lee und ich hatten uns jetzt an der Seite postiert und beobachteten die Passanten.

Plötzlich kam Karen mit entsetzter Miene aus der Kissing Booth gelaufen.

»Was ist denn passiert? Bist du okay? Was ist los?«, fragten wir aufgeregt. Ich dachte erst, dass vielleicht irgendein Kerl aufdringlich geworden sei.

»Ich kann nicht«, sagte sie außer sich. »Ich kann das nicht! Er steht da draußen!«

»Wer?«

»Dein Ex?«, riet Lee stirnrunzelnd.

Sie schaute von ihm zu mir und nickte dann, während sie sich auf die Unterlippe biss. »Ja ... So könnte man es nennen.«

»Aber ... aber, wir können nicht ... nicht nur Lily die ganzen Jungs überlassen, bis er wieder weg ist«, stammelte ich.

Plötzlich bekam ich einen Schubs zwischen die Schulterblätter. »Geh du rein!«, zischte Lee. »Wenigstens bis Karens Ex dran war.«

»Aber ... aber ...«

Ich konnte doch nicht in der Kissing Booth arbeiten! Wo ich in meinem ganzen Leben noch keinen Jungen geküsst hatte!

»Du musst – uns bleibt gar keine andere Wahl!«, erklärte er mir eindringlich.

Erst finde ich mich – ausgerechnet mit Noah – auf einem Motorrad wieder. Und jetzt in einer Kissing Booth. Warum um Himmels willen habe ich das mal für eine gute Idee gehalten?

»Das wird eine gute Übung sein!«, scherzte er, als ich leicht benommen wegging.

Ich nahm Karens leeren Hocker ein, griff nach dem

auf der Theke liegenden Lippenstift und trug ein bisschen davon auf. Er war knallrot – eigentlich nicht unbedingt meine Farbe. Außerdem war ich überhaupt nicht passend angezogen.

Ich schaute zur Schlange der Jungs vor mir. Lily schenkte mir noch ein ermutigendes Lächeln und rief dann: »Der Nächste, bitte!«

Da sah ich ihn.

Abrupt drehte ich mich nach hinten um und warf Karen und Lee mit aufgerissenen Augen einen panischen Blick zu.

In der Schlange stand nicht Karens Ex.

»*Flynn?*«, zischte ich und sah sie staunend an. Ich fürchtete, mein Herz würde meinen Brustkorb sprengen und meine Augen mir aus dem Kopf fallen.

Unglaublich! Wie oft hatten sie mich gebeten, Noah zu bitten, dass er vorbeikäme, und jetzt kniff sie – dabei war sie doch in ihn verknallt! Wie *lame* war das denn?

»Sorry!«, sagte sie stumm und biss sich wieder auf die Lippe.

»Der Nächste, bitte!«, rief Lily wieder. Mist. Er war der Nächste. Ich schluckte. Lily sah mich eindringlich an.

Also schluckte ich, räusperte mich und sagte mit zitternder Stimme: »Der Nächste?«

Noah kam die Stufen hinauf und setzte sich mir gegenüber.

»Seit wann arbeitest du denn in der Kissing Booth?«, fragte er.

»Seit du aufgekreuzt bist und Karen gekniffen hat«,

murmelte ich, während er mich von oben bis unten musterte. »Was? Ich bin nicht dafür angezogen, okay?«

»Nein, du siehst in Ordnung aus.«

»Oh.« Ich blinzelte irritiert. Das war ja fast schon, als würde er mir sagen, ich sähe gut aus. »Danke … ich dachte nicht, dass du hier aufkreuzt.«

Er zuckte mit den Achseln. »Weißt du, ich bezahle nicht dafür, mich mit dir zu unterhalten«, erklärte er und schob mir demonstrativ seine zwei Dollar über die Theke. »Ich zahle für einen Kuss.«

Er macht nur Witze … oder?

Er will mich aufziehen, mir einen Streich spielen.

Abwartend zog er die Augenbrauen hoch und sah mich an.

O Gott, er macht wirklich keinen Scherz. Ich muss ihn küssen.

Irgendwie wollte es nicht in meinen Kopf, dass mein erster Kuss von Noah Flynn sein sollte. Dem großen Bruder meines besten Freunds. Von dem Kerl, der die unerklärlichsten Gefühle bei mir hervorrief und mich in drei Sekunden auf die Palme bringen konnte.

Ich schluckte wieder, und das musste er gehört haben, denn jetzt bewegte sich nur eine Augenbraue in seinem Gesicht. Mein Blick ging zu seinen Lippen, die so weich und küssenswert aussahen. Meine Gedanken gingen zu Noah in ein Handtuch gewickelt … in seinem Footballdress.

Und ich würde ihn gleich küssen.

Dabei wusste ich, dass ich es nicht tun musste, wenn ich nicht wollte; keiner konnte mich *zwingen*, ihn zu küssen. Und das war das Schlimmste daran: Ich wusste, es gab die Option, es zu lassen, aber dazu konnte ich mich irgendwie nicht bringen.

Ich beugte mich vor, genau wie er es tat.

Und wenn ich jetzt Zuckerwatte zwischen den Zähnen hatte? Wenn ich eklig schmeckte?

Sei still, sei still, sei still!

Mein erster Kuss …

10

Als meine Lippen seine berührten, schmeckte er nach Pfefferminz und Zuckerwatte. Ich erwiderte seinen Kuss und vergaß einen Augenblick lang alles – vergaß, dass das hier eine Kissing Booth war, vergaß, dass wir uns in aller Öffentlichkeit befanden, vergaß, dass er Noah war, den ich doch eigentlich für seine dauernde Einmischung so hassen sollte. Eine Sekunde lang vergaß ich sogar, dass das mein erster Kuss war.

Ich erwiderte einfach seinen Kuss und folgte seinem Beispiel. Und als ich seine Zungenspitze an meiner spürte, öffnete ich die Lippen noch ein Stückchen weiter, damit sein Kuss tiefer ging. Ich küsste ihn heftiger zurück und hatte keinen Schimmer davon, was ich da gerade tat. Ich folgte einfach seinem Beispiel.

Wir lösten uns gleichzeitig voneinander, blieben aber Stirn an Stirn. Beide atmeten wir schwer.

»Verdammt«, sagte er. Ein Grinsen umspielte seine Mundwinkel und seine Augen strahlten mich an. Ich konnte nicht beurteilen, ob das ein gutes »Verdammt« oder ein »Verdammt, ich habe gerade die beste Freundin meines kleinen Bruders geküsst« war.

»Ja«, flüsterte ich trotzdem, was ihn zum Schmunzeln brachte.

Aus der Menge kamen ein paar anerkennende Pfiffe, aber die beachtete ich kaum.

Als mir jemand auf die Schulter klopfte, zuckte ich zusammen.

»Äh – ich würde jetzt wieder übernehmen, wenn du möchtest«, sagte Karen mit einem vielsagenden Lächeln. Mir war von dem Kuss noch ganz schwummerig, aber ich nickte, stand auf und ließ sie meinen Platz einnehmen. Langsam verließ ich die Bude und fühlte mich total seltsam. Das musste doch ein Traum sein. Ich konnte doch gar nicht gerade mit Noah Flynn geknutscht haben! Und schon gar nicht vor so vielen Leuten!

Nachdem mein Beinah-Strip noch nicht so lange her war, trug das vermutlich nicht unbedingt zu meinem guten Ruf bei. Ich kämpfte gegen das Bedürfnis an, den Kopf in meinen Händen zu vergraben.

Meine Lippen kribbelten – aber auf angenehme Weise. Das war eigenartig. Ich konnte auch noch Pfefferminze und Zuckerwatte schmecken, genau wie das leichte Kratzen seiner Bartstoppeln an meiner Wange.

Es war irgendwie surreal.

Ich hatte meinen ersten Kuss hinter mir. Und es war nicht so ein altmodischer Kuss, kein Schmatzer auf die Lippen oder so was gewesen – eher eine hundertprozentige Knutsch-Aktion.

Die Wahrscheinlichkeit, dass mein erster Kuss sich mit Noah Flynn in einer Kissing Booth ereignen würde, war so minimal … dass ich schon zu glauben begann, das Ganze sei nie passiert.

»Siehst du, war doch gar nicht so schlimm.«

Lees Stimme ließ mich zusammenzucken.

»Was denn?«, fragte er nichts ahnend und schaute von seinem Handy hoch.

»Ich … ich glaube … ich habe gerade mit deinem Bruder geknutscht«, stammelte ich ungläubig.

Seine Augenbrauen schossen in die Höhe. »Wie zum Teufel konnte ich das verpassen? Nicht dass ich es hätte sehen wollen. Du und mein Bruder? Seltsam. Einfach nur seltsam. Aber ernsthaft, wie konnte mir das entgehen?«

»Schreibst du gerade Rachel?«

»Ja.«

»Deshalb hast du es verpasst.«

Lachend schüttelte er den Kopf. »Okay, du hast recht. Hey, macht es dir was aus, wenn ich schon heute Abend mit Rachel ins Kino gehe? Nachdem das Fest vorbei ist.«

»Nein«, sagte ich. »Gar kein Problem. Ich finde schon eine andere Mitfahrgelegenheit.«

»Vielleicht bei deinem Vater. Er ist doch mit Brad gekommen, oder?«

»Stimmt. Die beiden müssen hier irgendwo sein.«

Einen Wimpernschlag später war ich umringt. Mindestens ein Dutzend Mädchen wollten wissen, ob es stimmte – hatte ich wirklich gerade in der Kissing Booth mit Flynn geknutscht? Also, ernsthaft?

Sie wollten jedes noch so kleine Detail erfahren. Seufzend erklärte ich, dass Karen sich geweigert hatte … äh, ja, mit Zunge … was? … nein, ich wusste nicht, ob ich so richtig auf ihn stand oder nicht … vielleicht? Keine Ahnung.

Und ja, es war mein erster Kuss gewesen.

Natürlich waren sie alle eindeutig neidisch. Aber sie wollten auch wissen, ob ich jetzt mit Flynn zusammen wäre. Natürlich wünschte sich keine von ihnen, dass Flynn schon vergeben wäre. Sie wollten einen Flynn, der Single war, damit sie mit ihm flirten und ihn anschmachten konnten (wahrscheinlich beides gleichzeitig).

Ausnahmslos alle wollten es jedenfalls wissen.

Es sprach sich schnell herum – mit SMS, Telefonaten und weil ja sowieso alle auf dem Fest waren … Mein Bekanntheitsgrad schoss praktisch durch die Decke, ohne dass ich irgendetwas dagegen hätte tun können.

Ein paar Schüler aus der Zehnten gingen vorbei, und dann zeigte ein Mädchen auf mich. »Das ist die, die mit Flynn geknutscht hat.«

Zuerst verzog ich das Gesicht, aber es gab schließlich schlimmere Sachen, für die man berühmt sein konnte.

»Möchtest du mit ihm zusammen sein?«, fragte Lee, als wir endlich allein waren, weil das Fest vorbei war. Die Mitglieder der Schülervertretung und ein paar andere räumten noch ihre Buden auf und zählten die Einnahmen. »Ich meine, ich dachte, du wärst über ihn hinweg.«

»Das bin ich auch. Ach, ich weiß nicht. Es geht um Noah. Weißt du es?«

»Nicht wirklich. Erstens ist er mein Bruder. Zweitens bin ich ein Junge.«

»Sieht so aus. Aber du weißt doch, was ich meine … Irgendwie hasse ich ihn und irgendwie mag ich ihn.«

»Tja, wenn du dir nicht sicher bist, dann mach einfach gar nichts. Oder meinst du, du solltest mit ihm reden?«

Den letzten Halbsatz ignorierte ich. »Ich wüsste sowieso nicht, was ich will. Wenn ich mit ihm zusammenkäme, was sowieso total unwahrscheinlich ist, und es dann schiefgeht, könnte das unserer Freundschaft schaden. Und das will ich nicht.«

»Wie rücksichtsvoll von dir.«

»Ach, halt die Klappe.«

»Aber ich habe mir das auch schon gedacht … Fünfhundertfünfzig«, murmelte er und schob den Packen Scheine beiseite. »Wenn ihr beide wirklich zusammen wärt und das eines Tages in einer hässlichen Trennung endet, würdest du vielleicht auch nicht mehr so viel mit mir zu tun haben wollen. Und dann würde ich dich vermissen.«

»Ich würde dich auch vermissen. Aber nur ein bisschen.«

»Danke«, sagte er sarkastisch, und wir mussten beide lachen.

»Es wird so peinlich sein, wenn ich ihn wiedersehe.«

»Stimmt.«

»Wie tröstlich, Lee«, knurrte ich und gab ihm einen Klaps auf den Arm. »Kannst du nicht ein bisschen mehr Mitgefühl zeigen?«

Er zuckte mit den Achseln. »Ich finde sowieso, dass

du nicht mit meinem Bruder zusammen sein solltest. Das ist abartig. Und irgendwie eklig.«

»Für dich.«

»Genau.«

Ich schüttelte den Kopf. »Lee, das hier sind nur fünfhundertneunundvierzig.«

»Oh verdammt.« Er gab mir noch einen Dollarschein, den ich auf den Stapel legte. Es war einfach immer gut, wenn ich bei ihm noch mal nachzählte.

»Nimmt dein Dad dich jetzt mit nach Hause?«

Ich schüttelte den Kopf. »Er musste Brad und seine Freunde direkt von hier ins Kino bringen, also kann er nicht. Ich werde schon eine Mitfahrgelegenheit bei jemand finden. Nachdem du mich wegen deiner neuen Freundin *abservierst*.«

»Ich serviere dich nicht ab! Du hast gesagt, es wäre okay! Ich habe dich vorher gefragt!«

Ich lachte. »Beruhig dich, ich will dich doch nur ärgern!«

Lee verdrehte die Augen.

Am Ende kamen wir auf sechshundertvierzehn Dollar. Unsere Kissing Booth hatte am meisten eingebracht, was schon ziemlich eindrucksvoll war. Es möchte daran liegen, dass wir keinen Haufen riesiger Teddybären hatten kaufen müssen und auch keine Würstchen oder Hotdog-Brötchen oder sonst was. Lee ging zusammen mit Rachel, während ich noch dablieb, um Joel mit dem Müll zu helfen. Er beschwerte sich immer noch, weil er seine Wette mit Lee verloren hatte.

»Weißt du, daran bist du schuld. Eigentlich schuldest du mir dreißig Dollar.«

»Warum das denn?«

»Wenn du keine Schmusebude daraus gemacht hättest, hätten die Jungs nicht in der Hoffnung auf einen Zungenkuss Schlange gestanden«, sagte er mit Unschuldsmiene. »Also her mit den dreißig Flocken.«

Lachend gab ich ihm einen Stoß mit der Schulter. »Sicher nicht. Und es war auch nicht meine Schuld. Oder möchtest du, ach du meine Güte, wirklich unbedingt jedes einzelne Detail über meinen ersten Kuss erfahren?«

Ich schlug einen gespielt hysterischen Ton an und Joel machte ein übertrieben geschocktes Gesicht. Er musste auch lachen und gab mir einen Schubs mit der Hüfte. »Okay, okay, behalt dein Geld! Aber verschon mich bitte.«

Hinter uns räusperte sich jemand und als wir uns umdrehten, stand da Noah und sah mich mit hochgezogener Augenbraue an. Joel gab er mit einem schnellen Blick zu verstehen, er solle sich zurückhalten. Der widmete sich auch sofort den heruntergefallenen Zuckerwatte-Stäbchen und Hotdog-Servietten und hob sie vom Boden auf.

Mist, was mache ich jetzt?

Und was machte *er* überhaupt hier?

Noah deutete mit dem Kinn auf mich und drehte sich um. Joel gab mir einen kleinen Schubs, dass ich ihm nachgehen sollte. Als ich ihm noch einen hilflosen Blick zuwarf, zog er schon in Richtung ein paar anderer Leute ab.

Also folgte ich Noah auf den Parkplatz. Überall lagen

Servietten und Eintrittskarten verstreut, dazu Essensreste, die die Möwen sich noch nicht geholt hatten.

»Lee meinte, du bräuchtest eine Mitfahrgelegenheit, deshalb sollte ich dich abholen.«

Warum? Warum war mein bester Freund manchmal derart bescheuert? Natürlich hatte er bestimmt gedacht, er würde mir sogar einen Gefallen tun. Aber mal im Ernst. Er hatte meine kleine Panikattacke von vorhin einfach ignoriert und Noah gesagt, er solle mich mitnehmen.

»Klar.« Was sollte ich auch sonst sagen? Den Kuss hatte er bis jetzt noch nicht erwähnt. War das ein gutes oder ein schlechtes Zeichen?

»Moment – du bist doch nicht mit dem Motorrad da, oder?«

»Nein«, lachte er. »Weil du mein Bike so hasst, habe ich das Auto genommen.«

»Gott sei Dank«, seufzte ich und hörte ihn schon wieder leise lachen. Plötzlich benahm sich mein Herz total seltsam, hüpfte und schlug Purzelbäume. Wahrscheinlich nur die Nerven. *Fast* wünschte ich mir, er wäre mit dem Motorrad gekommen – dann würde es kein peinliches Schweigen geben, das man überbrücken musste.

Er ging voraus über den beinah leeren Parkplatz zu seinem Auto, in das wir beide einstiegen. Die Anspannung war fast unerträglich. Ich wusste weder, was ich sagen, noch, wie ich mich jetzt verhalten sollte. Ich hatte ihn *geküsst*. Und es war sogar ein ziemlich intensiver Kuss gewesen. Nicht mal in betrunkenem Zustand. Aber was sollte ich jetzt bloß tun?

»Hast du was dagegen, wenn ich noch kurz bei mir zu Hause anhalte?«, fragte er. »Mein Dad hat ein Videospiel gekauft, von dem er denkt, es würde Brad gefallen. Das soll ich dir geben.«

»Oh, natürlich«, sagte ich und nickte. »Kein Problem.«

»Okay.«

Nach ein paar weiteren Minuten fragte er: »Also, wie viel hat eure Bude insgesamt eingebracht?«

»Sechshundertvierzehn.«

Er pfiff leise. »Wow.«

»Allerdings. Wir haben sogar mehr eingenommen als der Hotdog-Stand.«

Er nickte, dann schwiegen wir wieder. Ich drehte die Lautstärke am Radio etwas lauter, um die Anspannung irgendwie zu lösen. Das funktionierte nicht wirklich.

Alles kam mir seltsam vor. So gezwungen.

Aus dem Augenwinkel spähte ich zu Noah rüber. Sein Kopf nickte leicht im Rhythmus der Musik und die Sonne schien von links auf sein Gesicht. Die mir zugewandte Seite lag im Schatten.

Der Kuss hatte ihm wahrscheinlich überhaupt nichts bedeutet, versuchte ich mir einzureden. Er war ein Player, was war da schon ein einziger Kuss? Es war ja nur ein Kuss. Wahrscheinlich bildete ich mir die ganze Verlegenheit und Anspannung auch nur ein und machte eine große Sache daraus, weil es mein erster Kuss gewesen war.

Obwohl … Er war es ja gewesen, der einen French Kiss daraus gemacht hatte. Und danach hatte er genauso benommen gewirkt wie ich. Aber vielleicht lag das auch nur daran, dass ich so schrecklich küsste und er nichts sagte, um mir die Peinlichkeit zu ersparen?

Meine Gedanken rasten. Ich war verwirrt, besorgt, ich wollte ihn gern noch mal küssen …

Nein. Das wird nicht passieren. Du wirst Noah kein zweites Mal küssen, Rochelle, weil er Noah *ist. Lees großer Bruder. Er ist der Blödmann, der die Schuld an deinem nicht existenten Liebesleben trägt und dir erklärt hat, er sehe in dir nur eine Schwester. Hast du vergessen, dass du sauer auf ihn sein sollst, weil er so überfürsorglich und nervig ist und sich überall einmischt? Du solltest nicht mal daran denken, ihn zu küssen. Du bist wütend auf ihn … stimmt's?*

Es nützte nicht wirklich, dass ich mir all das sagte.

Ich wollte ihn immer noch küssen.

Die Autofahrt schien eine Ewigkeit zu dauern – dabei hatten wir noch nicht einmal die Hälfte der Strecke zurückgelegt. Ich seufzte. Da spürte ich seinen flüchtigen Blick, aber ich war zu sehr mit meiner inneren Auseinandersetzung beschäftigt, um auch nur im Geringsten auf ihn zu achten.

Ich wollte ihn wieder küssen – um sicherzugehen, dass das kein Feuerwerk in mir auslöste, redete ich mir ein. Aber eigentlich sollte ich es nicht tun. Jede Wette, dass er mich immer noch für die Freundin seines kleinen Bruders hielt, für das kleine Mädchen, mit dem er aufgewachsen war … Doch was war damit, als wir nach seiner und Lees Party vom Bett gefallen waren? Ich war mir sicher, dass ich da irgendetwas zwischen uns gespürt hatte. Aber vielleicht machte ich mir auch nur etwas vor.

Und wahrscheinlich war es auch nur Einbildung

gewesen, dass er mich abgecheckt hatte, als er mich in meinem BH überrascht hatte.

Oder vielleicht war da etwas zwischen uns, von dem wir nur beide noch nichts wussten. Vielleicht genügte noch ein einziger Kuss – um meine Vermutungen zu widerlegen. Oder auch das Gegenteil. Wäre das denn wirklich so schlimm?

Nein. Ich konnte ihn nicht noch mal küssen. Das konnte ich einfach nicht …

Oder konnte ich doch?

Ich seufzte wieder, als wir in seine Straße einbogen. *Was sollte ich bloß machen?*

Schließlich hielten wir vor seinem Haus.

»Ich komme mit rein und nehme das Spiel für Brad mit«, sagte ich. »Von hier aus kann ich zu Fuß gehen.«

In Wahrheit wollte ich nicht länger als nötig mit ihm im Auto sitzen.

»Klar. Wie du willst.«

Wir stiegen aus und ich folgte ihm in die Küche. Dann blieb ich in der Nähe der Tür stehen, während er in einem Stapel von Papieren wühlte, und biss mir nervös auf die Lippe.

Dann drehte er sich mit einem neuen Mario-Spiel um und drückte es mir in die Hand. Dabei war er keine Armlänge von mir entfernt. Uns trennten nur ein paar Zentimeter.

Bevor mir selbst klar wurde, was ich da tat, reckte ich mich auf Zehenspitzen und presste meine Lippen auf Noahs.

Sofort realisierte ich, wie bescheuert ich mich

benahm, und wich einen Schritt zurück. Meine Wangen brannten und mein Herz raste.

Noah sah mich an und blinzelte erschrocken. Zumindest interpretierte ich das so, denn seine Miene blieb unergründlich.

»O Gott«, stammelte ich hastig und fühlte mich so verlegen wie noch nie. »Es tut mir leid. Es ist nur ... ich meine, ich wollte einfach ... o Mann, ich ...«

Da machte Noah einen Schritt auf mich zu und brachte mich sehr effektiv zum Schweigen, indem er seine Lippen heftig auf meine drückte. Jeder Widerstand und alle Anspannung wichen aus meinem Körper (ob vor lauter Schock oder aus einem anderen Grund, hätte ich nicht sagen können). Ich schlang die Arme um Noahs Hals.

Anscheinend vergaß ich auf der Stelle, zu was für einer Idiotin ich mich gerade gemacht hatte, denn ich erwiderte seinen Kuss. Seine Hände lagen auf meinem Rücken, dann auf meinem Haar. Er presste mich an sich, sodass es sich anfühlte, als würde sich jeder Zentimeter unserer Körper berühren.

Und fürs Protokoll: Es war definitiv so was wie Feuerwerk zu spüren.

Seine Hände legten sich auf meine Hüften und hoben mich auf die Arbeitsplatte, sodass er zwischen meinen Beinen stand. Er küsste als Nächstes auch meinen Hals, und als ich wieder ein bisschen klarer denken konnte, wurde mir ziemlich schnell bewusst, was wir da gerade taten.

»Noah, das ... das können wir nicht machen«, sagte ich atemlos und mit zitternder Stimme.

Er seufzte, trat einen Schritt zurück und fuhr sich mit der Hand durch die Haare. Ich hatte keine Ahnung, was er dachte. Sein Gesichtsausdruck war undefinierbar.

Wieder trafen sich unsere Blicke und ich hatte das Gefühl, er wünsche sich eine Erklärung.

»Ich … ich werde nicht eines von diesen Mädchen sein, mit denen du schläfst und die du dann am nächsten Morgen nicht zurückrufst«, sagte ich und schob das Kinn vor. »Dafür werde ich meine Freundschaft mit Lee nicht riskieren.«

Noah sah mich einen langen Moment schweigend an. »Denkst du echt, dass ich das tun würde?«

»A-Also …« Ich verstummte. Etwa nicht?

Er kam wieder näher, sodass uns nur noch ein paar Zentimeter trennten. Hätte ich zurückweichen können, hätte ich es gemacht, aber ich saß ja immer noch auf der Arbeitsplatte.

»Lass uns hier mal was klarstellen«, sagte er leise, aber entschieden. »Zwei Sachen. Erstens: Hast du eine Ahnung, wie viele Mädchen ich auf einer Party küsse, die dann am nächsten Tag behaupten, mit mir geschlafen zu haben? Und zweitens: Egal, was all diese Mädchen denken, sie wollen nie wirklich mit mir zusammen sein. Das behaupten sie zwar, aber überleg doch mal. Wer will schon eine ernsthafte Beziehung mit jemand, der den Ruf hat, in Schlägereien zu geraten? Dann doch lieber eine unverbindliche Affäre.«

Ich studierte sein Gesicht und kam schnell zu dem Schluss, dass er das absolut ernst meinte. Noah führte sich manchmal ziemlich auf, klar – aber er war kein Lügner.

Ich verstand, was er meinte. Selbst wenn Mädchen nichts Langfristiges wollten, hatten sie nichts gegen eine Affäre mit einem heißen Typen, der im Ruf stand, keiner Rauferei aus dem Weg zu gehen. Ich hatte es schon immer seltsam gefunden, dass so viele Mädchen behaupteten, mit ihm geschlafen zu haben, auch wenn es wirkte, als hätte er die Nacht alleine verbracht. Aber Lee und ich hatten es so genau auch wieder nicht wissen wollen.

»Du verstehst, was ich meine, oder?«

Ich nickte. »Schon. Aber … aber du würdest doch einem Mädchen gegenüber nie handgreiflich werden. So bist du nicht.«

»Ja, aber das scheint keine Rolle zu spielen.«

»Also, noch mal langsam. Was versuchst du da gerade rüberzubringen?«, sagte ich, hob abwehrend die Hände und war mehr als nur ein bisschen verwirrt. »Dass es nicht deine Schuld ist, ein Player zu sein? Oder zumindest den Ruf eines Players zu haben?«

»Genau.«

»Und …?«, hakte ich sofort nach.

Er biss sich auf die Lippe. Sah Noah Flynn etwa wirklich … *nervös* aus? Nein, das musste Einbildung sein. Das einzige Mal, als ich ihn so gesehen hatte, war, als ich ihn in diesen Superman-Boxershorts überrascht hatte und er rot geworden war.

»Ich meine nur«, sagte er zögernd und schaute mehr auf die Arbeitsplatte als mich an, »dass ich dich nie so mies behandeln würde, wie du es mir anscheinend zutraust.«

»Ich weiß immer noch nicht, was du sagen willst, Noah.«

»Ich auch nicht«, sagte er, lachte plötzlich auf und fuhr sich mit der Hand übers Gesicht. »Aber …« Er kam noch näher. Wir waren jetzt zwei, drei Zentimeter voneinander entfernt und seine Hände lagen auf meinen Oberschenkeln. Mein Atem ging plötzlich flach und mein Herz hämmerte wie wild. »Aber ich *weiß*, dass ich dich wieder küssen will.«

Ein Teil von mir wollte Nein sagen und ihn entschieden wegschieben. Ich würde doch meine Freundschaft mit Lee nicht riskieren, nur um Noah weiter zu küssen. Außerdem konnte ich mir uns nicht wirklich als Paar vorstellen.

Ganz zu schweigen davon, dass ich wohl kaum ein Mädchen der Sorte war, die zufällig irgendwelche Jungs küssen. Ich war hoffnungslos romantisch.

Oder wenigstens hielt ich mich dafür.

Aber als Noah den Kopf langsam in meine Richtung senkte und mir viel Zeit ließ, ihn wegzuschieben, da tat ich es nicht. Stattdessen ließ ich ihn seine Lippen auf meine legen und küsste ihn zum dritten Mal an diesem Tag. Ich knutschte ausgerechnet mit Noah Flynn. Dabei hatte ich bis heute Morgen noch nie auch nur irgendeinen Jungen geküsst.

Noah legte meine Beine um seine Taille. Ich schlang die Arme um seinen Hals und spielte mit den Haaren in seinem Nacken. Plötzlich konnte ich nicht genug von ihm kriegen – von seinem Geschmack, seiner Berührung. Dabei begriff ich nicht, warum er diese Wirkung auf mich ausübte.

Er hob mich von der Arbeitsplatte und trug mich aus der Küche. Ich war mir keineswegs sicher, ob das eine gute Idee war, aber das Gefühl seiner Lippen auf meinen vernebelte mir den Verstand und ich konnte mich nicht lange genug konzentrieren, um vernünftig zu überlegen. Erst als wir beide auf etwas Weiches und Federndes plumpsten – eine Matratze –, schien mein schlummerndes Gewissen aufzuwachen.

»Noah«, sagte ich und versuchte, mich ein Stück zurückzuziehen. Ich wusste, wo das hier hinführte. »Noah …«

»Ja?«, murmelte er und begann, an meinem Ohrläppchen zu knabbern. Das ließ Funken durch meinen ganzen Körper schießen und ich vergaß eine Sekunde lang, was ich sagen wollte.

»Wir können nicht … Ich bin nicht …«

»Hmm?« Er lehnte sich weit genug zurück, um mir in die Augen zu schauen. Ich erinnerte mich noch immer nicht, was ich sagen wollte. Er schien mich auch so zu verstehen, denn er riss die Augen auf und sagte schnell: »Oh, nein, ich wollte nicht … weißt du … ich hätte nicht …«

»Ich … ich kann das nicht«, stammelte ich. Dann rutschte ich von ihm weg, stand auf, ging zur Tür seines Zimmers und zog unterwegs mein Top zurecht. Ich konnte nicht klar denken, wenn ich so nah bei ihm war. Ich musste hier raus und in Ruhe überlegen.

Eine Hand zog mich am Arm zurück und eine andere schob über meinen Kopf hinweg die Tür zu. Noah presste sich an mich. Mir blieb überhaupt kein Platz mehr – die Tür hinter mir, wo sich die Türklinke in meinen Rücken bohrte. Und Noah direkt vor mir.

»Noah«, sagte ich entschlossen. »Ich werde das nicht

tun. Zwischen uns wird nichts sein, weil wir einfach nicht miteinander auskommen. Wir streiten uns doch dauernd nur. Du scheuchst alle Jungs von mir weg. Und ich bin nicht irgendein … Spielzeug, das du benutzen kannst, wenn es dir gerade passt. Verstanden?«

Noah seufzte leise und blies mir dabei seinen Atem ins Gesicht. Der duftete immer noch nach Pfefferminze und Zuckerwatte.

»Ich dachte über dich nie, du wärst etwas, das man benutzt, wenn es einem gerade passt«, murmelte er und sah mir direkt in die Augen.

»Okay. Aber dann sag mir ehrlich – würdest du mich daten, Mr Player?«

Er seufzte wieder und lehnte seine Stirn an meine. »Sag du es mir.«

Ich stöhnte frustriert. »Du machst es kein bisschen leichter, Noah! Wir streiten uns und du bist so bescheuert, ganz zu schweigen davon, dass du Lees großer Bruder bist, aber …«

»Aber …?«

So demütigend es auch war, platzte ich heraus: »Aber ich habe bei unserem Kuss etwas gefühlt. Ich weiß nicht, was ich verdammt noch mal tun soll – aber ich werde bestimmt nicht mit dir rumknutschen, wenn das nur ein einmaliges Abenteuer sein soll.«

»Dann willst du also die Wahrheit wissen, Elle?« Noah fing an, richtig frustriert zu klingen, und stand jetzt genau auf Augenhöhe mit mir. »Du bist das einzige Mädchen, das in meiner Gegenwart sie selbst ist, und das gefällt mir. Aber die Tatsache, dass du mich nicht auch willst, macht mich verrückt. Du bist das einzige Mädchen, das sich mir nicht an den Hals wirft, und das bringt mich echt um den Verstand. Ich habe wegen dir bisher praktisch niemand ernsthaft in Betracht gezogen – wusstest du das? Weil ich immer an dich denken muss.«

Wow.

Okay.

Es war zwar nicht so, dass er mir gerade seine Liebe gestanden hätte und dass das schon seit Jahren so sei … Aber verdammt! Wer hätte gedacht, dass ich, Rochelle Evans, das Mädchen mit null Erfahrung in Sachen Jungs, diejenige sein würde, die Noah Flynn verrückt macht?

Ich war perplex. »Und wie lange geht dir das schon so? Ich meine, nur so aus Neugier.«

Er zuckte mit den Achseln. »Seit ein paar Monaten.«

Ich nickte und bemühte mich verzweifelt, gefasst zu wirken. »Hast du nicht gesagt, ich wäre wie eine kleine Schwester für dich?«

»Das war so, bis du erwachsen geworden bist«, sagte er ohne Umschweife. Und dann: »Jetzt wirst du rot.«

Ich ignorierte das. »Wenn das stimmt, warum hast du mir dann gesagt, ich wäre wie eine Schwester für dich?«

Er schaute weg. »Du wolltest mich ja nicht. Und ich bin nicht der Typ, der jemand sagt, was er wirklich empfindet. Das weißt du doch. Weißt du, dass dieses ganze Gespräch eine Qual für mich ist?«

Ich grinste und sagte dann spontan: »Ich wollte dich, glaub mir.«

Da sah er aus, als habe er gerade eine Million Dollar oder Vergleichbares gewonnen. Er neigte den Kopf, sodass seine Lippen meine streiften. »Es ist nur … ich … ich will nicht, dass du denkst, ich wäre hier nur an einer Sache interessiert, okay? Das bin ich nicht. Bin ich nicht. Das ist etwas, das ich an dir mag. Du bist süß und unschuldig. Anders. Und das ist süß.«

»Dann findest du mich jetzt auch süß?« Ich zog eine Augenbraue hoch und er grinste mit den Lippen auf meinem Mund. »Und ich dachte, ich wäre für dich einfach nur die nervige beste Freundin deines Bruders.«

»Tja, das auch.«

Kichernd strich ich mit einem Finger über seinen Brustkorb.

Dann wiederholte er noch mal: »Ich interessiere mich nicht nur *deshalb* für dich, ja?«

»Wenn es so wäre, müsste ich dein Urteilsvermögen echt in Zweifel ziehen«, murmelte ich, was ihn zum Lachen brachte. Aber plötzlich war mir von innen ganz warm.

Er legte einen Finger unter mein Kinn und hob mein Gesicht an. Sein Ausdruck, die Falte auf seiner Stirn … mehr als alles andere sah er bedachtsam aus.

Ich würde jetzt nicht daran denken, dass er Lees Bruder war oder der Mistkerl, der so überfürsorglich sein konnte. Ich weigerte mich, all die fürchterlichen Folgen dieser Situation in meine Gedanken zu lassen – dafür würde ich später genug Zeit haben.

Jetzt war er nur Noah. Und ich beugte mich vor, um ihn zu küssen.

Und weil ich so unerfahren war, stießen natürlich unsere Zähne zusammen. Ich hätte nie gedacht, dass so was wirklich passiert. Das muss man sich mal vorstellen. Aber ich würde es schon noch lernen. »Sorry«, murmelte ich und verzog das Gesicht.

Er spielte mit seinen Lippen an meinen. Dabei spürte ich unter meiner Hand, wie sein Brustkorb vor unterdrücktem Lachen bebte. »Übung macht den Meister.« Und dann stießen unsere Zähne nicht mehr zusammen.

Wir knutschten eine Ewigkeit lang auf seinem Bett. Dabei unterhielten wir uns ein bisschen über die Schule, darüber, an welchem College er sich bewerben würde (weil es das nächstgelegene war, dachte er an San Diego). Und dann hatten wir eine kleine Auseinandersetzung darüber, dass All Time Low so viel besser war als Linkin Park. (Noah war ein großer Fan der neueren Sachen von Linkin Park, die ich dagegen hasste). Ich stellte fest, dass ich es tatsächlich genoss, in Noahs Nähe zu sein, selbst wenn wir uns gerade nicht küssten. Mir gefiel seine Gesellschaft – sogar wenn wir uns über Musik stritten.

Aber wir unterhielten uns immer nur ein paar Minuten lang, bevor er wieder begann, mich zu küssen. Wenn das passierte, vergaß ich, worüber wir gerade gesprochen hatten und dass ich eigentlich längst hätte gehen sollen. Ich spürte nur noch, dass seine Küsse die Schmetterlinge in meinem Bauch wie wild flattern ließen.

Das lag einfach daran, dass er gut küssen konnte, redete ich mir ein. Ich meine, wir hatten ja keine »Verbindung« oder so was. Dafür waren wir doch viel zu verschieden. Es gab keine Garantie dafür, dass er mich in einer Woche noch wollen würde, weil er ja noch nie eine längere Beziehung gehabt hatte.

»Also was genau«, sagte er nach einer Weile und verschränkte die Hände hinter dem Kopf, während er mir in die Augen sah, »machen wir hier eigentlich?«

»Ich bin nicht für ein schnelles Abenteuer mit dir zu haben«, antwortete ich entschieden.

»Ich habe dir doch gesagt«, meinte er seufzend und berührte mein Knie, »dass ich darauf gar nicht aus bin.«

Ich sollte ihn nicht mögen. Ich *konnte* ihn nicht mögen. Wir waren zu verschieden. Das war einfach falsch. Gar nicht davon zu reden, dass ich niemals Lee unter die Augen treten und ihm erzählen konnte, ich sei mit seinem Bruder zusammen.

Aber ... Ich genoss es, bei ihm zu sein. Ich mochte, wie es sich anfühlte, ihn zu küssen, umarmt zu werden, das Lächeln in seinen Augen zu sehen, wenn wir über Bands diskutierten. Es fühlte sich *schön* an, so mit Noah zusammen zu sein. Als wäre es was ganz Natürliches.

Aber lohnte es sich, Lee dafür wehzutun? Das konnte ich ihm doch nicht antun, oder? Er hatte schon deutlich gemacht, dass es für ihn eine abartige Vorstellung wäre, dass ich dadurch eventuell unserer Freundschaft schadete – und das konnte sich für gar nichts lohnen. Oder?

»Ich ... ich weiß nicht«, gab ich nach einer Weile zu. »Es ist nur ... wir sollten nicht ... und ... und Lee ...«

»Verstehe.« Noah schwieg einen Moment lang. Seine Fingerspitze malte Kreise auf mein Knie und ich beobachtete die Bewegung abwartend.

Dann sprach er stockend: »Also … vielleicht muss Lee es ja nicht wissen.«

Ich ließ diesen Satz auf mich wirken. »Du meinst, ich soll ihn anlügen?«

»Vielleicht erzählst du ihm einfach nur nicht die ganze Wahrheit …« Er verzog den Mund, als habe er Mühe damit, die richtigen Worte auszusprechen. »Bis wir uns überlegt haben, was wir tun sollen.«

Ich nickte. Wenn Lee es nicht wusste, konnte es ihn auch nicht verletzen. Und falls es mit Noah und mir nicht klappte, brauchte Lee nichts davon zu erfahren und alles konnte zwischen uns bleiben, wie es war. Und falls es mit Noah doch klappte … dann würde ich mich überwinden und es Lee erzählen, wenn es so weit war.

Ich hörte ihn seufzen und schaute hoch. Er lächelte schief. »Ich hab dir doch gesagt, dass Mädchen nicht mit einem Typen zusammen sein wollen, der den Ruf hat zuzuschlagen.«

Ich schubste ihn leicht gegen den Arm. »Das ist es nicht. Außerdem weiß ich, dass du nie einem Mädchen auch nur ein Haar krümmen würdest. So einer bist du nicht.«

Und bevor ich noch länger darüber nachdenken konnte, sagte ich: »Okay.«

»Okay?«

»Versprich mir nur, dass du es vor Lee geheim hältst.«

Noah nickte. »Natürlich.« Dann setzte er sich auf und beugte sich weit genug vor, um mich auf die Nasenspitze zu küssen. Lächelnd drehte ich den Kopf so, dass ich ihn auf den Mund küssen konnte. Dabei spürte ich, wie seine Lippen sich verzogen. Als wir uns voneinander lösten, war da dieses Grübchen auf seiner linken Wange, das nur zu sehen war, wenn er lächelte.

Dann schaute ich an ihm vorbei auf die Ziffern, die mir von seinem Digitalwecker rot entgegenleuchteten. Ich schnappte nach Luft, denn in zwanzig Minuten sollte ich zum Abendessen zu Hause sein. Wohin waren all die Stunden bloß verflogen?

»Ich muss los«, sagte ich bestimmt.

»Oh …« Hätte ich es nicht besser gewusst, hätte ich aus seinem Ton Enttäuschung heraushören können. »Soll ich dich nach Hause fahren?«

Ich drehte mich zu ihm um und zog vielsagend die Augenbrauen in die Höhe. »Ich kann gehen. Ich habe Beine. Zwei, um genau zu sein.«

Er grinste. »Ganz wie du willst. Ich wollte nur nett sein …«

»Das ist okay. Wirklich.« Ich wollte einen klaren Kopf kriegen, und das würde nicht funktionieren, wenn Noah in meiner Nähe war.

»Du bist süß, wenn du so schaust«, erklärte ich und deutete mit dem Kopf auf sein Gesicht.

Er schnitt eine Grimasse. »Nenn mich bitte nicht süß.«

»Oh, wie süß«, neckte ich ihn und musste lachen. Im Spaß gab ich ihm einen Stoß gegen die Schulter, den er augenrollend zurückgab.

Ich nahm mein Handy von der Kommode neben seinem Bett und platzte ohne zu überlegen mit einer Frage heraus.

»Warum hasst du es eigentlich, wenn dich jemand Noah nennt?«, fragte ich.

»Noah ist nicht der coolste Name, den man sich vorstellen kann, um sich bei irgendwem Respekt zu verschaffen. Flynn ist einfa–«

»Das passt zu dir.«

»Genau. Also warum nennst du mich immer bei meinem Vornamen?«

»Weil ich mit dir aufgewachsen bin. Und ein bisschen um dich zu ärgern. Aber auch weil er irgendwie heiß ist.«

Das war mir so rausgerutscht. Ich spürte meine Wangen aufglühen und schlug mir eine Hand vor den Mund. Unglaublich, dass ich das gerade gesagt hatte! Ich meine, natürlich hielt ich Noah für einen heißen Namen – vielleicht nicht für jeden, aber Noah Flynn klang richtig gut. Bei ihm sogar sexy. Ich konnte nur nicht glauben, dass ich das ausgerechnet zu ihm gesagt hatte!

Grinsend zog er mir die Hand von meinem zweifellos tomatenroten Gesicht weg. »Also, wenn du das so formulierst, klingt es wirklich nicht schlecht.«

Ich lachte verlegen und er gab mir einen flüchtigen Kuss auf die Lippen, bevor er meine Hand losließ. Ich musste jetzt wirklich los. Falls jemand unerwartet nach Hause kam, würde es mehr als nur ein bisschen verdächtig wirken, dass ich hier mit Noah allein war. Niemand würde glauben, dass wir einfach nur »miteinander abhingen«.

Auf dem Weg zur Haustür nahm ich in der Küche noch meine Tasche und das Videospiel für Brad mit.

Als ich mich umdrehte und Noah am Türrahmen lehnte, fuhr ich vor Schreck zusammen. Er war mir geräuschlos gefolgt und ich hatte nicht mit ihm gerechnet.

»Hast du morgen Zeit?«, fragte er.

»Ich ... ich glaube nicht ... ich habe tonnenweise Hausaufgaben, also ...«

Erst nachdem ich das gesagt hatte, fiel mir ein, dass ich vielleicht hätte versuchen sollen, etwas geheimnisvoller rüberzukommen – fragen, was er denn vorhätte, antworten, dass ich vielleicht Zeit hätte. Aber ich verwarf diese Überlegung sofort – als ob ich zu so etwas imstande wäre.

»Das ist ja blöd.«

Ich wartete, ob er das weiter ausführen würde, doch das tat er nicht. Er schenkte mir nur sein Markenzeichen-Lächeln und sah mich mit seinen strahlenden Augen durchdringend an. Ich fragte mich, ob das bedeutete, dass er sich mit mir treffen wollte. Aber mehr sagte er dazu nicht.

»Ähm«, machte ich leise.

Er grinste. »Keine Sorge, ich werde schon einen Weg finden, um dich zu sehen.«

Ich erwiderte sein Lächeln. Innerhalb eines einzigen Tages hatte sich mein bis dahin nicht vorhandenes Liebesleben insofern verändert, dass ich jetzt eine heimliche Beziehung mit dem begehrtesten Typen an der Schule hatte. Und alles nur wegen dieser verdammten Kissing Booth.

»Bye«, sagte ich leise und schob mich an ihm vorbei Richtung Haustür.

»Hey, warte«, sagte er und hielt mich an der Gürtelschlaufe meiner Jeans fest. »Ich will meinen Abschiedskuss.«

»Hmm, nein.«

Wow, das war flirtmäßig wohl das Äußerste, was ich heute zustande gebracht hatte. Weiter so.

»Nein?« Herausfordernd zog er seine dunklen Brauen in die Höhe.

Dann beugte er sich vor und küsste mich trotzdem. Und ich erwiderte den Kuss. Allerdings wich er schon wieder zurück, kaum dass seine Lippen meine berührt hatten. Dann sah er mich mit Unschuldsmiene an, woraufhin ich die Augen verdrehte.

»Bye, Shelly«, rief er mir scherzhaft nach.

»Bye, Noah«, antwortete ich im selben Ton und lächelte in mich hinein.

Den ganzen Weg nach Hause konnte ich nicht aufhören zu lächeln.

Am Abend lag ich im Bett und dachte über alles nach. Ich konnte nicht wissen, wie lange das halten würde. Dabei hatte ich mich immer für ein Mädchen gehalten, das sich eher auf lange, feste Beziehungen einlassen würde. Nach allem, was mir zu Ohren gekommen war, hatte Noahs längste Beziehung vielleicht eine Woche gedauert. Aber ich konnte nicht anders. Einerseits wollte ich Lee nicht wehtun, andererseits fühlte ich mich auf eine Weise zu Noah hingezogen, die nicht nur körperlich war –

Auch wenn ich natürlich nicht so dumm sein würde, mich richtig in ihn zu verlieben.

Niemals. Auf keinen Fall.

Wenn irgendwas mein Verhältnis zu Lee kaputt machen konnte, dann das. Es würde nicht passieren. Es durfte nicht passieren. So weit würde ich es nicht kommen lassen.

Ich musste nur versuchen, mit dieser ganzen Sache bestmöglich umzugehen. Und wenn das bedeutete, zu verheimlichen, dass Noah und ich zusammen waren, dann musste es eben so sein. Allein die Erinnerung an den heutigen Nachmittag gab mir ein wohlig warmes Gefühl von innen.

Ziemlich sicher schlief ich lächelnd ein.

11

Montagmorgen kam viel, viel zu schnell. Ich war darauf vorbereitet, den anderen Mädchen von meinem Kuss mit Noah zu erzählen, weil ich schon wusste, dass sie mich nach allen Einzelheiten fragen würden. Ich war gefasst auf neidische Blicke. Ich war auch darauf vorbereitet, alle Vermutungen abzutun, dass wir eine Beziehung anfangen würden.

Noah und ich hatten am Vortag beide zu viel zu tun gehabt, um uns zu treffen, aber wir hatten uns Nachrichten geschrieben. Ich fühlte mich immer noch ganz leicht und quirlig, wenn ich an seine letzte Nachricht dachte, die er mir geschickt hatte, nachdem ich ihm mitgeteilt hatte, ich würde dann mal schlafen: *Sweet dreams*.

Das klang ganz untypisch für Noah, aber es gefiel mir trotzdem.

Vor meinem Haus hielt ein Auto, also rannte ich die Treppe runter und rief nur einen Abschiedsgruß in die Küche.

»Hey«, sagte ich zu Lee und stieg lächelnd ein.

»Hey! Worüber bist du denn so glücklich? Ich dachte,

dir graust vor dem heutigen Tag, nach der ganzen Kissing-Booth-Sache.«

Ich zuckte mit den Achseln. »Keine Ahnung. Warum kann ich denn nicht mal gute Laune haben?«

»Na ja, erstens, weil es Montag ist. Zweitens, weil du kein Morgenmensch bist. Glaub mir, das weiß ich genau.«

Ich zuckte wieder mit den Achseln. »Beschwer dich nicht. Ich habe gute Laune – belassen wir es doch einfach dabei.«

Lee lachte. »Also gut …«

Kaum waren wir bei der Schule angekommen und ich aus dem Auto ausgestiegen, umringten mich auch schon quietschende Mädchen, die unzählige Fragen stellten. Es kam mir vor, als verlange jede einzelne, dass ich ihr den Kuss persönlich beschrieb.

»Leute, lasst sie doch mal in Ruhe!«, hörte ich Lee lachend rufen.

»Ach, du Glückliche. Ich wünschte, ich wäre an deiner Stelle gewesen. Ich würde *töten*, um Flynn zu küssen. Ich kann nicht glauben, dass du gekniffen hast, Karen.«

»Ich kann dir da keinen Vorwurf machen. Es muss doch ein Schock gewesen sein, als dir klar wurde, dass du Flynn küssen sollst!«

»Ich wünschte, das wäre ich gewesen.«

Ich kann nicht glauben, dass du die Chance hattest, Flynn zu küssen.«

»Ist das jetzt nicht echt peinlich, Lee gegenüber?«

»Nein«, antwortete ich schroff. »Natürlich nicht! Lee ist mein bester Freund.«

»Schon. Aber es ist ja schließlich sein *Bruder*, mit dem du rumgemacht hast. Und soweit ich erkennen konnte, war das kein flüchtiger Kuss«, fügte Candice hinzu und ließ ihre Augenbrauen vielsagend tanzen.

»Klar, aber es ist *Lee.*«

»Hast du seither noch mal mit Flynn gesprochen?«

»Magst du ihn, Elle?« Faith war auf einmal ganz nah vor meinem Gesicht. »Bist du nicht in ihn verknallt?«

»Ich bringe in seiner Gegenwart kaum einen vollständigen Satz raus«, meinte jemand anders lachend.

»Da bist du nicht die Einzige!«

»Elle ist das einzige Mädchen, das mit ihm reden kann.«

»Ich kapiere gar nicht, wie du dich in seiner Anwesenheit so normal benehmen kannst«, sagte Georgia.

Ich zuckte erneut mit den Schultern. »Ich bin mit ihm aufgewachsen, weil ich immer Zeit mit Lee verbrachte. Und ich weiß nicht, Faith«, sagte ich an sie gewandt. »Er ist einfach Noah.«

»*Einfach Noah?*«, echoten sie schockiert im Chor. Ich biss mir auf die Lippe. Ich musste wirklich anfangen zu überlegen, bevor ich solche Sachen von mir gab. »Wir reden hier von Flynn! Wie kannst du da so was sagen?«

»Hört mal, ich werde auch weiterhin mit Jungs reden. Ich habe Noah geküsst – ja, das war toll. Aber können wir jetzt vielleicht alle wieder zur Tagesordnung übergehen? Ich bin es langsam leid, darüber zu sprechen.«

Ich kam mir gemein vor und bemühte mich, nicht zu aufgebracht über den Parkplatz davonzustürmen.

Als ich Lee und die anderen Jungs eingeholt hatte, gab ich einen tiefen Seufzer der Erleichterung von mir.

»Das sah ja echt nach Vergnügen aus«, meinte Lee lässig.

Ich stieß ihn mit meinem Ellbogen in die Rippen.

»Ach du meine Güte! Also, du musst uns unbedingt alles erzählen! *O my gosh*! Ich kann nicht glauben, dass du mit Flynn geknutscht hast! Also, *oh my god*!«, rief Cam mit verstellter Piepsstimme. Die Jungs brachen alle in Gelächter aus und ich verdrehte die Augen.

»Fangt bloß nicht auch noch damit an. Bitte!«

»Keine Sorge, wir werden keine Fragen stellen«, versicherte Dixon mir. »Aber mal im Ernst, ihr seid jetzt nicht zusammen, oder?«

»Nein.«

Er nickte. »Cool.«

»Warum – hättest du Interesse?« Übertrieben flirtend klimperte ich mit den Wimpern.

»Vielleicht«, scherzte er. Dann fügte er noch hinzu: »Nee, aber du weißt schon – Gerüchte.«

»Das werde ich Noah erzählen, wenn ich ihn das nächste Mal sehe«, sagte ich mit gespieltem Ernst, was erneut alle Jungs zum Lachen brachte. Sie gaben Dixon Schubser von allen Seiten. »Stellt schon mal einen Krankenwagen bereit.«

»*Touché*.«

»Oh, hey«, sagte Warren plötzlich. »Hab ich ganz vergessen. Meine Eltern sind nächsten Freitag nicht da. Ihr wisst, was das bedeutet, oder?«

»Hausparty!«, schrie Lee und gab ihm High Five. »Episch.«

»Erzählt es aber nicht rum. Ich will nicht, dass es zu sehr ausartet.«

»Klar, kein Problem«, stimmten ihm alle zu.

»Bist du dabei, Elle?«, fragte Warren mich, weil ich bisher noch nichts dazu gesagt hatte.

»Klar, aber diesmal bleibe ich bei den alkoholfreien Getränken. Ich brauch nicht noch so eine Geschichte, bei der ich beinahe nackt baden gegangen wäre.«

»Verdammt, Elle, damit machst du all meine Träume zunichte«, murmelte Cameron schmunzelnd.

Lee sah mich zweifelnd an. »Keine Sorge, Shelly. Ich werde ein Auge auf dich haben.«

»Nein, wirst du nicht, weil du zu beschäftigt damit sein wirst, mit Rachel zu knutschen«, sagte Oliver, was alle zum Lachen brachte.

Dann klingelte es und wir begaben uns zur üblichen Schulversammlung.

Lee und ich erhielten ein besonderes Lob vom Direktorat, weil wir mit unserem Beitrag so viel Geld eingenommen hatten. Aber auch darüber hinaus konnte ich mich nicht über einen Mangel an Aufmerksamkeit beschweren.

So viele Jungs, die mir begegneten, machten Kommentare oder pfiffen wegen mir und Flynn. Es fing wirklich an, mich zu nerven. Nichts davon war so beleidigend wie die Bemerkungen nach Lees und Noahs Party, aber wie sie das sagten, brachte mich dennoch innerlich zum Kochen.

Bis Donnerstag war die Aufregung größtenteils verebbt. Neue Gerüchte und Klatsch kamen auf, sodass ich in den Hintergrund geriet.

Mir war das so was von recht.

Ich hatte es schon so satt, davon zu erzählen, wie es gewesen war, Flynn auf dem Schulfest zu küssen. Genauso leid war ich es, von anderen Mädchen zu hören, wie neidisch sie waren. Und es kotzte mich an, dass Jungs auf den Fluren mich jetzt anders ansahen, weil ich nicht mehr ganz so unschuldig war.

Und dann, quasi als Höhepunkt meiner Woche, kam ich am Donnerstagnachmittag wie verabredet zu Lee, um festzustellen, dass er nicht zu Hause war.

»Ich muss rasch was einkaufen«, erklärte seine Mom mir. »Aber wenn du möchtest, kannst du gern dableiben.«

»Okay, mal sehen, wie lange er noch braucht. Danke, June.«

»Bye, Elle!«, rief sie fröhlich, bevor sie ging. Ich seufzte und schrieb Lee eine Nachricht, um zu erfahren, wo er steckte.

Bin bei Rachel. Sorry! ☹ Wusste nicht, dass du vorbeikommst.

Er hatte eindeutig vergessen, dass wir uns verabredet hatten. Das war total untypisch für ihn.

Kein Problem. Mach mich wieder auf den Heimweg.

Ich fügte noch ein Smiley hinzu, damit er wusste, dass ich nicht sauer war – obwohl ich schon ein bisschen sauer war. Lee hatte mich noch nie für andere Mädchen versetzt, ohne mir zumindest vorher Bescheid zu sagen.

Er muss Rachel wirklich gernhaben, dachte ich.

Ich war schon auf dem Weg zur Haustür, als ich oben an der Treppe ein Geräusch hörte und hinaufschaute.

»Oh, hallo«, sagte Noah. »Lee ist nicht da.«

»Ja, das hat deine Mom gerade gesagt. Sie ist übrigens zum Einkaufen weg.«

»Ja, stimmt.«

Ich schaukelte auf den Fersen vor und zurück, während er mich einfach nur ansah und die Treppe herunterkam. Ich wusste nicht, ob ich gehen sollte … Eigentlich wollte ich das nicht mehr, seit ich wusste, dass Noah hier war.

Die ganze Woche über erinnerte ich mich, jedes Mal wenn ich ihn auf dem Flur oder in der Mittagspause sah, daran, wie sich seine Lippen auf meinen angefühlt hatten. Und dann sehnte ich mich danach, ihn wieder zu küssen.

Er trug nur eine abgewetzte Jogginghose mit alten Ölflecken darauf und dazu ein weißes T-Shirt. Nichts Besonderes. Also wie schaffte er es dann, trotzdem wie ein verdammtes Model auszusehen? Er war so was von nicht in meiner Liga.

Ich hatte schon begonnen, mich selbst davon zu überzeugen, dass, was auch immer am Wochenende mit Noah passiert war, nun ein abgeschlossenes Kapitel meines Lebens darstellte. Und dass er es längst vergessen hatte. Dass ich eben drüber wegkommen und zur Tagesordnung übergehen musste.

Dann küsste er mich. Total überrascht ließ ich mich von ihm zwei Schritte nach hinten an die Wand drücken. Und dann erwiderte ich seinen Kuss mit aller Leidenschaft.

Anscheinend waren meine Sorgen und Zweifel völlig unbegründet gewesen.

Als wir uns schließlich voneinander lösten, um nach Luft zu schnappen, blieb er so nah, dass unsere Lippen sich beim Sprechen berührten.

Leise sagte er: »Darauf habe ich schon die ganze Woche gewartet.«

Ich erschauerte vor Aufregung und versuchte, meine Wangen mit purer Willenskraft am Rotwerden zu hindern. Ich wollte cool wirken, damit er nicht sah, wie erleichtert und froh ich war.

Auf keinen Fall sollte er mir zu sehr ans Herz wachsen, ermahnte ich mich. Da musste ich echt aufpassen. Schon um Lees willen.

Um sexyer und selbstbewusster rüberzukommen, als ich eigentlich war, antwortete ich: »Sorry, dass ich dich habe warten lassen.«

Er zuckte mit den Achseln. »Das war's wert.«

Jetzt konnte ich wirklich nicht mehr verhindern, dass ich rot wurde.

»Wie viel Zeit bleibt uns wohl?«, fragte er mich.

»Hmm … mindestens eine halbe Stunde«, überlegte ich und hörte ein Lachen in meiner Stimme.

Noahs blaue Augen strahlten noch mehr als sonst. Falls das überhaupt möglich war. Er gab mir noch einen flüchtigen Kuss, nahm dann meine Hand und führte mich nach oben.

»Gehst du nächste Woche auf Warrens Party?«, fragte er unvermittelt.

»Klar«, antwortete ich. »Du auch?«

Er nickte. »Zieh aber nichts zu Freizügiges an, ja?«

»Warum denn nicht?«, fragte ich neugierig. So etwas hatte er vor früheren Partys nie gesagt.

»Du würdest nicht glauben, wie die Jungs schon die ganze Woche über dich reden«, sagte er wütend und der Muskel an seinem Kiefer zuckte.

»Doch, ich glaube, das würde ich«, murmelte ich leise ohne Nachdenken.

»Was hast du gehört?«, hakte er noch wütender nach – auch wenn sein Zorn nicht gegen mich gerichtet war.

Ich unterdrückte das Bedürfnis, die Augen zu verdrehen, und zuckte nur mit den Schultern. Ich musste wirklich, *wirklich* lernen, öfter die Klappe zu halten. »Nur Bemerkungen über die Kissing Booth, ehrlich.«

»Und zwar …?«, erwiderte er prompt. Ich konnte ihm ansehen, dass er immer ärgerlicher wurde. Nach all den Jahren kannte ich die Warnsignale in- und auswendig – der Muskel an seinem Kiefer, das Knacken mit den Fingergelenken, die Falte auf seiner Stirn, dicht über den Augenbrauen, und wie er mit den Beinen einen stabilen Stand einnahm.

Er ballte die Hände zu Fäusten, der Muskel an seinem Kiefer bewegte sich …

»Die haben nur dämliches Zeug geredet«, seufzte ich und ließ mich aufs Bett fallen. Doch ich konnte nicht einmal die weiche Matratze genießen – so angespannt war die Atmosphäre. »Kommentare darüber, dass ich dich geküsst habe. Die Frage, ob der Preis immer noch bei zwei Dollar läge … Alles gut, es ist nichts passiert«, beeilte ich mich, ihm zu versichern.

Noah schüttelte den Kopf. »Bist du dir sicher, dass niemand irgendetwas versucht hat? Gar nichts?«

Ich seufzte. »Sicher. Jetzt beruhig dich endlich.«

»Das meine ich ernst, Rochelle«, sagte er mit finsterer Miene. Stimmungskiller, dachte ich bitter. »Wer auch immer dir zu nahe kommt …«

»Ich bin schon ein großes Mädchen und kann selbst auf mich aufpassen. Du musst nicht die ganze Zeit so … ein Kontrollfreak sein! Krieg dich wieder ein.«

»Ich bin kein Kontrollfreak!«

»Doch, bist du!«, schrie ich zurück und setzte mich dabei wieder auf. »Ich werde auf der Party nächste Woche anziehen, was ich will. Du brauchst mir nicht sagen, mit wem ich mich verabreden, was ich anziehen oder mit wem ich mich unterhalten kann!«

»Ich versuche nur zu verhindern, dass jemand dir wehtut«, schnauzte er mich an.

»Mir wird niemand wehtun! Nicht alle sind solche Dreckskerle wie –«

»Wie ich?«, beendete er den Satz für mich.

»Genau! Genau wie du!«

Inzwischen stand ich direkt vor Noah und versuchte, ihm in die Augen zu schauen. Das war gar nicht so einfach, weil er gute zehn Zentimeter größer war als ich. Aber ich gab mir jedenfalls Mühe, ihn böse anzufunkeln.

»Du scheinst nicht zu begreifen, wie übel manche von diesen Typen drauf sind«, argumentierte er. »Du benimmst dich normal, aber die halten das für Flirten und dann glaubst du vielleicht nicht, sie verführt zu haben, aber das hast du verdammt noch mal.«

»Ich verführe überhaupt niemand!«, brüllte ich außer mir.

»Genau davon rede ich doch! Du meinst es nicht so und du weißt es nicht, aber wenn du du selbst bist und rumscherzt, verstehen manche Jungs das falsch – und sie glauben, du flirtest. Und wenn du nicht aufpasst, wird dir am Ende jemand wehtun.«

»Na schön! Aber du musst nicht jede Entscheidung für mich treffen!« Ich stieß ihn heftig gegen die Brust und er packte meine Hand, bevor er seine Lippen auf meine presste.

Der Kuss schmeckte seltsam süß. Aus Wut wurde Leidenschaft. Schon eigenartig, wie sich aus einer hitzigen Diskussion eine heiße Knutscherei entwickelte.

Noah vergrub die Hände in meinen Haaren und hielt mich so eng an sich gedrückt wie nur möglich, während er mich aufs Bett zog. Ich konnte nicht klar denken, während er mich küsste. In meinem Kopf drehte sich alles und jeder vernünftige Gedanke war weg.

Wir lösten uns voneinander, um nach Luft zu schnappen, als mir auffiel, wie seine Augen über meinen Körper glitten. Ich versuchte, wieder zu Verstand zu kommen, und obwohl ich komplett angezogen war, hatte ich mich noch nie so unglaublich verlegen gefühlt.

Noah zog mich wieder zu sich herab, hielt mich zärtlich und drückte einen sanften, langen Kuss auf meine Lippen. »Du bist wunderschön, Elle, weißt du das?«

Wunderschön.

Nicht heiß. Nicht sexy. *Wunderschön.*

Es ist eine Sache, dass Lee so etwas sagt, wenn ich

mir etwas zum Anziehen überlege und ihn frage, ob das okay aussieht. Und es war auch eine andere Sache, als mein Dad das sagte, bevor ich vor ein paar Monaten zum Winterball ausging. Aber aus Noah Flynns Mund ist es noch mal etwas *komplett* anderes.

Lächelnd erwiderte ich seinen Kuss.

»Ich will dich gar nicht kontrollieren«, murmelte er und sah mir dabei nicht in die Augen. Er spielte stattdessen mit meinen Haaren und wickelte eine Strähne um seine Fingerspitzen. »Es ist nur … dass es mich echt sauer macht, wenn ich Jungs so über dich reden höre. Ich will nicht mit ansehen müssen, dass jemand dir wehtut. Dafür … liegt mir zu viel an dir.«

Ich war mir sicher, dass er »liegt mir zu viel an dir« im romantischen Sinne meinte. Aber wir waren schließlich zusammen aufgewachsen, da lag ihm natürlich etwas an mir. Trotzdem setzte mein Herz kurz aus.

Ich lächelte. »Das ist schön zu hören.«

»Sogar wenn ich ein Dreckskerl bin?«

Ich lachte. »Sogar wenn du ein Dreckskerl bist.«

»Ganz zu schweigen von einem heißen Dreckskerl«, meinte er grinsend.

»Mhm, darüber könnte man streiten.«

Er zog eine Augenbraue in die Höhe und drehte mich plötzlich so um, dass ich unter ihm lag und er meine Arme über meinem Kopf festhielt.

»Möchtest du das noch mal sagen?«, brummte er leise in mein Ohr und strich mit dem Mund über meinen Hals. Ich wand mich hin und her, weil das kitzelte.

»Okay«, kicherte ich, »vielleicht bist du ein bisschen heiß …«

»Versuch's noch mal, Shelly«, sagte er leise und drohend, aber ich hörte das unterdrückte Lachen in seiner Stimme. Dann küsste er mich am Hals genau dorthin, wo es am meisten kitzelte. Ich lachte laut auf und zappelte.

»Okay, okay«, gab ich japsend nach. »Du bist wirklich richtig heiß.«

»Ich weiß.« Er berührte mit seinen Lippen meinen Mund und ließ meine Hände los. Meine Finger gruben sich in sein dunkles Haar.

Wir knutschten immer noch und hatten alles um uns herum vergessen, als draußen eine Autotür zuschlug.

»Verdammt«, murmelte Noah, als ich mich aufsetzte. Er sprang vom Bett, um aus dem Fenster zu sehen.

»Wer ist es?«

»Meine Mom – sie ist schon vom Einkaufen zurück …« Er verstummte, als er die Uhrzeit auf seinem Wecker checkte. Sie war fast eine Stunde weg gewesen. Warum verflog die Zeit immer so, wenn wir zusammen waren?

»Ich werde ihr beim Auspacken helfen«, sagte er. »Dann kannst du durch die Hintertür verschwinden.«

Ich nickte. »Okay.«

Er blieb in der Tür stehen und seine Augen glitzerten vor Vergnügen.

»Was?«

»Das ist irgendwie lustig, diese Heimlichkeit«, sagte er. »Findest du nicht?«

»Noah? Ich bin wieder da!«, rief June nach oben. »Kannst du mir vielleicht helfen, das Auto auszupacken?«

»Klar, Mom«, rief er zurück und lächelte mich an, sodass ich sein Grübchen sah. Ich musste grinsen. »Los. Du kannst zur Tür laufen, wenn sie draußen beim Wagen ist.«

Ich schlich zum Treppenabsatz und wartete, bis Noah seiner Mom durch die Haustür folgte. Er machte noch eine Kopfbewegung in meine Richtung, da sprintete ich in die Küche, um durch die Hintertür zu entwischen. Erst als ich sie mit raschelnden Tüten wieder reinkommen hörte, eilte ich durchs Gartentürchen an der Seite die Straße runter.

Wenn ich so darüber nachdachte, hatte Noah recht. Diese Heimlichkeit war irgendwie aufregend.

Ich fragte mich nur, wie lange wir das hinkriegen würden.

12

Um sieben Uhr hatte ich immer noch nicht entschieden, was ich anziehen sollte. Lee würde in einer Dreiviertelstunde da sein. Seit zwei Stunden versuchte ich, mich fertig zu machen, und hatte mein Outfit schon ungefähr fünfzigmal geändert.

Die letzte Woche war viel zu schnell vergangen, und jetzt stand schon Warrens Party an.

Mit in die Hüften gestützten Händen hatte ich mich vor meinen Kleiderschrank gestellt und musterte erneut all meine Klamotten. »Weißt du was«, sagte ich zu mir selbst, »wenn du so weitermachst, wirst du in Unterwäsche gehen.« Ich wollte nicht unbedingt ein Kleid oder einen Rock anziehen – hauptsächlich weil ich vergessen hatte, mir die Beine zu rasieren –, und das schränkte meine Party-Garderobe beträchtlich ein.

Am liebsten wollte ich ein durchsichtiges schwarzes Top anziehen, das praktisch rückenfrei mit nur ein paar kreuz und quer verlaufenden Trägern war. Der Ausschnitt verlief von einem Schlüsselbein zum anderen, war also nicht tief. Aber ich wusste nicht, ob das partytauglich war.

Seufzend strich ich mir über den Hals (um mein Make-up nicht zu ruinieren). Kümmerte es mich wirklich, ob ich mich genug aufgestylt hatte?

Ich wusste, für wen ich gut aussehen wollte.

Für Noah.

Aber das war albern. Zum Teufel damit. Ich würde das schwarze Top anziehen, und wenn ich darin falsch angezogen aussah – *so what*?

Ich schlüpfte in meine Jeans. Sie war aus hellblauem Denim mit kunstvoll zerlöcherten Beinen. Dann zog ich das Top an und setzte mich an meinen Schminktisch, um meine Haare fertig zu frisieren. Ich war noch nicht richtig in Partylaune und machte mir einfach nur einen hohen Pferdeschwanz.

Dann frischte ich meine Mascara auf, weil mir noch ein paar Minuten blieben, bevor Lee käme.

In dem Moment klingelte mein Handy.

»Lee, was ist los?«, fragte ich und spürte sofort, dass irgendetwas nicht stimmte. Warum würde er sonst anrufen?

»Hör mal, äh … Es tut mir echt leid, aber macht es dir was aus, wenn … also …«

»Spuck's schon aus«, meinte ich lachend.

»Tja, Rachel hat mich gerade gefragt, ob ich sie abholen kann, weil ihre Freundin sie versetzt hat und …«

»Du willst wissen, ob du mich versetzen kannst, um deine Freundin abzuholen, wie man das als fantastischer bester Freund so macht?«, sagte ich mit ironischem Unterton, aber lächelnd.

»Eigentlich wollte ich dich gerade fragen, ob es dir was ausmacht, wenn wir Rachel auch mitnehmen. Ich würde dich doch nicht im Stich lassen! Was du mir alles zutraust.«

»Gut, dann bitte ich Dad, mich hinzufahren«, sagte ich. »Ich lasse dich und Rachel allein.«

»Das musst du nicht, Rachel! Sei doch nicht albern.«

»Nein, das ist schon okay, Lee. Es macht mir echt nichts aus«, sagte ich ehrlich. »Ist okay.«

Seine früheren Beziehungen waren in die Brüche gegangen, weil er und ich uns zu nahe standen und es seinen Freundinnen nicht gefiel, nur die zweitwichtigste Frau in seinem Leben zu sein. Das mit ihm und Rachel wollte ich nicht verderben.

Er überlegte einen Moment lang. »Tja, ich kann Noah bitten, dich mitzunehmen. Er ist auch noch nicht weg.«

Ich hörte ihn nach seinem Bruder rufen, während ich noch sagte: »Nein, Lee, lass das – ist in Ordnung, wirklich …« Seufzend verstummte ich.

»Elle? Shelly, bist du noch da? Hallo?«

»Hä?« Ich war total weg gewesen und hatte Lee nicht einmal mit mir reden gehört.

»Noah sagt, er kann dich mitnehmen. Gar kein Problem. Er ist in ungefähr zwanzig Minuten bei dir.«

»A-aber …«, widersprach ich zaghaft.

»Danke, Elle. Dafür hast du was Großes bei mir gut. Bis später!«

»Bye …«

Seufzend ließ ich das Telefon aus meiner Hand aufs Bett rutschen und vergrub das Gesicht in den Händen.

Nachdem ich aufgestanden war, musterte ich mich kritisch im Spiegel.

Mein Make-up war, bis auf den burgunderroten Lippenstift, ziemlich schlicht. Die Jeans schmeichelte meiner Figur, das Top betonte meine Kurven und zeigte fast meinen ganzen Rücken. Ich fühlte mich gut, auch wenn Noah an meinem Aussehen bestimmt irgendetwas Unangemessenes finden würde.

Aber darüber machte ich mir keine Sorgen. Kopfzerbrechen bereiteten mir eher der Klatsch und die Gerüchte, die entstehen würden, wenn man uns gemeinsam bei der Party auftauchen sah.

In dem Moment klingelte es auch schon an der Haustür. Ich steckte das Handy in meine hintere Hosentasche und lief die Treppe nach unten, wo Dad bereits meinen Namen rief.

Ich sah ihn die Tür aufmachen und zweimal hinschauen. »Noah.«

»Hey, ist Elle schon fertig?«, fragte Noah für seine Verhältnisse außergewöhnlich höflich.

»Äh …« Mein Dad drehte sich um und entdeckte mich. Er sah irritiert aus. »Eine Sekunde, Noah.«

Er zog mich in die Küche. »Was macht er hier?«, fragte er leise.

»Lee holt seine Freundin ab und hat deshalb Noah gebeten, mich mitzunehmen.«

»Ah, gut. Einen Moment lang dachte ich schon, ihr beiden wärt jetzt zusammen.«

Ich lachte gekünstelt. »Ja, genau.«

»Pass trotzdem auf. Ich bin mir immer noch nicht sicher, ob ich diesem Jungen trauen soll – bei den Schlägereien, in die er immer gerät … und dann noch dieses Motorrad …«

»Ja, ich weiß, Dad. Aber Noah ist in Ordnung. Mach dir keine Sorgen.« Ich gab ihm einen flüchtigen Kuss auf die Wange. »Bye!«

»Kein Alkohol!«, rief er mir noch nach.

Ich war schon wieder bei der Haustür und zog sie hinter mir zu. Lässig lächelte ich Noah an. »Wollen wir?«

Er betrachtete mich von oben bis unten. Ganz langsam. Anstatt rot zu werden, seufzte ich innerlich. *Da haben wir's*. Ich fragte mich nur noch, wie sauer er werden würde. Und gleichzeitig verursachte sein Blick mir Herzklopfen.

»Du hörst mir echt kein bisschen zu, oder?«

»*Nope*.« Grinsend marschierte ich Richtung Auto.

»Ganz ehrlich, Elle – musst du dich so … so … anziehen?«

»Wie denn, Noah?«, fragte ich genervt, wobei ein Teil von mir unbedingt wissen wollte, wie er mich tatsächlich fand.

»Sieh dich doch an!«, zischte er und biss die Zähne zusammen. »Kannst du nicht was tragen, das ein bisschen weniger … sexy ist?«

Ich musste grinsen. Wer hätte gedacht, dass der Tag kommen würde, an dem Flynn mir sagte, ich sähe sexy aus? Mir war direkt ein bisschen schwummerig zumute – auch wenn es sich nicht ganz so gut anfühlte wie in dem Moment, als er mich wunderschön genannt hatte.

»Das ist nicht witzig«, fauchte er.

»Ach, krieg dich wieder ein. Ich hätte etwas noch viel Freizügigeres anziehen können. Das ist eine Party. Und ich ziehe mich bestimmt nicht mehr um, Noah. Höchstens gehe ich zu Fuß, wenn es sein muss, aber du wirst mich nicht umstimmen. Wenn du drauf bestehst, dass ich mich umziehe, gehe ich wieder rein und komme in dem kürzesten Rock und dem engsten Top, den mein Schrank zu bieten hat, wieder raus.«

Wir absolvierten ein kurzes Duell mit Blicken.

Dann stieg er seufzend in den Wagen und knallte die Tür hinter sich zu.

Ich tat das Gleiche und verschränkte die Arme vor der Brust. Dabei verspürte ich eine gewisse Zufriedenheit, weil ich *diese* Auseinandersetzung gewonnen hatte.

»Du siehst wirklich scharf aus, wenn du wütend bist«, sagte er.

Ich zog nur eine Augenbraue hoch. Machte er sich etwa über mich lustig?

Er fing meinen Blick auf und zwinkerte mir zu.

Ja, ich war mir ziemlich sicher, dass er sich lustig machte.

»Ach, komm schon«, sagte er, legte eine Hand auf meinen Oberschenkel und beugte sich näher zu mir, bevor er flüsterte: »Du weißt doch, dass du mir nicht ewig böse sein kannst, Shelly.«

»Wart's ab.«

Kichernd richtete er sich wieder auf, fuhr aus unserer Einfahrt und die Straße hinunter zu Warren.

»Ich kapiere immer noch nicht, warum du plötzlich so einen Aufstand wegen der Klamotten machst, die ich auf Partys trage«, sagte ich. »Was war denn mit all den anderen Partys, auf denen ich viel freizügigere Sachen anhatte?«

Er zuckte mit den Achseln. »Das war was anderes. Damals trauten sich die Jungs noch nicht so viel und wagten sich nicht in deine Nähe. Aber seit dieses Cody-Bürschchen ein Date mit dir hatte, denken alle, ich hätte nachgelassen und sie hätten Chancen bei dir. Außerdem war unsere kleine Vorführung beim Schulfest definitiv nicht hilfreich.«

Ich verzog das Gesicht und spürte, wie ich rot wurde. »Egal.«

Er streckte einfach die Hand aus, drückte sanft meinen Oberschenkel und lachte in sich hinein.

Wir parkten gleich um die Ecke am Ende der Straße, in der Warren wohnte.

Niemand schien davon Notiz zu nehmen, dass wir gemeinsam kamen.

Sofort nahmen mich einige der Mädchen beiseite und wir plauderten über alles Mögliche: darüber, wie scharf Jon Fletcher aussah, über Hannah Davies geschmacklose Schuhe und über den coolen Song, der gerade lief.

Nach einer Weile entdeckte ich Lee im Garten hinter dem Haus, doch er war ziemlich mit Rachel beschäftigt. Ich nahm einen Schluck aus meiner Coladose, fühlte mich allein von der Atmosphäre benebelt und ging wieder rein.

Aus dem Wohnzimmer waren alle Möbel herausgeräumt, weil es als Tanzfläche diente. Die Beleuchtung war schummerig. Es gab nur ein paar grüne und blaue Lampen, die stroboskopisch flimmerten.

Das war so cool: Die Farben ließen alles fast wie

unter Wasser wirken. Echt seltsam. Ich tanzte mit, ließ die Hüften im Rhythmus der Musik schwingen und warf die Arme in die Luft.

Plötzlich legte jemand von hinten die Hände um meine Taille, um mit mir zu tanzen. Ich drehte mich um und erkannte Patrick aus der Zwölften, ein Mitglied der Fußballmannschaft.

»Patrick!«, sagte ich lächelnd. »Dich habe ich ja den ganzen Abend noch nicht gesehen.«

Lachend stolperte er gegen einen Hocker. »Hoppla! Wie läuft's denn so, Elle?«

»Gut, ja …«

»Cool. Hey, komm doch mal mit«, sagte er und ergriff meine Hand.

»Wohin denn?«

»Bisschen frische Luft schnappen. Hier drin ist es dermaßen voll.«

»Okay.«

Die Abendluft war kühl im Vergleich zu der Hitze im Haus.

»Du meine Güte, das ist aber kalt hier«, sagte ich und rieb mir die Arme.

»Warte kurz.« Patrick umarmte mich von hinten und sein Körper wärmte meinen Rücken wieder auf.

Lachend schüttelte ich den Kopf, aber bevor ich einen Schritt von ihm weg machen und sagen konnte, er solle nicht so albern sein, spürte ich schon einen Kuss auf meiner nackten Schulter. Einen Moment lang stand ich geschockt da und kapierte gar nicht, was da gerade passierte. Dann küsste er mich ein Stück weiter oben auf den Hals und legte die Hände wieder um meine Taille.

Ich drehte mich um, weil ich ihn wegschieben wollte, aber Patrick dachte offensichtlich, ich würde mich zu ihm drehen, und verschränkte die Hände hinter meinem Rücken. Bevor er versuchen konnte, mich auf den Mund zu küssen, drückte ich sein Gesicht mit meiner Handfläche weg und schlüpfte aus seiner Umarmung. Effektiver wäre es wahrscheinlich gewesen, ihm gleich das Knie in den Schritt zu rammen, aber darauf kam ich nicht.

Er stolperte, als ich ihn schubste (schließlich war er betrunken und nicht mehr besonders sicher auf den Beinen), aber erst jemand anders sorgte dafür, dass er im nächsten Moment auf dem Rasen lag. Eine Hand packte mich entschlossen am Arm.

»Alter, warum musst du immer so ein Spaßverderber sein!«, nuschelte Patrick und rappelte sich wieder auf. »Du bist ein echter Miesmacher, Flynn – warum musst du dich immer dermaßen aufführen?« Er musste tatsächlich sehr betrunken sein, denn damit forderte er eine Prügelei geradezu heraus. Und eigentlich war Patrick ein ziemlich schlauer Typ, der etwas derart Blödes in nüchternem Zustand noch nie getan hatte.

Ein Schlag in die Magengrube ließ ihn nach hinten taumeln und leise stöhnend wieder auf dem Boden landen.

»Sonst noch jemand?«, fragte Noah laut und deutlich, während er ruhig den Blick über die Leute schweifen ließ, die sich inzwischen – von mir unbemerkt – im Garten um uns geschart hatten. Die meisten gingen schnell wieder rein, vor allem nachdem klar war, dass die Rauferei vorbei war.

»Komm.« Noah zerrte an meinem Arm und zog mich um die Ecke von Warrens Haus.

»Aua!«, protestierte ich. Seine Beine waren länger als meine und er ging sehr schnell. Deshalb stolperte ich hinter ihm her. »Noah!«, fuhr ich ihn an. »Du tust mir weh.«

Das schien seine Aufmerksamkeit zu wecken. Sein Griff lockerte sich, dann nahm er mich bei der Hand und marschierte die Straße hinunter.

Ich begann wütend zu werden. Für wen hielt er sich eigentlich? Es war gerade mal halb zehn – die Party würde bestimmt noch ein paar Stunden dauern. Ich wollte jedenfalls nicht nach Hause. Bis auf den kleinen Zwischenfall mit Patrick hatte ich mich gut amüsiert.

Aber vor allem wollte ich meinem Dad nicht erklären müssen, warum ich so früh gegangen war.

Als wir Noahs Auto erreicht hatten, entriegelte er es, aber ich blieb mit fest verschränkten Armen vor der Beifahrertür stehen und starrte ihn aus schmalen Augen an.

Noah rieb sich die Augen. »Würdest du jetzt bitte einfach einsteigen?«

»Ich fahre mit dir nirgendwohin. Bist du so eine Art Gewalt-Junkie? Und ganz bestimmt steige ich nicht zu dir ins Auto, nachdem du was getrunken hast. Und es ist mir ganz egal, wie viel Alkohol du behauptest zu vertragen.«

»Ich habe keinen Tropfen getrunken, Rochelle! Hältst du mich für bescheuert? Und – was? Ein *Gewalt-Junkie*?«

Ich zuckte mit den Achseln. »Trotzdem. Du kannst

mich nicht zwingen zu gehen. Ich muss nirgendwo mit dir hin. Ich werde dableiben.«

In dem schwachen Lichtschein sah ich, wie er die Zähne zusammenbiss. Schatten, die auf sein Gesicht fielen, ließen den kontrollierten Zorn ein bisschen unheimlich wirken. »Du gehst jetzt nach Hause, bevor das nächste besoffene Arschloch versucht, bei dir zu landen.« Seine Stimme klang knapp und streng.

Ich starrte ihn immer noch an. »Ich hatte das im Griff. So schlimm war es gar nicht.«

Er gab ein Geräusch von sich, das irgendetwas zwischen Schnauben und verächtlichem Gelächter war. Es machte mich noch wütender. »So schlimm war es gar nicht?«, wiederholte er mit weit aufgerissenen Augen. »Du –«

»Du übertreibst«, giftete ich ihn an. »Du bist ein kontrollwütiger, mieser Kerl, wie immer, und wenn du glaubst, dass ich mit dir irgendwohin fahre, dann …«

»Steig jetzt in das verdammte Auto«, brüllte er plötzlich und schlug dazu mit der flachen Hand aufs Wagendach. Das Geräusch ließ mich zusammenzucken, aber ich biss die Zähne zusammen und rührte mich nicht vom Fleck.

»Bitte«, fügte er nach einer Weile hinzu.

Da stieg ich ein.

Nachdem Noah sich hinters Steuer gesetzt hatte, seufzte er. »Danke.«

Ich nickte. »Du hättest nicht so rumschreien müssen.«

Eine Sekunde verging. »Ich weiß. Tut mir leid«, sagte er.

Ich saß da und zupfte an den ausgefransten Löchern in meiner Jeans. »Patrick hat gar nichts gemacht, weißt du.«

»Hätte er aber gleich.«

»Wir sind nur ein bisschen Luftschnappen gegangen. Ist das ein Verbrechen?«

»Hat er das mit dem Luftschnappen gesagt?«

»Äh, ja …«, musste ich zugeben.

Noah lehnte schwer seufzend die Stirn ans Lenkrad, bevor er sich wieder aufrichtete und mir direkt in die Augen blickte. Er sah jetzt viel ruhiger, aber auch ein bisschen hoffnungslos aus.

»Und du dachtest wirklich, er hatte vor, mit dir frische Luft zu schnappen?«

»Zuerst schon.«

»Elle, genau das habe ich dir versucht zu erklären. Du bist, was Jungs angeht, einfach so was von naiv.«

»Und wessen Schuld ist das?«, gab ich zurück und drehte mich auf meinem Sitz, um ihm stirnrunzelnd ins Gesicht zu sehen. »Wärst du nicht so verdammt überfürsorglich gewesen und hättest Jungs mit mir ausgehen lassen, dann wäre ich jetzt nicht so naiv, so unschuldig und so verdammt nett! Du bist der schlimmste Heuchler aller Zeiten, Noah Flynn.«

Noah sah mich nur eine Millisekunde lang an und drückte dann seine Lippen auf meine. Es war allerdings nur ein kurzer Kuss und er wich als Erster zurück.

»Tja, so kann man einen Streit auch gewinnen«, sagte er grinsend.

»Das ist unfair. Du hast gemogelt. Außerdem hast du gar nicht gewonnen.«

»Ach wirklich?« Er warf prüfende Blicke in den Rück- und den Außenspiegel, bevor er den Wagen startete. Ich hasste es, wie Noah immer exakt am Tempolimit fuhr. Er cruiste nicht einfach so dahin, sondern beschleunigte so hoch, wie es gerade noch erlaubt war.

»Ja, wirklich. Das war nicht fair.«

»Dann nur zu, argumentier ruhig weiter, Elle. Tu dir keinen Zwang an.«

Ich öffnete den Mund, bereit, ihn erneut zu attackieren, aber … es gelang mir nicht. Was hatte ich zuletzt gesagt? Seine Küsse waren einfach zu berauschend. Ich konnte mich nicht mehr an meine Argumente erinnern.

Er grinste wieder. Diesmal triumphierend. »Gewonnen.«

»Wart's ab, Noah«, murmelte ich. »Das werde ich dir noch heimzahlen.«

»Darauf freu ich mich schon.« Er fing meinen Blick auf und zwinkerte mir zu. Ich merkte, wie sich Wärme auf meinen Wangen ausbreitete, und hoffte, dass es zu dunkel war und er es nicht sah.

Wir fuhren etwa zwanzig Minuten durch die Gegend. Dabei hatte ich das Fenster offen und spürte die kühle abendliche Brise auf meinem Gesicht. Keiner von uns sagte etwas, aber dieses Schweigen war nicht unangenehm.

Als er endlich anhielt, öffnete ich meinen Sicherheitsgurt und stieg aus. Staunend stellte ich fest, dass er mich gar nicht nach Hause gefahren hatte.

»Warum sind wir hier?«, fragte ich und wartete darauf, dass er auch ausstieg.

Er zuckte mit den Achseln. »Die Party ist ja noch nicht vorbei, Elle.«

Wie er das sagte, ließ mich wieder rot werden, und ich versuchte kopfschüttelnd, einen klaren Gedanken zu fassen. »Aber – aber wo sind deine Eltern?«

»Die haben morgen ein Seminar an einem weiter entfernten Ort und sind deshalb heute schon hingefahren, damit es morgens nicht zu stressig ist.«

Kurz überlegte ich, ob ich vielleicht direkt nach Hause laufen sollte, doch es war ziemlich kalt. Und dunkel. Da konnten um diese Zeit alle möglichen finsteren Gestalten lauern.

Wenigstens redete ich mir das ein, während ich ihm ins Haus folgte.

Aber im Ernst?

Ich wollte einfach noch ein bisschen länger mit Noah zusammen sein.

Als Erstes marschierte ich jedoch in die Küche, um mir etwas zu trinken zu nehmen. Ich fühlte mich wie ausgetrocknet.

»Bist du okay?«, fragte er im Türrahmen stehend, während ich das leere Glas wegstellte. Ich nickte und rieb mir übers Gesicht. »Du musst dich nicht übergeben oder so?«

»Ich habe überhaupt nichts getrunken. Nach der letzten Party habe ich beschlossen, das mal für eine Weile bleiben zu lassen.«

»Oh.« Plötzlich fand ich mich in seinen Armen wieder und er küsste mich auf den Scheitel. »Okay, dann brauchst du mich vielleicht doch nicht, damit ich die ganze Zeit auf dich aufpasse.«

Ich lachte. »Irgendwie mag ich es ja, wenn du auf mich aufpasst. Was ich allerdings nicht mag, ist, wenn du dich dabei dermaßen aufführst.«

Er lachte leise, küsste mich wieder auf den Kopf und spielte mit einer Hand mit meinem Pferdeschwanz. »Möchtest du nach Hause?«, fragte er.

Ich schüttelte an seiner Schulter den Kopf. Dann blickte ich zu ihm hoch. »Ich würde lieber noch ein bisschen dableiben.«

»Du kannst auch im Gästezimmer schlafen, wenn du möchtest. Falls du nicht nach Hause möchtest.«

Unentschlossen zuckte ich mit den Achseln. Das hing davon ab, wie schnell die Zeit mit Noah verflog.

Dann küssten wir uns wieder und taumelten die Treppe hinauf. Nach einer Weile zog ich an seinem Shirt und streifte dann auch mein Top ab.

Seine Hände fassten meine und hielten mich fest. Er unterbrach den Kuss, wich aber nicht zurück. Seine Stirn lehnte an meiner, unsere Nasen berührten sich. Ich konnte die kleine Erhöhung spüren, wo seine gebrochen gewesen war. Seine stahlblauen Augen schienen auch in der Dunkelheit zu strahlen.

»Rochelle«, sagte er leise, »wir müssen nicht. Wir können warten. Ich kann warten.«

Alle Zweifel, die ich in dieser Hinsicht gehabt hatte, wurden von diesen Worten weggefegt. Ich hatte das zwar nicht geplant, und schon gar nicht so bald. Eigentlich hatte ich immer geglaubt, es würde erst in einer festen Beziehung zu einem Jungen, den ich liebte, passieren. Doch mit Noah fühlte sich alles so gut – so richtig – an, dass mir das jetzt egal war.

Und vielleicht wäre ich ja auch nicht zum Äußersten bereit gewesen, wenn er mir nicht mit dieser sanften Stimme versichert hätte, dass er warten würde. Aber das genügte. Ich wusste, dass ihm etwas an mir lag.

Also antwortete ich mit ebenso leiser Stimme: »Ich weiß. Aber ich will es.«

13

Als ich aufwachte, stieg mir der immer vertrauter gewordene Zitrusduft in die Nase. Das Geräusch eines Frühlingsregens, der gegen das Fenster prasselte, klang wie von Watte gedämpft.

Der feste, glatte Untergrund, auf dem mein Kopf lag, hob und senkte sich langsam, und die Arme, die mich hielten, waren so warm und beruhigend. Wenn ich ganz aufmerksam lauschte, hörte ich sogar das gleichmäßige Geräusch eines klopfenden Herzens unter meinem Ohr.

Ich blinzelte ein paarmal mit verschlafenen Augen. Mein Körper war einfach noch nicht bereit aufzuwachen. Es war doch so gemütlich und friedlich hier …

Als Noahs chaotisches Zimmer im schwachen Tageslicht, das durch die Vorhänge drang, sichtbar wurde, war ich schlagartig wach.

Dann erinnerte ich mich daran, was ich getan hatte, und mein Puls begann panisch zu rasen.

Ich hatte mit Lees großem Bruder geschlafen. Mit Noah.

Ich war zu verwirrt, um zu wissen, was ich tatsächlich empfand, aber ich wusste mit Sicherheit, dass Lee ihn umbringen würde, falls er es je erfuhr. Ich war ein schrecklicher, schrecklicher Mensch.

Zunächst versuchte ich, so reglos wie möglich liegen zu bleiben, um Noah nicht aufzuwecken. Ich musste erst Ordnung in meine Gedanken bringen, bevor er …

In dem Moment bewegte er sich unter mir, streckte sich und legte dann die Arme wieder fest um mich. »Morgen«, sagte er beiläufig.

»Ich … ich sollte wirklich gehen«, stammelte ich und schob seinen Arm weg. »Wenn Lee mich hier sieht …«

»Ich glaube eigentlich nicht, dass er gestern überhaupt nach Hause gekommen ist«, sagte Noah und gähnte.

Ich wollte zum Fenster und nach seinem Auto schauen. Falls Lee doch hier war, musste ich sichergehen, dass er mich nicht sah, wenn ich das Haus verließ. Aber falls er nicht da war …

»Ich sollte gehen«, sagte ich noch mal und kam auf die Beine. Dann sammelte ich meine Unterwäsche ein und zog sie schnell an. Und zwar sehr, sehr verlegen.

O Mann, was hatte ich mir gestern Abend nur gedacht? Ein paar Küsse vor meinem besten Freund verheimlichen, das war keine so große Sache – aber das hier? Bestimmt würde er merken, dass irgendetwas anders war. Und wenn er es rauskriegte …

Ich hatte gestern Abend nicht an Lee gedacht. Das hätte ich aber besser tun sollen. Ich hatte nur an Noah gedacht – es war mir nicht einmal in den Sinn gekommen, dass das so eine Art furchtbarer Betrug meines besten Freundes war.

»Warum hast du es denn so eilig?«, fragte Noah und rekelte sich ausgiebig.

Ich schaute auf ihn herunter, während ich meine Jeans anzog. Dort, wo ich die Decken zurückgeworfen hatte, hatte er sich nicht die Mühe gemacht, sich wieder zuzudecken. »Ich – ich will nur – es ist …«

Noah runzelte leicht irritiert die Stirn und richtete sich auf, um ein bisschen näher zu kommen. Ich hatte mich inzwischen aufs Bett gesetzt, um mit dem Fuß durch das verdrehte Hosenbein zu kommen. Dabei schimpfte ich über mich selbst, weil meine Hektik mich nur langsamer machte.

»Elle?« Er strich mir das Haar von der Schulter, aber ich sah ihn nicht an. »Was ist los?«

»N-nichts!« Verdammt, jetzt stotterte ich auch noch. Sonst hätte das überzeugend geklungen. Ich versuchte es noch mal. »Nichts.«

»Elle …« Er berührte mich an der Schulter und drehte mich ein bisschen, sodass ich in diese wahnsinnsblauen Augen schaute, die sich unter dem dunklen Haar in meine bohrten.

»Ich muss gehen«, sagte ich noch mal. Als ich aufstehen wollte, zog er mich wieder zurück.

»Nicht bis du mir gesagt hast, was dein Problem ist. Warum habe ich gerade das schlechte Gefühl, du bereust das hier?«

Fast wäre ich mit der Wahrheit herausgeplatzt, aber ich konnte mich gerade noch zurückhalten. »Das – das tue ich nicht.«

»Jetzt komm schon, Shelly, ich merke es, wenn du mich anschwindelst.« Er seufzte. »Ich hätte wissen sollen, dass du so reagierst.«

»Wie denn?«, fragte ich und fühlte mich sofort in der Defensive.

»Na so«, sagte er und deutete auf mich, als würde das alles erklären. »Du benimmst dich mir gegenüber total seltsam – als würdest du es bedauern. Weil du es tatsächlich bedauerst. Das kann ich in deinem Gesicht sehen.« Er schloss kurz die Augen und wirkte beinahe … traurig.

»Das tue ich nicht … Es ist nicht so, dass ich es bedauere, sondern … sondern ich habe eher Angst. Dass Lee es erfährt. Dann wird er mich hassen. Ich meine, es war – fantastisch, aber –« Ich verstummte und biss mir auf die Unterlippe, während ich merkte, dass ich schon wieder rot wurde. »Tut mir leid.«

»Was? Meine Güte, nein, entschuldige dich doch nicht«, sagte er leise und strich mein Haar über die rechte Schulter zurück. »Ich habe das Gefühl, ich sollte derjenige sein, der sich entschuldigt. Schau mal, ich habe dir doch schon gesagt, dass es mir bei dem hier nicht um Sex geht, und das ist immer noch so, wenn du entscheidest, dass du keinen willst. Okay? Ich will das hier nur nicht verlieren. Was auch immer es ist.« Er küsste mich auf die Schläfe. Dabei sah er so … hin- und hergerissen aus. »Du weißt, wie ich diesen ganzen emotionalen Mist hasse. Bitte erspar mir diese Tortur.«

Ich bedauerte die vergangene Nacht definitiv nicht. Und solange Lee nichts davon wusste, konnte es ihn auch nicht verletzen. Also musste ich nur dafür sorgen, dass er es nicht erfuhr.

Es wäre schlau gewesen, die Sache zu beenden, bevor ich zu tief hineingeriet, um aus eigener Kraft wieder herauszukommen. Es wäre schlau gewesen, den Rückzug anzutreten, bevor ich eine Dummheit beging – wie mich in ihn zu verlieben. Denn ich war nicht in ihn verliebt. Natürlich nicht. Auf gar keinen Fall. Und das würde auch in Zukunft nicht passieren.

Ich nickte zögernd, als wollte ich mich selbst davon überzeugen.

Ich musste nur aufpassen, dass ich mich nicht in ihn verliebte. Und so dumm das auch sein mochte, ich würde diese Beziehung nicht beenden. Das wollte ich nicht.

Ich beugte mich vor und gab Noah einen sanften Kuss auf den Mund. An der Stelle, wo seine Hand in meinem Nacken lag, prickelte die Haut.

»Ich sollte wirklich gehen«, sagte ich. Nicht weil ich hier wegwollte, sondern weil Lee keinen Verdacht schöpfen sollte, wenn er nach Hause kam, und weil mein Dad sich fragen würde, wo ich steckte.

Aber diesmal hielt Noah nicht dagegen. Er nickte nur und küsste mich zurück. »Okay.«

Und dann ging ich wirklich.

Ich erfuhr, dass Lee doch nicht mit Rachel zu ihr nach Hause gegangen war, wie ich zuerst vermutet hatte. Er hatte einfach auf Warrens Sofa gepennt, weil er zu betrunken gewesen war, um selbst nach Hause zu fahren. Ich unterhielt mich mit ihm aber nur übers Telefon, weil ich fürchtete, er würde mir eine Veränderung ansehen. Zwar wusste ich, dass ich nicht anders aussah als gestern Abend, aber ich machte mir Sorgen, dass ihm womöglich irgendeine Veränderung an meinem Verhalten auffiel.

»Ist alles okay?« Ich zuckte zusammen. Wir waren immer noch am Telefon, aber ich bemühte mich trotzdem, nicht zu nervös auszusehen. »Ich meine, ich weiß, dass da diese Sache mit Patrick war und Noah dich danach von dort weggezogen hat, aber … bist du sicher, dass das für dich abgehakt ist?«

»Ja, ja«, sagte ich. Wenigstens das konnte ich ehrlich beantworten. »Ja, mir geht's gut, Lee, ernsthaft. Das war wirklich kein großes Ding.«

Ich freute mich aber trotzdem nicht auf die Schule. All die Fragen, die man mir zu meinem frühen Verschwinden stellen würde … Wahrscheinlich würden sich die anderen über mich und Patrick sowie über mich und Noah ihre Gedanken machen. Ich konnte mir zwar irgendeine harmlose Erklärung ausdenken, aber ich hasste es, lügen zu müssen. Mir graute vor der ganzen Angelegenheit.

Aber das war nicht der Grund, warum ich um drei Uhr morgens wach lag, an die Decke starrte und vergeblich versuchte einzuschlafen. Nein – ich war wach, weil ich nicht aufhören konnte, an Noah zu denken.

Ich wollte Lee so gern ins Vertrauen ziehen, aber das ging nicht. Und zwar nicht nur, weil er mich dafür hassen würde, dass ich ihn belogen hatte und es ihn umbringen würde, es zu erfahren. Es wäre auch echt abartig, ihm zu erzählen, dass ich mit seinem Bruder geschlafen hatte.

Bei solchen Gelegenheiten wünschte ich mir, Mom wäre noch da. Aber mit Wünschen würde ich sie nicht zurückbringen, also drehte ich mich auf die Seite und schaute ins Leere.

Ich vermisste Mom. Sie war bei einem Autounfall gestorben, als ich noch ein ganzes Stück jünger und Brad erst drei gewesen war. Diese ganzen wichtigen Ereignisse – meine erste Periode, den ersten BH kaufen – erlebte ich gezwungenermaßen ohne sie. Bei solchen Anlässen … Tja, Dad würde ich wohl kaum ins Vertrauen ziehen, oder? Und Lee kam überhaupt nicht dafür infrage.

Also musste ich es für mich behalten und hoffen, dass keiner davon erfuhr.

Seufzend fuhr ich mir mit den Händen übers Gesicht. Meine Augenlider waren schon schwer, aber ich konnte einfach nicht einschlafen. Die Gedanken ließen mir keine Ruhe.

Blöder Noah. Alles war seine Schuld, dachte ich, aber da umspielte auch schon ein schläfriges Lächeln meine Lippen.

Alles.

14

Am Montagmorgen fiel nicht mal Lee irgendeine Veränderung an mir auf – zum Glück. Aber das lag wahrscheinlich daran, dass er selbst dermaßen verliebt war und auf Wolke sieben schwebte. Ich hätte gar nicht dankbarer dafür sein können, dass er ununterbrochen erzählte, wie witzig, wie hübsch, wie niedlich, wie klug und wie süß Rachel war.

Bis wir die Schule erreichten, war alles bestens.

»Warum bist du bei Warren so früh gegangen?«, war das Erste, was Jaime mich fragte.

»Oh, tja, äh …«

»Wegen Flynn? Hat Patrick dich echt geküsst? Er sagt, nein, aber man weiß ja nie. Ich habe gehört, dass Flynn richtig, richtig sauer war.«

»Ja, genau, er war außer sich vor Wut!« Aus dem nichts tauchte Olivia neben Jaime auf. »Ich habe alles gesehen. Er hat Patrick niedergeschlagen.«

»Er hat mich aber nicht geküsst«, sagte ich. »Patrick, meine ich.«

»Und was hat Flynn gemacht?«

»Ich habe gehört, dass er Patrick eine Rippe

gebrochen hat.« Candice war ebenfalls aus heiterem Himmel aufgetaucht und hatte mich erschreckt. Meine Güte, woher kamen all die Mädchen auf einmal?

»Was?«, rief ich.

»Ich sagte, was hat Flynn gemacht?«, wiederholte Jaime.

Ich starrte Candice an. »Ist das dein Ernst? Geht es Patrick einigermaßen?«

»Keine Ahnung«, sagte sie. »Er meinte, sie fühlte sich gebrochen an. Und ein paar Jungs haben das auch gesagt, nachdem er im Krankenhaus war.«

»O mein Gott«, keuchte ich. Es durfte nicht wahr sein, dass Noah Patrick eine Rippe gebrochen hatte. Nicht aus dem einzigen Grund, dass Patrick betrunken versucht hatte, mich zu küssen. Auf keinen Fall.

»Hey! Hallo – Erde an Elle!« Erst als Jaime direkt vor meiner Nase mit den Fingern schnippte, merkte ich überhaupt, dass sie immer noch mit mir sprach.

»Hä?«

»Hat Flynn dich nach Hause gefahren oder was?«, fragte Karen. Woher kam sie denn jetzt auch noch? »Ich habe gesehen, wie er dich weggezerrt hat.«

»Ach, das. Ja. Er hat mich nach Hause gebracht und ist dann zurück auf die Party, schätze ich.« Ich hoffte, das klang nicht zu sehr nach einer Lüge. Ich hielt mich für keine besonders begabte Lügnerin. Vor der Sache mit Noah hatte ich es nicht oft getan.

»Nein, ich glaube nicht«, meinte Olivia grübelnd. »Ich bin mir im Gegenteil sicher, dass er nicht wiedergekommen ist.«

»Seltsam …«, sagte ich achselzuckend. »Ich bin gleich wieder da, muss nur vorher Patrick finden.«

Schnell ging ich weg, bevor sie mich in ein weiteres Gespräch verwickeln konnten.

Weil Joel der erste Junge war, der mir begegnete, packte ich ihn am Arm.

»Oh, hey«, sagte er lächelnd. »Was ist am Samstag passiert? Ich habe gehört, Flynn hätte dich nach der Sache mit Patrick nach Hause geschleppt.«

»Hatte Patrick wirklich eine gebrochene Rippe?«, fragte ich.

»Äh … mir hat jemand erzählt, wahrscheinlich«, sagte er. »Aber er liegt nicht im Krankenhaus, sondern kommt in die Schule.«

»Das muss ja ein ganz schöner Schlag von Flynn gewesen sein.«

»Bin froh, dass ich den nicht abgekriegt habe«, meinte Cam lachend.

»Ja, verdammt«, stimmte Joel zu.

»Wisst ihr, ob er schon da ist?«, fragte ich.

»Wer, Flynn? Keine Ahnung«, erklärte Cam.

»N-nein … *Patrick*«, stellte ich klar und verhaspelte mich vor Ungeduld.

Er zuckte mit den Achseln. »Hab ihn noch nicht gesehen.«

»Okay, danke.«

»Warte mal«, rief Joel mir nach, »wo willst du hin, Elle?«

»Noah finden«, rief ich so laut, dass sie mich hören konnten. Dann stürmte ich dorthin, wo Noah normalerweise parkte: ans hinterste Ende des Parkplatzes, unter dem großen Baum. Und klar, die typischen Anzeichen seiner Anwesenheit waren nicht zu übersehen – Neuntklässlerinnen, die sich kichernd hinter anderen Autos versteckten; andere, die absichtlich noch bei ihren Autos rumhingen und hofften, Flynns Blick auf sich zu ziehen; und Schwaden von Zigarettenrauch.

Ich rannte auf die lässigen Gestalten unter den Bäumen zu. Bei einem hatten sich ein paar Kiffer versammelt, bei einem anderen einige riesige Kerle aus der Ringermannschaft. Noah lehnte mit einer Zigarette im Mund an einem ausladenden Ahornbaum. Er fingerte an seinem Handy herum und wirkte beschäftigt und gelangweilt zugleich.

Noahs Freunde waren nicht eindeutig auszumachen. Er hing mit den Jungs aus dem Footballteam ab oder mit Typen aus seinen Kursen. Eigentlich wechselte er immer ein bisschen zwischen den Cliquen. Er war kein Einzelgänger oder Außenseiter, aber auch nicht mit praktisch jedem befreundet, so wie Lee und ich. Wahrscheinlich wirkte er dafür einfach zu einschüchternd.

»Noah!«, brüllte ich und ignorierte die bösen oder staunenden Blicke der anderen –Mädchen, die Noah anschmachteten, und alle anderen, die sich fragten, was zum Teufel ich da gerade machte.

Er schaute hoch, sah mir meine Wut wohl schon an und drückte sich vom Baumstamm ab.

»Ich glaube es einfach nicht!«, herrschte ich ihn an.

Er kam auf mich zugeschlendert. Unterwegs ließ er die Kippe fallen und trat sie mit den schwarzen Stiefeln aus, die er üblicherweise trug. Das Handy schob er in seine hintere Hosentasche.

»Was denn?«, fragte er unschuldig.

Ich stieß ihn so heftig gegen die Brust, wie ich konnte. Immer wieder. Ein Stoß für jedes Wort: »Du – hast – ihm – die Rippen – gebrochen!«

»Worüber regst du dich derart auf?«

Meine Stöße zeigten keinerlei Wirkung auf Noahs muskulösen Körper, aber ich merkte, dass sie ihn nervten. Ungefähr so wie eine Fliege, die einem um den Kopf summt.

»Patrick! Alle sagen, du hast ihm eine Rippe gebrochen! Er musste ins Krankenhaus!«

Noah grinste. Er zog nicht mal die Augenbrauen hoch oder sah auch nur im Geringsten schuldbewusst aus. Er grinste nur vor sich hin. »Ja, hab davon gehört.«

»Er könnte dich anzeigen«, fauchte ich.

»Klar, aber wir wissen beide, dass er das nicht machen wird.«

»Dabei hat er doch eigentlich gar nichts getan! Und du brauchst gar nicht so erfreut darüber aussehen!«, schrie ich und gab ihm noch einen Stoß. »Du hast ihm die Rippe gebrochen – ohne Grund!«

»Einen Scheiß habe ich!«, brüllte er jetzt zurück. »Der Typ hat dich belästigt. Jeder konnte sehen, wie du versucht hast, ihn wegzuschieben.«

»Er war *betrunken*!«

»Mir ist egal, ob er betrunken, bekifft oder einfach gestört war«, sagte Noah, nur Zentimeter von meinem Gesicht entfernt. »Ich passe hier auf dich auf, Rochelle. Und der Kerl hat bekommen, was er verdiente.«

»Eine gebrochene Rippe? Wahrscheinlich kann er jetzt wochenlang nicht Fußball spielen!«

»Dann hätte er sich nicht an dich ranmachen sollen«, sagte Noah entschieden. »Wenn er jetzt eine gebrochene Rippe hat, ist das nicht mein Problem. Warum kümmert dich das überhaupt?«

»Du hast ihn wegen irgendeinem Blödsinn verletzt! Du – du blöder Gewalt-Junkie!«

Als ich jetzt mit beiden Fäusten gegen seine Brust trommelte, packte Noah mich an den Handgelenken. Ich starrte ihn wütend an und versuchte, mich loszureißen, aber es ging nicht. Sein Griff war zu fest.

Wir hatten mit unserem Geschrei schon eine beachtliche Zuschauermenge angelockt.

Jemand zog sanft an meiner Schulter. »Shelly, komm schon«, sagte Lee leise. »Jetzt beruhig dich mal. Beruhigt euch beide.«

Noah verdrehte nur die Augen in seine Richtung.

»Mich beruhigen?«, fuhr ich Lee an. »Dein Bruder hat einem Betrunkenen wegen eines Fehltritts die Rippe gebrochen! Findest du nicht, dass das nicht in Ordnung ist?«

»Ich habe nicht gesagt, dass es in Ordnung ist«, sagte er ruhig. »Aber jetzt beruhig dich trotzdem.«

Mit zusammengebissenen Zähnen sah ich ein, dass Lee recht hatte. Wie üblich. Ich riss meine Hände aus Noahs Griff los, der das diesmal auch zuließ. Allerdings starrte ich ihn weiter böse an.

»Ich glaub's einfach nicht«, sagte ich.

Noah zuckte mit den Achseln.

»Manchmal hasse ich dich – das weißt du, oder?«

»Ja, das weiß ich«, sagte er lässig und zwinkerte mir mit einem Ausdruck zu, der mein Herz Purzelbäume schlagen ließ.

Nein! Lass nicht zu, dass er das mit dir macht! Bleib wütend auf ihn. Du bist sauer auf ihn, Rochelle, schon vergessen? Er hat jemand ohne guten Grund verletzt. Hör nicht auf, sauer auf ihn zu sein, nur weil er dich mit diesem Blick ansieht und du ihn küssen willst.

Bevor ich nachgeben und irgendwas Dummes tun konnte, griff ich lieber nach Lees Hand und stürmte davon. Ich musste mir nicht mal einen Weg durch die Menge bahnen. Sie teilte sich von allein vor und schloss sich tuschelnd hinter mir.

»Ich dachte, du würdest ihn umbringen«, ließ Lee mich wissen und konnte das Lachen in seiner Stimme nicht verbergen.

»Nicht ganz«, murmelte ich. »Aah, er macht mich manchmal einfach so wütend! Ich meine, im Ernst, es war dermaßen unnötig, dass er Patrick eine Rippe gebrochen hat!«

»Hör mal, ich weiß, dass alle das erzählen, aber du solltest doch am besten wissen, dass es auch möglich ist, dass Leute das nur aufblasen. Vielleicht ist es gar nicht so schlimm. Und so ist Noah eben – du weißt doch, wie er tickt. Ich versteh gar nicht, warum du dermaßen sauer auf ihn bist.«

»Ich kann überhaupt nichts machen, ohne dass er sofort hinter mir steht! Und fang mir jetzt bloß nicht damit an, dass ich zu nett bin und dem ganzen Mist. Ich habe es langsam satt, wie alle auf mich aufpassen.«

Also vielleicht hatte ich Noahs Hilfe damals auf der Party bei ihnen zu Hause gebraucht. Und ich war dankbar, dass er da gewesen war, um Patrick zu stoppen. Aber es war seine Art – als würde er einfach fest davon ausgehen, dass ich tun würde, was er sagte.

Lee seufzte resigniert, lächelte aber immerhin, als er abwehrend die Hände hob. »Okay, ich weiß, dass du sauer auf ihn bist, aber lass es nicht an mir aus. Und ich verstehe ja, was du sagst. Ich werde versuchen, mit ihm zu reden, wie wäre das? Ich bitte ihn, sich ein bisschen zurückzuhalten.«

Ich wusste selbst nicht, warum ich Noah gegenüber dermaßen überreagiert hatte. Wahrscheinlich, weil ich so sehr fürchtete, dass Lee herausfinden könnte, was ich nach der Party getan hatte.

Deshalb sagte ich jetzt: »Ich bezweifle, dass das viel nützen würde.«

»Ich weiß, dass es nichts bringen würde.«

»Aber danke für das Angebot.«

»Kein Problem. Sag mal, hast du die Englischhausaufgabe? Ich bin nämlich nicht dazu gekommen, den Schluss zu schreiben, und stecke jetzt in Schwierigkeiten.«

Ich lächelte. Lee schaffte es immer, dass ich mich besser fühlte. Dafür liebte ich meinen besten Freund. Und wie. Sein Optimismus war einfach zu ansteckend, als dass ich mich sehr lange über irgendetwas ärgern konnte.

Insofern war er das absolute Gegenteil seines Bruders. Dieses blöden, sexy Bruders.

Auch wenn es feige war, versteckte ich mich während der Mittagspause in der Bibliothek. Ich konnte es nicht ertragen, weitere Fragen dazu zu beantworten, warum ich so sauer auf Flynn gewesen war, wie ich überhaupt so mit ihm hatte reden können ... Ich erwog, den Nachmittagsunterricht zu schwänzen. Ich hatte von allen dermaßen genug, aber ich konnte mich nicht dazu durchringen, das Gebäude zu verlassen.

Lee leistete mir Gesellschaft, aber irgendwann mussten wir natürlich gehen.

Ich rechnete schon fast damit, auf dem Weg zu meinen Kursen Noah – oder noch schlimmer: einem seiner weiblichen Fans – zu begegnen. Aber das passierte nicht. Mein Karma musste sich seit heute Morgen um hundertachtzig Grad umentschieden haben.

Als es endlich zum Unterrichtsschluss klingelte – in Chemie hatte ich den schneckenartigen Sekundenzeiger nicht aus den Augen gelassen –, war ich so was von erleichtert. Ich wollte nur noch weg.

Lee hatte allerdings noch Bio, deshalb musste ich vor der Schule auf ihn warten. Ich setzte mich auf die Motorhaube seines Wagens.

»Hey, Elle.«

Ich schaute vom Solitaire-Spiel auf meinem Handy hoch und drehte mich um. Dabei lächelte ich, wenn auch etwas gezwungen. »Patrick. Hey. Wie geht's, äh ... deiner Rippe?«

Er grinste schief. »Na ja, nicht so schlecht, wie alle sagen. Es ist nur eine Prellung, aber meine Mom bestand darauf, dass ich es untersuchen ließ, weil sie immer Panik hat, dass ich mir was breche.«

Er erzählte das in ziemlich lockerem Ton, und mir fiel ein Stein vom Herzen.

»Oh, das ist großartig! Also, nein, natürlich nicht – aber, ich meine, alle haben gesagt, es wäre was gebrochen, deshalb … Es tut mir leid, Patrick, ehrlich. Das war alles meine Schuld – ich wollte nicht, dass du verletzt wirst oder –«

»Nein, das war *meine* Schuld«, sagte er schnell. »Ich bin gekommen, um mich zu entschuldigen. Beim Mittagessen konnte ich dich nicht finden.«

»Du musst dich nicht entschuldigen«, beharrte ich.

»Doch, muss ich, und es tut mir leid. Ich hätte so was nicht bei dir versuchen sollen, und das Bier ist keine Entschuldigung dafür.«

»Es ist wirklich okay«, sagte ich eifrig. »Es tut mir so leid, dass Noah total …«

»Ja, also, mach dir keine Gedanken. Flynn ist eben so. Das ist nicht deine Schuld, Elle, also mach dir keine Gedanken.«. Er lächelte. Ich lächelte zurück.

Jemand räusperte sich, und als wir uns umdrehten, sahen wir einen finster dreinblickenden Noah.

Ich ignorierte ihn und sah wieder Patrick an, der sich sehr bemühte, nicht den Eindruck zu vermitteln, er würde sich am liebsten auf der Stelle in Sicherheit bringen. »Also, ich hoffe es geht dir bald besser.«

»Danke, Elle. Und im Ernst, es tut mir leid.«

»Mach dir keine Gedanken. Bis demnächst.«

»Bye«, sagte er schon im Weggehen.

Ich warf Noah einen bösen Blick zu und widmete mich wieder meinem Solitärspiel. Dabei spürte ich, dass er noch da war und mich beobachtete.

»Was wollte er?«, erkundigte er sich nach einer Weile.

»Sich entschuldigen.«

»Was, das war alles? Er wollte sich nur entschuldigen?«

Ich beendete das Spiel, stopfte mein Handy in die Hosentasche und fuhr gereizt herum. »Ja, obwohl du derjenige bist, der sich dafür entschuldigen sollte, dass er ihn verletzt hat! Er musste wegen dir sogar ins Krankenhaus!« Ich wollte ihm ein schlechtes Gewissen machen und ließ deshalb weg, dass er nur wegen der Paranoia seiner Mutter dort gewesen war.

»Fang nicht wieder damit an …« Er war ein paar Schritte näher gekommen und wandte sich jetzt halb von mir ab, während er sich mit einer Hand durch die Haare fuhr.

»Womit anfangen, Noah?«, fauchte ich.

»Du bist wirklich heiß, wenn du sauer auf mich bist, weißt du«, bemerkte er mit heiserer Stimme.

Mein Verstand setzte kurzzeitig aus und es verschlug mir den Atem. Warum hatte er bloß diese Wirkung auf mich? »Halt die Klappe, Noah. Hau ab.«

Wo blieb Lee überhaupt? Er sollte längst hier sein …

Ich schaute mich um. Die meisten anderen Schüler waren inzwischen weg, und nur ein paar Nachzügler schauten neugierig zu mir und Noah. Endlich entdeckte ich Lee und Rachel, die bei ihrem Wagen standen, sich unterhielten und total süß und verliebt aussahen.

Verdammt. Ich wünschte, er würde sich beeilen.

»Du kannst auch jederzeit mit mir nach Hause fahren, weißt du«, meinte Noah höflich. Ich weigerte mich, darauf auch nur zu antworten. »Elle …?«

Irgendwann musste ich ihn wieder ansehen, und da grinste er siegessicher, weil er dachte, er hätte diese Auseinandersetzung schon gewonnen.

»Willst du jetzt mitfahren oder nicht?«, fragte er. »Lee wird noch ewig brauchen, das wissen wir beide. Mein Angebot gilt noch dreißig Sekunden lang. Ab jetzt.«

Ich wollte wirklich nur nach Hause. Bis Lee sich hierherbequemte, war der Akku meines Handys bestimmt leer und ich schon vor Langeweile gestorben …

»Tick, tack«, ärgerte Noah mich.

»Motorrad oder Auto?«

»Motorrad.«

»Nein.«

Er lachte. »Ich weiß, dass du es nicht wirklich gehasst hast, Shelly. Und es ist eine Ausrede, um dich an mich zu kuscheln.«

»Ähm, nein.«

Da nahm sein Gesicht diesen seltsamen Ausdruck an – als wäre er überrascht oder verärgert über meine Reaktion. Ich hatte die letzte Fahrt auf seinem Motorrad wirklich gehasst und hatte es nicht eilig damit, dieses Erlebnis zu wiederholen, wenn es nicht absolut unvermeidlich war. Etwa weil eine Horde Ninja-Affen mich verfolgte und Noahs Motorrad meine letzte Rettung wäre.

Da seufzte er und berührte kurz meine Wange, was mich dazu brachte, ihn anzusehen. »Elle, komm schon. Sei nicht sauer auf mich.«

Mir wurde klar, dass er nicht mehr von Patrick sprach.

»Ich bin nicht sauer auf dich. Also, schon, weil du

Patrick geschlagen hast. Aber ansonsten nicht – du weißt schon, wegen der ganzen, äh … dieser Nacht.«

»Ach, komm. Du bist mir den ganzen Tag aus dem Weg gegangen und jetzt benimmst du dich auch seltsam.«

»Ich benehme mich nicht seltsam.«

»Doch, tust du. Du streitest nicht so mit mir wie sonst, und du bist auch nicht so fröhlich wie normal. Also bist du sauer auf mich.«

Ich seufzte. »Ich bin nicht sauer – es ist nur so, dass …«

»Was?«

O Gott, sag bloß nichts! Erfinde irgendwas! Was auch immer, bloß nicht die Wahrheit!

Und wie immer schien mein Mundwerk nicht auf meinen Verstand zu hören.

»Ich mache mir Sorgen wegen Lee, und … Ich will einfach nicht, dass du mich total vergisst, jetzt wo wir … du weißt schon. Es getan haben.«

O mein Gott. Ich habe gesagt, »es getan haben«.

Du musst noch unendlich viel lernen, Elle. Du absoluter Schwachkopf.

Noah schien davon jedoch nichts zu bemerken. Er antwortete nur: »Elle, ich dachte, ich hätte diese Tortur dir gegenüber schon letzten Sonntagmorgen absolviert. Da habe ich dir doch gesagt, dass es mir *nicht* einfach um den Sex mit dir ging.«

Ich sah seiner Miene an, dass er das total aufrichtig meinte. Mit großen Augen sah er mich flehend an und grinste dabei kein bisschen.

Also nickte ich. »In Ordnung.«

Er gab einen kleinen Seufzer der Erleichterung von sich. »Also … zusammen nach Hause fahren? Ich würde dich auch direkt zu dir bringen, wenn du willst.«

Jetzt war das Grinsen wieder da, weil er sich anscheinend so sicher war, ich würde der Gelegenheit, wieder mit ihm zu knutschen, nicht widerstehen können. Die Versuchung war tatsächlich groß … doch dann erinnerte ich mich daran, dass ich dafür mit ihm Motorrad fahren müsste.

»Noah, ich steige auf keinen Fall noch mal auf diese Höllenmaschine.«

Er hob abwehrend die Hände. »Okay, okay – Pech für dich …«

Da runzelte ich die Stirn. »Ich bin immer noch sauer auf dich, weil du Patrick fast eine Rippe gebrochen hast. Das ist eine schlimme Sache, weil du die Beherrschung verloren und dich bescheuert benommen hast«, fügte ich noch hinzu.

Er seufzte. »Ich weiß.«

Ich sah ihm in die Augen und die einzige Antwort, die mir darauf noch einfiel, war ein Nicken. Er schenkte mir ein bedauerndes schiefes Lächeln, das ihn absolut hinreißend aussehen ließ. Ich schaffte es trotzdem, meinen neutralen Gesichtsausdruck beizubehalten.

»Tut mir leid.«

Ich nickte erneut. »Du solltest dich wahrscheinlich auf den Weg machen.«

»Mhm.« Er klang nicht so, als wäre er wirklich meiner Meinung.

»Wiedersehen, Noah«, sagte ich in gleichmütigem Ton.

Er zögerte noch kurz, bevor er tatsächlich ging. Ich hätte schwören können, dass er dabei leise in sich hineinlachte.

Na ja … das hätte auch schlechter laufen können.

In meinem Hinterkopf meldete sich eine leise Stimme, die sagte, ich würde nicht in diesem ganzen Schlamassel stecken, wenn wir diese verdammte Kissing Booth nicht gemacht hätten.

15

Zumindest die Schulwoche war vorbei. Ich hatte Noah kaum gesehen, abgesehen von den Malen, wenn wir in der Mittagspause oder auf den Fluren zwischen unseren Kursen aneinander vorbeigelaufen waren oder wenn ich Zeit bei Lee verbrachte.

Jetzt war Freitagabend. Die Sonne ging gerade unter und färbte den Himmel pinkfarben und rot, bevor er tintenschwarz wurde und von Sternen übersät war. Das sah so malerisch und hübsch aus.

Die Jungs machten Arschbomben in den Pool und wetteiferten darum, bei wem es am meisten spritzte oder wer den coolsten Stunt machte. Eben der ganze Blödsinn, den Jungs so aufführen. Ich hatte es mir mit Rachel und Cams Freundin Lisa, die ich auch aus ein paar Kursen kannte, auf den Liegestühlen bequem gemacht. Sie unterhielten sich übers Shoppen, aber ich war absolut glücklich damit, einfach nur mit geschlossenen Augen total entspannt dazuliegen. Dazu wackelte ich mit einem Fuß im Rhythmus der Musik, die aus den Lautsprechern auf der Terrasse kam.

Es war mir im Bikini immer noch warm genug, auch

wenn das Wetter nicht mehr zum Sonnen reichte – vor allem nicht um neun Uhr abends.

»Hey, Girls, kommt ihr auch rein?« Träge öffnete ich die Augen, um Oliver anzusehen, der sich das tropfende Haar aus dem Gesicht schleuderte, während er sich auf den Rand des Pools stützte.

»Vielleicht in einer Minute«, sagte ich.

»Ich weiß nicht …«, sagte Lisa.

»Ja, eigentlich will ich mir die Haare nicht nass machen«, gab Rachel mit einem verlegenen Lächeln zu. Oliver verdrehte die Augen, aber ich lächelte.

»Ist es nicht ziemlich kalt?«, fragte Lisa misstrauisch.

»Probiert es doch einfach aus«, forderte Warren sie heraus, nachdem er neben Oliver aufgetaucht war.

»Nein, danke«, meinte Rachel lachend, »uns geht's gut hier.«

Warren sah mich erwartungsvoll an. »Kommst du rein, Elle?«

»Vielleicht …«, erwiderte ich träge und ließ meine Augen wieder zufallen.

»Elle, was läuft da eigentlich zwischen dir und Flynn? Ich meine, wirklich?«, fragte Rachel leise. Ich hörte den Liegestuhl quietschen, als auch Lisa sich zu mir beugte.

Ich zuckte mit den Achseln. »Nichts.«

»Aber du benimmst dich so … Ich weiß auch nicht. Es ist seltsam. Du bist ihm gegenüber so normal.«

»Ja, aber das ist ja wohl kaum erstaunlich«, bemerkte ich. »Ich bin mit Lee aufgewachsen, und Noah war auch immer irgendwo in der Nähe. Deshalb nenne ich ihn ja auch nicht Flynn. Aber auch weil ich weiß, dass es ihn nervt, wenn ich Noah sage.«

Ich hörte Lisa leise lachen und lächelte. Rachel meinte: »Er beschützt dich auf eine Weise, dass ich dachte, vielleicht ist da was … du weißt schon …«

Ich schüttelte schwach den Kopf. »Nein. So ist er einfach. Das ist überhaupt keine große Sache.« Damit hatte ich nicht wirklich gelogen …

»Wahrscheinlich«, sagte Rachel.

»Ich finde, ihr wärt ziemlich süß zusammen«, kommentierte Lisa. »Ihr seid so gegensätzlich, das müsste doch die perfekte Kombination sein, meint ihr nicht?«

Da musste ich einfach verächtlich schnauben. »Wir streiten dauernd. Wenn es wirklich mal dazu käme – nicht dass ich davon ausgehe, meine Güte, nein –, dann würden wir uns am Ende wahrscheinlich gegenseitig umbringen.«

Sie lachten beide und fingen dann an, sich über irgendeinen neuen Film zu unterhalten. Ich schaltete ab und döste einfach zufrieden vor mich hin.

Nach ein paar friedlichen Augenblicken spürte ich, wie mich jemand am Knöchel packte. Eine andere Hand fasste mich am Bein und meine Arme wurden an meine Seiten gepresst. Der Liegestuhl verschwand in Sekundenschnelle unter mir.

Als ich die Augen aufriss, sah ich Lee, Dixon, Warren und Joel alle grinsen und über meine anscheinend entsetzte Miene lachen.

Ich begann zu strampeln, während sie mich wegtrugen. »Lasst mich los! Lasst mich runter!«

Sie lachten einfach weiter. Lee rief: »Geht nicht, Shelly!«

»Lasst mich runter! Ihr werdet mich noch fallen lassen! *Lasst mich los!*«

»Wenn du möchtest …«, sagte Joel schelmisch. Die Jungs schwangen mich hin und her, einmal, zweimal …

Ich schrie und lachte gleichzeitig. »Nein!«

Zu spät – da hatten sie mich schon in den Pool geworfen.

Ich landete mit einem Riesenplatscher in der Mitte und hörte noch alle lachen, bevor ich untertauchte. Danach spürte ich mehr als ich hörte, wie Jungs neben mir ins Wasser sprangen.

Es war eiskalt! Nach Luft japsend tauchte ich auf, wobei die Haare mir ins Gesicht hingen. Meine Zähne klapperten ein bisschen. »Ich hasse euch!«, brüllte ich, musste aber selbst lachen.

Ich schaute zu den Mädchen, die beide heftig kicherten.

»Euch wird das Lachen noch vergehen, wenn sie euch als Nächste reinschmeißen«, warnte ich, was sie nur noch mehr erheiterte.

Ich schwamm Richtung Leiter, um wieder rauszuklettern.

»Nein! Du bist doch gerade erst reingekommen – da kannst du nicht schon wieder gehen!«, protestierte Warren, tauchte zu mir und versuchte, mich von der Leiter wegzuziehen. Lachend strampelte ich dagegen, als würde ich durch Sirup waten, denn Warren packte mich immer wieder.

»Was ist denn das für ein Geschrei?«

Ich warf mich mit aller Kraft auf die Leiter, gerade als Warren wieder nach mir griff. Auf einmal hatte er mein

Bikinitop in der Hand und alle verstummten, während Noah mich missbilligend anstarrte.

Ich kreuzte rasch die Arme vor der Brust und spürte, wie meine Wangen brannten.

O Gott.

Wie peinlich war das denn!

Auch wenn meine Wangen glühten, zitterte der Rest meines Körpers vor Kälte.

Dann hörte ich jemand in prustendes Gelächter ausbrechen. Lee. Diese Lache kannte ich nur zu gut. Und damit war das verlegene, peinliche Schweigen gebrochen. Alle anderen fingen auch an zu lachen.

»Warren, ich hasse dich ganz offiziell!«, sagte ich und drehte mich mit wütendem Blick zu ihm um, nachdem ich mich versichert hatte, dass meine Brust bedeckt war.

Er grinste verlegen und meinte: »Tut mir leid, ich wollte es dir nicht runterreißen, sondern dich nur festhalten.«

»Du bist so ein Blödmann«, kicherte ich.

»Möchtest du es zurück oder …? Ich meine, sonst kann ich es auch gern behalten«, scherzte er und lachte ironisch.

»Ich habe gerade nicht wirklich eine Hand frei, um es zurückzunehmen«, sagte ich sarkastisch.

»Ja, stimmt.« Er lachte immer noch und warf das Bikinioberteil nach mir. Klatschend landete es auf den Fliesen. Oliver kam angeschwommen und tauchte den nichts ahnenden Warren für ein paar Sekunden unter, bevor er ihn wieder nach oben kommen ließ.

Ich lachte mit allen anderen mit. »Ich hab ihn für

dich!«, erklärte Oliver stolz und reckte einen Daumen in meine Richtung.

»Wart's ab, bis ich ihn in die Finger kriege, dann wird es ihm noch leidtun«, warnte ich, musste aber immer noch so lachen, dass mich wahrscheinlich keiner ernst nahm.

»Erst recht, wenn Flynn ihn in die Finger kriegt«, hörte ich Dixon murmeln. Als ich mich umdrehte, sah ich Noah uns mit finsterer Miene beobachten.

Ich seufzte. *Nicht schon wieder …*

»Untersteh dich«, zischte ich, als ich rasch an ihm vorbei ins Haus marschierte. Zum Glück waren seine Eltern zum Essen ausgegangen. Deshalb hatte Lee uns ja auch alle eingeladen. Und bis jetzt waren sie noch nicht zurück. Sonst wäre es zugegebenermaßen ein bisschen peinlich gewesen, mit den Armen über der nackten Brust reinzukommen und mir ein T-Shirt von Lee zu suchen. Zwar hatte ich meine Klamotten am Pool liegen, aber eben keine freie Hand, um sie aufzuheben.

Ich wühlte in Lees Schubladen, bis ich ein T-Shirt von einem Konzert fand, das wir vor ein paar Jahren besucht hatten. Rasch zog ich es über meinen noch feuchten Oberkörper. Es war nur ein bisschen zu groß für mich.

Als sich hinter mir jemand räusperte, erschrak ich fürchterlich, weil ich nicht gehört hatte, dass mir jemand nach oben gefolgt war.

Noah lehnte am Türrahmen, hatte die Arme vor der Brust verschränkt und sah mich mit einer Miene an, die meine Handflächen ein wenig klamm werden ließ. Sein Gesichtsausdruck war ziemlich neutral, aber der Schatten in seinen sonst so strahlenden Augen beunruhigte mich.

»Was? Hast du Warren auch beinah die Rippe gebrochen?«, meinte ich schnippisch, um meine Nervosität zu überspielen.

»Nein«, sagte er und runzelte die Stirn.

»Oh, was dann? Sein Bein? Oder vielleicht einen Arm?«

Er ging ein paar Schritte auf mich zu. »Nein. Ich glaube, er hat die Message, sich zurückzuhalten, allein durch den Blick verstanden, mit dem ich ihn angesehen habe«, sagte er eingebildet. »Ich habe ihm eine Scheißangst eingejagt.«

»Aber du … du hast jetzt nicht irgendwas zu Warren gesagt? Oder irgendwas gemacht? Oh mein Gott, ich muss in ein Paralleluniversum geraten sein.«

Er lachte bissig. »Ich musste gar nichts tun. Er hat mich auch so verstanden.«

Ich schüttelte etwas überfordert den Kopf und war immer noch geschockt.

»Außerdem konnte sogar ich sehen, dass es ein Versehen war«, murmelte er grimmig.

»Es ist ja nicht so, als ob irgendwer irgendwas gesehen hätte.«

»Außer mir.«

»Äh, ja, aber … ich meine, du hast … du weißt schon, was ich meine.«

Er grinste über meine sich rötenden Wangen und mein Stottern.

»Du bist ja derjenige, der Superman-Boxershorts

trägt.« Ich konnte den Bund davon aus seiner Jeans lugen sehen. Das erinnerte mich daran, wie er rot geworden war, als ich ihn darin gesehen hatte.

»Und wenn schon«, sagte er abwehrend – konnte mir dabei aber nicht in die Augen schauen. Ich grinste triumphierend, weil es mir gelungen war, zur Abwechslung mal ihn verlegen zu machen.

Während ich aus Lees Zimmer schlenderte und an Noah vorbeiging, sagte ich ganz beiläufig: »Stell dir mal vor, was alle sagen, wenn sie erfahren, dass Flynn, dieser krasse Typ, Superman-Unterhosen trägt ...«

»Das würdest du nicht tun.«

Ich schaute mit einem unschuldigen Lächeln über meine Schulter und biss mir auf die Lippe, als wolle ich ihn herausfordern, mich davon abzuhalten.

Als er versuchte, mich zu fassen zu kriegen, schnappte ich nach Luft und rannte ins nächstbeste Zimmer, das zufällig seines war.

Da wusste ich nicht, ob ich dem Schicksal dankbar sein oder es verfluchen sollte, aber jedenfalls steckte ich jetzt in Noahs Zimmer und er schloss grinsend die Tür hinter sich.

Ich wich einen Schritt zurück, er kam einen näher.

Das machten wir so lange, bis ich mit dem Rücken an die Wand stieß und nirgendwohin mehr ausweichen konnte. Noah nutzte seinen Vorteil aus und presste sich auf einmal an mich. Sein warmer Atem kitzelte mein Gesicht.

»Manchmal, Elle«, flüsterte er und strich mit seinen Lippen ganz behutsam über meine, »bist du einfach so was von unwiderstehlich.«

Ein kleiner Schauer überlief mich.

Er streichelte mit seinen Lippen mein Kinn, sodass mein Puls raste und es mir den Atem verschlug. Als ich seine Neckereien nicht mehr aushielt, packte ich sein Gesicht und küsste ihn. Diesmal stieß ich nicht mit meinen Zähnen an seine. Verdammt viel Übung hatte mir das abtrainiert.

Er löste sich erst von mir, als ich total atemlos war. Sehr langsam öffnete ich die Augen und sah ihn an. Noah strich mir eine noch feuchte Haarsträhne aus dem Gesicht und ließ die Hand zärtlich an meiner Wange liegen.

»Du bist so wunderschön, Elle, weißt du das?«, sagte er leise und strich mit dem Daumen über meine Wange. Als ich rot wurde, schmunzelte er. Das war echt seltsam. Die anderen Mädchen hatten mir schon ein paarmal versichert, ich wäre hübsch, und die Jungs zogen mich damit auf, ich sei scharf – aber wenn Noah so etwas sagte, vollführte mein Herz diese komischen Saltos.

»Ich liebe es, wenn ich dich dazu bringe, rot zu werden.« In seiner Stimme schwang Lachen mit.

»Halt die Klappe«, murmelte ich und drückte zaghaft gegen seine Brust.

»Du solltest wieder rausgehen«, murmelte er, »bevor sie noch anfangen, sich zu fragen, wofür du so lange brauchst.«

»Oder bevor Lee denkt, wir hätten uns gegenseitig abgemurkst.«

Noah lachte. »Ja, das ist wahrscheinlicher.«

Aber er wich nicht zurück. Ich hätte gehen können,

wenn ich es wirklich gewollt hätte, aber wir blieben beide genau dort stehen, wo wir waren, und Noah streichelte weiter meine Wange. Mein Blick glitt über sein Kinn, seinen unebenen Nasenrücken, seine langen Wimpern, die kaum sichtbaren Sommersprossen auf den Nasenflügeln – Kleinigkeiten, die ich bisher noch nie richtig wahrgenommen hatte.

»Noah …«

»Ja?«

»Ich muss jetzt wirklich gehen.«

Ich sagte es zögernd – meine Stimme verriet meine wahren Gefühle –, aber er trat seufzend einen Schritt beiseite und ließ seine Hand sinken. Ich wünschte mir nichts sehnlicher, als hier bei Noah zu bleiben, aber ich wusste, das ging nicht, also wandte ich mich ab und lief die Treppe hinunter.

Meine Wange prickelte dort, wo seine Hand gewesen war, noch ein bisschen. Ich schmeckte auch seine Lippen noch. Damit niemand merkte, was los war, musste ich kurz stehen bleiben und meine Fassung zurückgewinnen. Am schwersten fiel es mir, mein Lächeln im Zaum zu halten.

»Flynn wirkte ja ziemlich gereizt«, sagte Rachel leise, als ich mich wieder zu ihr gesellte. »Was hat er denn gesagt?«

»Ich hab ihn gar nicht gesehen«, log ich – und ich hasste, wie einfach es war, sie anzulügen.

»Du hättest Warrens Gesicht sehen sollen«, kicherte Lisa. Sie griff nach ihrem Handy, suchte etwas darauf und gab es mir. Ein Foto von Warren füllte das ganze Display aus. Er war kalkweiß, hatte die Augen aufgerissen und sein Mund stand offen, was ziemlich doof aussah.

Ich lachte. »Oh mein Gott, das ist großartig!«

Und damit war die Sache erledigt.

Ich seufzte innerlich und fühlte mich total erleichtert. Anscheinend hatte niemand den Verdacht, Noah und ich wären zusammen.

Ich war entschlossen, alle Gedanken an ihn in meinem Kopf ganz nach hinten zu schieben und den restlichen Freitagabend mit meinen Freunden zu genießen.

16

Bei all den Kursen und den Bergen von Hausaufgaben, die die Lehrer uns aufbrummten, vergingen die nächsten zwei Wochen blitzschnell. Wenn ich nicht mit Lee abhing, traf ich heimlich Noah. Wir gingen ins Kino und nutzten die wenigen Gelegenheiten, uns bei einem von uns zu Hause zu treffen – entweder wenn Dad und Brad unterwegs waren oder bei ihm niemand da war.

Ich glaube, es überraschte uns beide, dass wir nicht nur rumknutschen, sondern tatsächlich auch Zeit miteinander verbringen konnten. Nach dem Kino saßen wir mindestens eine halbe Stunde lang einfach in seinem Auto und redeten. Wir spielten auch Videospiele oder schauten fern und es war … tja, es war *nett.*

Nicht dass wir uns nicht immer noch über fast alles in die Haare kriegten. Sogar darüber, was wir im Fernsehen anschauen wollten.

Ich fand diese Heimlichtuerei immer noch aufregend. Aber ich hasste die Gewissensbisse – weil ich meinen besten Freund, Dad und alle anderen anlog …

An einem regnerischen Sonntagabend saß ich auf der Werkbank in der Garage, während Noah an seiner zweirädrigen Todesfalle namens Motorrad herumschraubte. Das Tor stand nur ein Stückchen offen, sodass uns niemand sehen konnte.

»Ich kann einfach nicht glauben«, sagte ich, »dass du den zweiten Transformers-Film besser findest. Der erste ist doch unübertrefflich. Das schwör ich dir.«

»Ach komm – diese Zwillingsautos? Die waren doch zum Totlachen.«

Ich schnaubte. »Aber der erste war einfach … episch!«

»Der zweite ist besser, Elle, glaub mir. Hey, kannst du mir mal eben den Schraubenschlüssel geben?«

»Wo ist der denn?« Ich stand auf und blickte mich um. Ich verstand kein Mechaniker-Latein, aber immerhin wusste ich, wie ein Schraubenschlüssel aussieht. Und ich hatte vielleicht keine Ahnung davon, was Noah da eigentlich machte, aber er sah sehr heiß dabei aus.

»In dem Regal über deinem Kopf.«

Ich kletterte auf die schon erwähnte Werkbank, hielt mich an dem Regal fest und tastete nach dem Schraubenschlüssel. Als ich die Spinnweben dort oben erblickte, hoffte ich, dass um meinen Kopf herum keine ekligen Spinnen lauerten.

»Äh …« Endlich hatte ich ihn. Als ich mich umdrehte, um wieder runterzuklettern, stieß ich mir den Kopf am Regalbrett. »Autsch!«, jaulte ich auf und ließ das Werkzeug fallen, um mir den Kopf zu halten. Das brachte mich allerdings dermaßen aus dem Gleichgewicht, dass ich mit einem Fuß von der Werkbank rutschte.

Dumpf schlug ich mit einem weiteren Jaulen auf dem Boden auf. Benommen musste ich ein paarmal blinzeln, damit die Sternchen verschwanden und der

Raum wieder scharf zu erkennen war. Schmerz erfasste mich wie eine Welle.

»Oh Shit«, hörte ich Noah sagen.

»Aua«, stöhnte ich und hielt mir die Wange. Im Mund schmeckte ich Blut; anscheinend hatte ich mir auf die Zunge gebissen.

Noah ließ Schraubenzieher und Lappen fallen und kauerte sich neben mich. Eine Hand legte er an meinen Rücken, mit der anderen schob er mir die Haare aus den Augen. »Bist du okay? Elle?«

Ich berührte mit einer Fingerspitze vorsichtig meine Wange und zuckte zusammen. *Verdammt, tat das weh!*

»Sieht es schlimm aus?«, fragte ich und klang wie ein kleines Kind.

Er lachte leise. »Nein. Nur ein Kratzer. Vielleicht kriegst du noch einen blauen Fleck ... Aber wahrscheinlich sollten wir es desinfizieren. Denn wie ich dich kenne, entzündet es sich sonst, und dann sieht es übel aus.«

Ich lachte nicht, sondern zog nur einen Schmollmund, weil er sich über mich lustig machte.

Allerdings hatte er recht. Ich sollte die Schramme säubern – denn hier in der Garage gab es alles Mögliche, Dreck, Öl, Spinnweben.

Ich kam auf die Füße, wobei Noahs Hand auf meinem Rücken mir Halt gab. Ich hätte auch alleine stehen können, aber ich schüttelte ihn nicht ab. Es gefiel mir, fühlte sich gut an, seinen Arm um mich zu spüren. So, als gehöre der dorthin.

Mann, ich musste echt aufhören, so viele von diesen Schnulzenromanen zu lesen!

Ich zuckte zusammen.

»Was? Was ist los?«

»Alles gut«, sagte ich und winkte ab. »Es fühlt sich nur an, als hätte ich mir den Hintern gebrochen, aber mir geht's gut. Es ist nichts.«

Langsam richtete ich mich wieder gerade auf. Na bitte. Alles in Ordnung. Noah sah mich durchdringend an und zuckte dann mit den Achseln.

Durch die Tür, die den Hobbyraum mit der Garage verband, kehrten wir ins Haus zurück. Noah warf einen Blick den Flur entlang, bevor er mich die Treppe hinauf und in sein Zimmer führte. Mit dem Fuß stieß er die Tür zu, und ich setzte mich aufs Bett, während er in sein Badezimmer ging.

Ich wackelte ein bisschen hin und her, weil mir der Hintern wehtat.

»Du bist so ein Tollpatsch«, meinte Noah und gluckste vor Lachen, als er zurückkam.

Ich verdrehte die Augen. »Nicht immer.«

»Nein, nur in der Hälfte der Zeit.«

Dann ging er vor mir in die Hocke. Mit einem entschuldigenden Lächeln nahm er mein Kinn – ach, so behutsam – zwischen Daumen und Zeigefinger, bevor er mein Gesicht leicht drehte. Ich saß einfach nur da und gab mir Mühe, nicht ständig zusammenzuzucken, während er mir die Wange mit einem feuchten Waschlappen abtupfte und dann desinfizierende Salbe auftrug, die richtig brannte.

»Sorry«, sagte er, als ich zum vierten Mal zuckte.

»Schon okay. Ist ja nicht deine Schuld.«

»Ich hätte dich nicht auffordern sollen, mir den

Schraubenschlüssel von dem Regal herunterzuholen.« Er klang verärgert – aber er war nicht sauer auf mich, das wusste ich. »Das war echt bescheuert.«

»Ist schon gut. Wirklich. Es war ein Unfall und sowieso meine Schuld. Keine große Sache.«

Er sagte nichts, obwohl er aussah, als würde er es gern tun.

»Seit wann bist du denn so eine Krankenschwester?«, zog ich ihn nach einer Weile auf, um uns beide abzulenken. Mich von dem pochenden Schmerz in meiner linken Wange und Noah von was auch immer ihn beschäftigte. Sehr glücklich sah er nicht aus.

»Seit ich in immer mehr Schlägereien geraten bin.« Sein Gesicht blieb reglos und ich konnte seine Miene nicht deuten. »Man lernt irgendwie, sich selbst zu verarzten, wenn das passiert.«

»Oh.«

»Na los, sag es.«

»Was soll ich sagen?«

»Dass ich ein blöder Gewalt-Junkie bin. Was du immer sagst.«

»Weil du das ja auch bist«, erwiderte ich unumwunden. »Ich meine, warum gerätst du denn in all diese Auseinandersetzungen? Ich habe gesehen, wie du dich mit anderen schlägst, Noah: das ist nicht gut und ...«

Sein tiefer Seufzer ließ mich mitten im Satz verstummen. Dann sagte er: »Na schön. Ich bin ein Idiot und provoziere andauernd einfach so Schlägereien. Du hast gewonnen.«

Er sagte das alles ziemlich schnell. Schon seit wir

klein waren, hasste er es, einen Irrtum zuzugeben. Das wusste jeder.

Aber gerade hatte er genau das getan. Und er hatte zugegeben, dass ich recht hatte.

Okay, das war nicht gerade eine Sache, bei der ich mich freute, recht zu haben, aber ... ich fühlte mich ein bisschen selbstgefällig. Ob es Noah immer so erging, wenn er eine unserer kleinen Zankereien für sich entschied?

»Du hast gerade zugegeben, dass ich gewonnen habe ...« Ich konnte den leicht frohlockenden Unterton in meiner Stimme nicht verbergen.

Noah rollte mit den Augen. »Ja, das habe ich. Na schön, jetzt hattest du deinen Augenblick des Triumphs.«

»Ich habe das aber ernst gemeint«, erklärte ich. »Das mit dir, weißt du ... dass du anscheinend außer dich gerätst, wenn du dich prügelst.«

Er lehnte sich zurück, immer noch auf Augenhöhe mit mir. Es ging jetzt überhaupt nicht mehr darum, sich aufzuziehen oder zu scherzen.

»Ich weiß, wie du es gemeint hast. Und ich weiß, dass mir das passiert. Ich kann nichts dagegen tun. Erinnerst du dich noch an den Sommer, als du und Lee im Fußballcamp wart? Da wart ihr dreizehn oder so. Du kamst zurück und hast geschwärmt, wie gut Käsekuchen schmecken würde.«

»Ja ...?« Worauf wollte er bloß hinaus?

Dann dachte ich: *Er weiß noch, dass ich im Fußballcamp war?* Daran erinnerte ich mich selbst kaum noch. Das waren nur noch ein paar verschwommene Wochen

Spaß. Das mit dem Käsekuchen hatte ich komplett vergessen.

»Also, das war der Sommer, nach dem ich in der Schule anfing, in Raufereien zu geraten. Meine Eltern schickten mich zu verschiedenen Therapeuten. Sie versuchten, mir zu helfen, das weiß ich. Aber die Sache ist …« Er seufzte ein bisschen. »Sie haben es versucht, sind aber jämmerlich gescheitert. Ich bin ein fieser Typ und werde es immer sein. Schätze mal, mein Gehirn ist einfach so gepolt.« Er zuckte mit den Achseln, als sei ihm das völlig egal.

Ich mochte diese seltenen Gespräche, bei denen ich hinter Noahs attraktives Grinsen blicken konnte; wenn er mich seine verletzliche Seite sehen ließ. Ich wusste nicht, dass er je bei Therapeuten gewesen war – vielleicht wusste nicht einmal Lee davon.

»Du bist süß, wenn du so total verlegen aussiehst«, scherzte ich, um die Stimmung wieder etwas aufzulockern.

»Erstens bin ich nicht verlegen«, sagte er, auch wenn er wusste, dass ich nur Spaß machte. »Und zweitens«, er stieß mit seinem Knie an meins, »nenn mich nicht süß.«

Jetzt musste ich lachen und da lächelte er sein Lächeln mit dem Grübchen in der linken Wange. Mein eigenes Lächeln schmerzte und ich legte stöhnend eine Hand an mein Gesicht.

Noah zog meine Hand weg, beugte sich vor und gab mir einen gehauchten Kuss auf die Stelle mit dem Kratzer. Ich fühlte mich ein bisschen wie benommen; anscheinend funktioniert das mit dem Weg-Küssen eines Wehwehchens nicht nur bei Fünfjährigen.

Ich hätte mich nicht so glücklich fühlen sollen, denn eigentlich war ich, was meine Gefühle für Noah anging, vorsichtig und zurückhaltend.

Wahrscheinlich standen wir uns inzwischen schon näher, weil er mir so etwas anvertraute, doch das war *schlecht*. Wir sollten uns nicht näher sein. Ich durfte mir keine Gefühle für Noah erlauben. Denn sonst würde alles außer Kontrolle geraten, wenn es irgendwann in die Brüche ging. Lee würde mich hassen, und ich hätte nicht einmal mehr Noah, um mich zu trösten. Dann wäre ich total am Ende.

Aber als er mir jetzt in die Augen schaute, ein Kichern unterdrückte und mich zärtlich auf die verletzte Wange küsste, da hatte ich nur ihn im Kopf. Und wie gern ich mit ihm zusammen war. Wie fantastisch es sich anfühlte, wenn er den Arm um mich legte. Wie strahlend und blau seine Augen waren …

»Elle …«, setzte er mit ernster Miene an, aber da hatte ich ihn schon unterbrochen.

»Ich glaube, ich habe mir auch an den Lippen wehgetan«, flüsterte ich und zeigte darauf.

Er lachte fast unhörbar, schüttelte den Kopf und kam noch ein bisschen näher.

Die Tür, die nicht ganz zu gewesen war, flog auf, bevor wir auseinanderrücken konnten.

»Was ist hier los?«

Noah sprang auf und drehte sich um, während ich wie benommen auf der Bettkante sitzen blieb.

Ein Schwall von Flüchen, die ich niemals laut aussprechen würde, kam mir in den Sinn, als ich Lee in der Tür stehen sah.

»Ich habe gefragt, was hier los ist«, sagte er und schaute misstrauisch zwischen mir und Noah hin und her. Schließlich blieb sein Blick an mir hängen und die Kinnlade fiel ihm herunter. »O Gott! Shelly, was ist denn mit deinem Gesicht passiert?«

»Danke schön«, murmelte ich sarkastisch, aber das genügte nicht, um die Stimmung aufzulockern.

Lee stand in der nächsten Sekunde schon vor mir und betrachtete meine verletzte Wange. Dann wirbelte er herum und funkelte seinen Bruder böse an. »Warst du das?«

»Was?«, fragte Noah empört. »Was hast du da gerade gesagt?«

»Bist du taub?«, murmelte Lee. Dann sagte er, deutlich lauter: »Ich habe gefragt, ob du das warst. Hast du Elle geschlagen?«

Noah biss die Zähne so fest zusammen, dass ich sah, wie sich alle Muskeln in seinem Gesicht anspannten. »Du glaubst wirklich … ich hätte Elle geschlagen?«

»Ja, zuzutrauen wär's dir!«, schnauzte Lee ihn wütend an. »Wie ist das dann verdammt noch mal passiert? Was zum Teufel hast du getan?«

Lee fluchte nur, wenn er richtig, richtig sauer war. Ich merkte, dass die Sache hier soeben einen schlechten Verlauf nahm, aber ich war wie erstarrt und betäubt.

Noah antwortete unbekümmert: »Vor dir muss ich mich überhaupt nicht rechtfertigen, Brüderchen.«

Lee ballte die Fäuste, als er Noahs arroganten Ton hörte. »Also, was ist Elle passiert?«

»Es ist nichts«, sagte ich schüchtern, woraufhin beide sich zu mir umdrehten und mich unfreundlich anstarrten. Ich senkte den Kopf, sodass mir die Haare ins Gesicht fielen, als ich zu ihnen hinschielte. »Es ist in Ordnung, ich bin okay …«

»Einen Dreck bist du«, murmelte Lee düster. Dann zeigte er mit ausgestrecktem Finger auf mich und knurrte Noah drohend an: »Was ist da passiert?«

»Sie hat dich gesucht und ist in der Garage gestolpert. Keine große Sache. Jetzt beruhig dich endlich. Ihr fehlt nichts.«

Es war der schnippische Ton, der Lee richtig reizte, und ich hätte wetten mögen, dass Noah das genau wusste. Er hätte mich damit auch auf die Palme gebracht.

»Es war nicht seine Schuld …«, setzte ich an, aber beide ignorierten mich.

»Und du hast sie einfach hinfallen lassen? Ich wette, sie ist nur gestolpert, weil dein ganzer Scheiß überall rumlag.«

»Es ist nicht so, dass ich über eine Art göttliche Macht verfüge, um sie vor ihrer eigenen Tollpatschigkeit zu bewahren.«

Vielen Dank, Noah.

»Aber dann war es deine Schuld! Wusste ich's doch«, knurrte Lee und nickte mit dem Kopf. Dabei biss er sich vor Wut auf die Unterlippe. Ich war mir sicher, auch er wusste, dass man Noah eigentlich keinen Vorwurf machen konnte, aber er war inzwischen schon so sauer, dass er ihm trotzdem die Schuld gab.

»Es war ein Unfall«, sagte Noah mit zusammengebissenen Zähnen und wütend funkelndem Blick.

Lee zuckte nur mit den Achseln und provozierte

Noah weiter. »Ich hätte es dir zugetraut, dass du sie tatsächlich schlägst.«

»Das reicht«, fauchte Noah und stürzte sich auf Lee, der selbst bereits ausholte.

Ich sprang vom Bett auf und stürzte mich zwischen die beiden, bevor sie einander noch umbringen würden. Mit aller Kraft stieß ich Noah gegen die Brust, was keinerlei Wirkung zeigte. Aber wenigstens versuchten sie danach nicht mehr, sich gegenseitig zu schlagen.

»Noah«, sagte ich leise. »Noah, sieh mich an. Noah.«

Er warf Lee keine messerscharfen Blicke mehr zu und seine Miene wurde etwas sanfter. »Du weißt, dass ich dich nicht schlagen würde, Elle. Wenn ich gekonnt hätte, dann hätte ich verhindert, dass du fällst. Ich würde dich niemals schlagen – das weißt du doch, oder?«

Ich nickte geduldig. »Ja, das weiß ich. Aber du musst auch keine Schlägerei mit Lee anfangen, okay? Er macht sich nur Sorgen um mich.«

»*Ich würde dich nicht schlagen*«, sagte Noah aufgebracht und biss wieder die Zähne zusammen.

»Ich weiß«, sagte ich und bemühte mich, so besänftigend wie nur möglich zu klingen. Ich legte eine Hand auf seine Brust, die sich rasch hob und senkte. »Ich weiß es, in Ordnung? Jetzt beruhig dich doch endlich. Bitte. Ich weiß, dass du das nie tun würdest. Beruhig dich, bitte.«

Er hielt meinen Blick noch ein paar Sekunden fest, bevor er zurücktrat und sich mit den Fingern durchs Haar fuhr. Ich drehte mich um, nahm Lee bei der Hand, zog ihn aus Noahs und in sein eigenes Zimmer.

Nachdem er die Tür hinter uns geschlossen hatte, sagte er: »Wow. Ich habe noch nie gesehen, dass ihn jemand so beruhigt hat. Das war … seltsam. Wo ihr euch doch normalerweise anschnauzt.«

»Hör zu, vergiss es einfach. Wenigstens versucht ihr jetzt nicht mehr, aufeinander loszugehen«, seufzte ich und ließ mich auf seine federnde Matratze plumpsen. Er landete neben mir und streckte eine Hand aus, um meine Wange zu berühren. Ich holte scharf Luft und zuckte zurück.

»Sorry«, sagte er sofort. »Also erzähl, was passiert ist.«

Wie hatte Noahs Version gelautet? Ich war auf der Suche nach Lee gewesen …

Also murmelte ich irgendwas von wegen, ich sei rübergekommen und habe jemand in der Garage gehört, aber das sei Noah gewesen. Als ich zum Hobbyraum durchgehen wollte, um dort nach Lee zu suchen, sei ich gestolpert und aufs Gesicht gefallen.

Mein Magen krampfte sich zusammen und mir war kotzübel. Wahrscheinlich vor schlechtem Gewissen, vermutete ich. Dass ich Lee anlügen musste, war schrecklich. Aber ich konnte ihm ja wohl kaum die Wahrheit sagen. Vor allem jetzt nicht, wo er immer noch sauer auf Noah war, auch wenn er sich schon ein bisschen beruhigt hatte.

Also, ich hing in eurer Garage ab, flirtete mit Noah, knutschte ein bisschen mit ihm, bevor er sich wieder seinem Motorrad widmete, und dann bin ich aufs Gesicht gefallen. Ach, und übrigens, diese Heimlichtuerei mit ihm läuft schon seit ein paar Wochen, also keine große Sache. Wir machen das regelmäßig – nur dass ich dabei nicht dauernd auf die Schnauze falle.

Klar, das würde bestimmt *großartig* ankommen.

Es war nicht der richtige Zeitpunkt, sagte ich mir. Ich konnte es ihm jetzt nicht erzählen.

Nicht dass es da irgendwas zu erzählen gab – schließlich hatte ich keine diesbezüglichen Gefühle für Noah –, und selbst wenn, wäre es nicht der richtige Zeitpunkt.

»Schön, dann war es also nicht seine Schuld«, brummte er. »Aber er –«

Ich ließ ihn den Satz nicht beenden. Da gab es etwas, das ich ihn unbedingt fragen musste. Aber um ehrlich zu sein, fürchtete ich mich vor seiner Antwort.

Trotzdem platzte ich damit heraus: »Dachtest du *wirklich*, er hätte mich geschlagen?«

Lee sah mich lange an und senkte dann den Blick. »Ich weiß, ich weiß, er ist mein Bruder. Aber eine Sekunde lang dachte ich echt, er sei ausgerastet und du seist zur falschen Zeit am falschen Ort gewesen. Oder dass ihr beiden euch mal wieder gestritten hättet … Ich hasse die Vorstellung auch, aber –«

»Er würde mich niemals schlagen«, sagte ich leise und zupfte an meinem T-Shirt herum. Es hatte einen Riss. Das musste passiert sein, als ich von der Werkbank gefallen war. »Sogar Noah weiß, wo die Grenze ist.«

»Das hoffe ich«, murmelte Lee.

»Das *weiß* ich.«

»Im einen Moment geht ihr euch gegenseitig an die Gurgel, im nächsten verteidigst du ihn?« Das war kein Vorwurf, nur eine Feststellung.

»Du bist auch ganz schön schnell ausgetickt«, bemerkte ich. »Was ist los?«

Er seufzte und fuhr sich mit einer Hand durch die Haare. »Ich bin nur genervt. Hab den Test in Geschichte verhauen, erinnerst du dich? Meine Eltern meinen, vielleicht würde ich zu viel Zeit mit Rachel verbringen. Ich bin einfach gestresst.«

Ich ergriff seine Hand, schob meine Finger in seine. Er erwiderte meinen Händedruck und holte tief Luft.

»Aber egal, lenk nicht vom Thema ab, Miss Sunshine. Seit wann seid ihr denn überhaupt so dicke Freunde? Du und Noah, ihr saht ziemlich vertraulich aus, als ich reinkam.«

Mein Herz raste. Ich glaubte nicht, dass er irgendwas gesehen hatte – Lee redete nie um den heißen Brei herum. Wenn er irgendwas ahnte, hätte er mich direkt darauf angesprochen.

Jetzt ist nicht der richtige Zeitpunkt. Nicht gerade jetzt. Du kannst es ihm wann anders sagen, aber nicht jetzt …

Mein Magen zog sich zusammen. Ich sollte es ihm einfach sagen. Ich meine … irgendwann würde er es sowieso herausfinden, also warum es nicht jetzt erzählen, bevor er es noch von jemand anderem erfuhr? Ich sollte es ihm einfach sagen.

Aber ich wollte nicht. Er würde mich hassen.

Andererseits würde er mich weniger hassen, als wenn er es später selbst rausfände.

»Lee, bitte hass mich nicht –«

»Elle?«, sagte in dem Moment jemand an der Tür.

Seufzend ließ ich mich auf Lees Bett nach hinten umfallen. Noah verstand sich echt auf das schlechteste

Timing der Welt. Doch nicht jetzt, als ich es Lee gerade gestehen wollte. Nicht jetzt.

»Was zum Teufel willst du?«, schnauzte Lee ihn an, als er nichts weiter sagte.

Noah warf ihm einen wütenden Blick zu, fragte aber nur: »Elle, kann ich kurz mit dir reden?«

»Klar.« Ich drückte Lees Hand noch mal, bevor ich sie losließ und vom Bett aufstand. Ich sah ihn mit einem, wie ich hoffte, beruhigenden Lächeln an, bevor ich die Tür hinter mir schloss.

Noah kratzte sich am Nacken und hatte die Zähne fest zusammengebissen. Ich brauchte eine Weile, um aus seiner Miene schlau zu werden: Er dachte ziemlich angestrengt über irgendetwas nach. Ohne einen Ton zu sagen, machte er den Mund auf und wieder zu, bevor er mich zurück in sein Zimmer zog. Diesmal machte er die Tür ordentlich zu.

»Ich verstehe das, wenn – wenn, du weißt schon, du nicht mehr … wenn du Schluss machen willst … du weißt schon, mit allem, was wir gemacht haben. Wenn du mich nicht mehr sehen willst.«

Ich runzelte die Stirn. Woher kam das denn plötzlich? »Warum sollte ich das wollen?«

Er zuckte mit den Achseln. »Ich verstehe es, wenn du das tust. Du hast schon früher gesagt, dass ich gewalttätig bin, und dann das, was Lee gesagt hat – dass ich dich schlagen würde. Und ich … ich verstehe schon.«

Ich sah ihn immer noch entgeistert an.

»Gewalt-Junkie steht ja bestimmt nicht auf der Top-5-Liste der Wunscheigenschaften bei einem Typen, was?« Er lächelte bitter. »Ich würde nie machen, was

Lee behauptet hat – das weißt du, oder? Das meine ich ernst. Ich würde dir nie wehtun, Elle. Ich schwör's dir.«

Ich nickte. »Das weiß ich, okay? Ich weiß es.«

»Aber ich verstehe trotzdem, wenn du nicht möchtest … dass wir weitermachen. Mit was immer wir da tun. Wenn du Schluss mach–«

»Das will ich nicht. Ich meine«, beeilte ich mich klarzumachen, als er mich erschrocken ansah, »ich will nicht Schluss machen.«

Er lächelte, lachte kurz auf, zog mich an sich und lehnte seine Stirn an meine. »Ich bin so ein schlechter Einfluss für dich. Weil ich dich so dumme Entscheidungen treffen lasse.«

»Und zwar?«

»Mit mir zusammenzubleiben.« Er gab mir einen flüchtigen Kuss auf den Mund, trat dann einen Schritt zurück und sagte: »Geh – bevor er glaubt, du hättest mich aus dem Fenster gestoßen oder sonst was.«

Lachend und kopfschüttelnd verließ ich sein Zimmer. Lee stand auf dem Flur – aber nicht um zu lauschen. Er wartete nur auf mich.

»Was war das denn jetzt?«

Ich sagte irgendwas von wegen, dass Noah mir noch mal versichert hätte, er würde mich niemals schlagen. Dazu winkte ich lässig ab, als spiele es keine Rolle. Gleichzeitig hämmerte mein Herz wie wild, während ich darauf wartete, dass Lee nicken und meine Lüge glauben würde.

»Ist das jetzt die Stelle, an der du mir erzählst, dass meine beste Freundin und mein großer Bruder über beide Ohren ineinander verliebt sind?«

Ich schnaubte und brach in schallendes Gelächter aus. »Lee, manchmal denkst du dir echt den größten Mist aus.«

Verliebt? Ich in Noah Flynn verliebt?

Ja. Ganz bestimmt.

Dad seufzte nur und meinte, ich sollte besser aufpassen, nachdem ich ihm erzählt hatte, dass ich bei Lee zu Hause in der Garage gestolpert sei.

»Ganz ehrlich«, sagte er. »Du bist ja schon schlimmer, als deine Mom je war. Erinnerst du dich noch, wie sie in der Mall auf der Rolltreppe gestolpert ist? Ihr Fuß hätte danach beinah genäht werden müssen.« Kopfschüttelnd musste er bei dieser nostalgischen Erinnerung lächeln.

Auch an der Schule bezweifelte niemand meine Story, dass ich in Lees Garage hingefallen war. Und warum auch? Es war ja – wenigstens dieses eine Mal – keine Lüge. Aber das Lügen schien mit meiner Beziehung zu Noah Hand in Hand zu gehen, und das hasste ich. Zumal ich von Tag zu Tag besser darin zu werden schien. Auch wenn ich wirklich nicht stolz darauf war.

Als ich beim Mittagessen darauf wartete, dass sich Lee und die Jungs mit ihren vollen Tellern zu mir gesellten, tauchten plötzlich jede Menge Mädchen auf.

»Also, ich habe über Flynn nachgedacht«, verkündete Jaime und sah mich dabei direkt an.

»Oooh, lass hören«, sagte Tamara begeistert.

»Ist er mit irgendwem zusammen?«, fragte sie mich ohne Umschweife.

Alle wussten, dass Flynn Single war und keine Freundinnen, sondern nur Affären hatte. Also warum glaubten sie plötzlich, er sei mit jemand zusammen? Hatten wir uns verraten? Hatten sie uns gesehen? Richtete Jaime deshalb diese Frage direkt an mich?

Ich schluckte und grub die Fingernägel in meine klammen Handflächen. Dann entschied ich mich für eine einfache Antwort. »Ich weiß auch nicht genau, was Noah die ganze Zeit macht.«

»Du hast mehr Ahnung davon als jede andere von uns«, murmelte Olivia. »Du glückliche Bitch.« Aber dabei zwinkerte sie mir zu und lächelte. Das brachte mich zum Lachen, und ich verspürte eine gewisse Erleichterung.

»Warum fragst du?«, meinte ich zu Jaime.

Sie zuckte mit den Achseln. »Wir haben da diese Theorie entwickelt.«

»Eine Theorie?«, wiederholte ich. Jaime nickte und Candice beugte sich näher, bevor sie im Flüsterton sprach. Als würde mein Puls nicht wie verrückt rasen, pickte ich lässig etwas von meinem Nudelsalat mit der Gabel auf.

»Wir glauben, dass Flynn irgendeine geheimnisvolle Freundin hat.«

Beinah hätte ich die Gabel fallen gelassen. Und ich konnte gerade noch verhindern, dass mir die Kinnlade runterfiel.

Samantha schnaubte. »Das bezweifle ich. Schließlich reden wir hier von Flynn. Er ist so ein Player. Ich kann mir echt nicht vorstellen, dass er mit irgendjemand eine lange Beziehung eingeht …«

»Na ja, vielleicht wenn ihm die Richtige begegnet«, meinte Karen lachend und zeigte auf sich selbst.

»Überlegt doch mal«, fuhr Candice fort. »Ich habe ihn mit keiner mehr gesehen – und ich meine, mit gar keiner –, und das seit Wochen. Normalerweise sieht man ihn doch auf Partys mit irgendeiner Glücklichen knutschen, aber …«

»*Ohmigosh!*«, quietschte Tamara. »Du hast so was von recht! Es gab seit Wochen kein Mädchen mehr an seiner Seite. Aber ihr habt doch auch alle den Knutschfleck gesehen, den er vor ein paar Wochen hatte, oder?«

»Wer hätte den übersehen können?« Olivia lachte.

Ich gab mir größte Mühe, nicht rot zu werden oder schuldbewusst oder besorgt auszusehen. Diesen Mädchen entging ja wirklich rein gar nichts.

»Hast du ihn mit irgendeiner gesehen, Elle? Du weißt schon, bei ihm zu Hause, wenn du mit Lee abgehangen hast?«

Ich schüttelte den Kopf. »Nein, ich habe ihn mit niemand gesehen.«

»Ich frage mich, wer sie ist …«

»*Wenn* da überhaupt eine ist«, warf Faith ein.

Da sagte ich, total beiläufig: »Vielleicht ist er ja schwul.«

Einen Moment lang herrschte Schweigen und ich aß gelassen meinen Nudelsalat weiter. Alle starrten mich entgeistert an.

»Niemals.«

»Das kann nicht sein.«

»Das glaubst du doch nicht wirklich, oder?«

»Nein, das ist ausgeschlossen!«

Ich hielt es nicht länger aus und brach in Gelächter aus. »Das war ein Witz! Aber ihr hättet eure Gesichter sehen sollen … Schade, dass ich die nicht fotografiert habe …«

Candice gab mir einen Klaps auf den Arm. »Das war nicht sehr nett, Elle«, schimpfte sie.

»Tut mir leid«, kicherte ich. »Aber ich konnte nicht widerstehen.«

Jedenfalls lenkte es sie von ihren Grübeleien über Noah Flynns vermeintliche mysteriöse Freundin ab, und ich war damit völlig von ihrem Radar verschwunden. Unhörbar seufzte ich vor Erleichterung und hörte mir an, wie sie über andere Jungs diskutierten. Auch ohne dass ich darin vorkam, hatte ich schon genug Klatsch und Tratsch über Flynn erfahren. Keine Ahnung, wie ich das überleben sollte, wenn sie jemals herausfanden, dass die unschuldige kleine Rochelle mit dem Bad-Ass Flynn rumgemacht hatte.

Das wäre verdammt noch mal ungefähr so unfassbar, als würde ich behaupten, ich wäre losgezogen und hätte mir ein Motorrad gekauft.

17

Viel zu rasch war es schon Mitte Mai.

Als wäre ich mit allem, was in meinem Leben vor sich ging, nicht schon beschäftigt genug – von den Abschlussprüfungen gar nicht zu reden –, musste ich auch noch vor der Schülervertretung Rede und Antwort stehen.

»Tja, der Summer Dance steht Anfang Juni an«, verkündete Tyrone.

»Was? Das lässt uns ja kaum Zeit zur Vorbereitung!«, protestierte jemand lautstark.

Tyrone hob abwehrend die Hände und alle verstummten. »Sorry, ich habe das Datum nicht ausgesucht. Aber es war das einzige, an dem wir den Ballsaal im Royale bekommen konnten.«

»Du hast das Royale für uns gekriegt?« Kaitlin quietschte vor Aufregung und sprach damit den meisten von uns Mädchen aus der Seele. Das Royale war ein total extravagantes Hotel mit ganz viel Weiß und Gold und Marmor.

Tyrone nickte. »Yup. Das Budget hat es hergegeben, aber wir sind entsprechend knapp, was Deko und Band angeht. Außer wir setzen die Tickets preislich ein bisschen höher.«

»Also, das könnten wir doch machen«, sagte ich. »Schließlich ist es das Royale. Da wird es keinen stören, für den Eintritt ein bisschen mehr zu bezahlen.«

»Stimmt«, sagte er und alle nickten zustimmend. »Aber jedenfalls müssten wir Essen, eine Band, die Tickets und –«

»Wir brauchen ein Thema«, unterbrach ihn eines der Mädchen und stützte sich mit beiden Händen auf den Tisch.

Faith zappelte auf ihrem Stuhl herum. »Wir sollten unbedingt so was wie Mittelalter nehmen! Ich hab die Show mit Mittelalter-Motto gesehen, und die war episch!«

»Nein«, sagten die Jungs fast im Chor. Ich musste über Lees entsetztes Gesicht kichern.

»Wie wär's mit Schwarzweiß?«

»Das ist nicht gerade sommerlich.«

»Vintage? So was wie Sixties? Oder, nein – wir nehmen Roaring Twenties! Dann kommen die Jungs wie Gangster in auffälligen Anzügen und wir in diesen – ach, wie hießen die noch mal? – Flapper-Kleidern. Das wäre so cool«, schlug Bridget begeistert vor.

»Äh, nein«, bremste jemand anderes sofort.

»Kann ich eine Kanone mitbringen«, scherzte Tony, »wenn ich als Al Capone komme?«

»Das würde bestimmt super funktionieren«, sagte einer der Jungs sarkastisch. Das war Max aus meinem Englischkurs. »Prohibition? Bei einem Schulball? Weil da bestimmt keiner versucht, Alkohol reinzuschmuggeln und dann gleich rausfliegt.«

»Tja, wir könnten auch einen Maskenball –«

»Yeah! O mein Gott, ja! Das ist episch!«

Ich ließ stöhnend den Kopf auf die Tischplatte knallen, bevor ich mich wieder aufrichtete. »Ach, kommt! Findet ihr nicht, dass das schon so was von ausgelutscht ist? *Jeder* macht inzwischen einen Maskenball. Das sieht man sogar schon überall im Fernsehen. Es muss doch auch noch was anderes geben …«

»Wir hatten schon das blöde Hollywood-Motto oder wie zum Teufel ihr es beim Winterball genannt habt«, knurrte Eric. »Maskenball wäre wenigstens irgendwie cool.«

»Aber das gab es schon so oft!«

»Finde ich auch«, sagte Lee.

»Natürlich findest du das«, hörte ich Tyrone mit einem Kopfnicken in unsere Richtung murmeln.

»Hey, wir könnten doch auch einen Mini-Jahrmarkt machen«, meint Lily mit glitzernden Augen. »Ihr wisst schon, mit Wahrsagerin, Zuckerwatte … und wieder einer Kissing Booth.«

»Wenn Elle die macht, bin ich total dafür«, meinte Tony aus der Zwölften grinsend und zwinkerte mir zu. Ich rollte mit den Augen und hoffte, nicht rot zu werden. Das war jetzt schon so lange her, und sie kamen mir immer noch damit, dass ich in der Kissing Booth mit Flynn geknutscht hatte.

»Nein, das machen wir nicht«, sagte Lee und klang dabei so sehr wie Noah, dass ich zweimal hinsehen musste.

»Also«, sagte Tyrone, der offenbar langsam die Geduld verlor, »dann sind alle für den Maskenball?«

Alle außer mir und Lee hoben die Hände.

»Dann ist das fix. Lee, Elle, kann ich wegen der Plakate und Tickets auf euch zählen?«

»Klar«, seufzten wir im Chor. Während Tyrone uns praktisch diktierte, was wir zu machen hatten, ohne uns ein besonderes Design vorzugeben, teilten die anderen die restlichen Aufgaben unter sich auf.

Damit das jetzt nicht falsch ankommt – ich freute mich echt auf den Sommerball. Das würde großartig – vor allem mit dem Royale als Location. Nur die Aussicht, mir einen Begleiter organisieren zu müssen, fand ich schrecklich.

Bälle an unserer Schule wurden immer für die Elften und Zwölften veranstaltet. Winter und Summer Dance waren hier wichtige Events. Im Winter war ich einfach mit Lee als Freund gegangen, weil er damals gerade keine feste Freundin hatte.

Aber jetzt würde er Rachel fragen.

Und das bedeutete, er würde nicht mit mir gehen – also musste ich mir ein Date besorgen. Alleine würde ich auf keinen Fall gehen.

Also …

Mit wem sollte ich hingehen?

Ich wusste schon, mit wem ich am liebsten gehen würde. Aber die Gerüchte und der Klatsch würden sich wie ein Virus verbreiten, wenn ich auf dem Ball mit Noah Flynn auftauchte … allein der Gedanke daran verursachte mir schon Übelkeit.

Und ich konnte das ja wohl kaum tun, ohne vorher Lee alles zu erklären: Er würde mich hassen, wenn ich ihn vor vollendete Tatsachen stellte. Aber wann hätte ich Gelegenheit, mit ihm darüber zu reden? Und wann würde ich den Mut dafür aufbringen?

Dank Noah standen die Jungs bestimmt nicht Schlange, um mich zu fragen.

Einen Vorteil gab es – wenn ich allein auf einem Maskenball auftauchte, würde mich vielleicht keiner erkennen?

Ich klammerte mich an die verrückte Hoffnung, dass Noah mich einladen würde. Während ich noch überlegte, wie ich ein paar dezente Hinweise unterbringen könnte, ergab sich einige Tage später die Gelegenheit dazu.

Wir entwarfen gerade ein paar Entwürfe für Plakate und Eintrittskarten auf Lees Computer, als sein Handy klingelte.

»Hey, Dixon … Was? Dein Ernst? O Mann! Ich bin gleich da!«

Lee sprang auf, schnappte sich seine Sneakers und machte ein Gesicht wie ein Fünfjähriger am Weihnachtsmorgen.

»Was ist los?«

»Er ist mit ein paar Jungs bei den Essensständen in der Mall, und rat mal, wer da ist? Und sich gerade Donuts kauft?«

»Äh …«

»Matt Cain. Von den San Francisco Giants. Der Baseballspieler? Der Pitcher?«

»Oh, stimmt. Cool. Dann bist du also weg.«

»Ja, verdammt!« Er lachte. »Hey, weißt du vielleicht, wo mein Baseball Cap ist?«

»Im Schrank«, sagte ich und zeigte darauf. Dann

wühlte ich in seiner chaotischen Schreibtischschublade, um einen wasserfesten Filzstift zu finden, den ich ihm nach hinten über meine Schulter hinhielt, bevor er aus dem Zimmer stürmte.

»Bis später!«, rief er und knallte auch schon die Haustür zu.

Ich musste lachen. Klar hatte ich schon von Matt Cain gehört, aber ich war kein großer Baseballfan. Es machte schon Spaß, es zu spielen oder sich anzusehen. Ich war mit Dad, Brad oder Lee schon bei ein paar Spielen gewesen. Aber ehrlich gesagt bevorzugte ich Football.

Vor allem wenn Noah mitspielte …

Am Freitag stand wieder ein Spiel an, erinnerte ich mich. Das Viertel- oder Halbfinale. Wahrscheinlich würde ich mit ein paar von den Jungs hingehen.

Jetzt speicherte ich erst mal, was wir bisher am Computer gemacht hatten, und stand auf, um nach Hause zu gehen. Lee würde eine Ewigkeit nicht zurückkommen und ich wollte nicht unbedingt allein hierbleiben.

Auf dem Weg hinaus drangen Geräusche aus der Garage an mein Ohr. Ich zog die Haustür hinter mir zu und ging ums Haus. Das Tor stand halb offen. Ich hörte Metall scheppern und das leichte Rauschen von Musik aus dem Radio.

Ich duckte mich unter dem Tor durch. »Noah?«, rief ich und sah mich in der leeren Garage um, obwohl ich wusste, dass das nur er sein konnte.

Es ratterte und plötzlich kam er, auf einem Skateboard liegend, unter seinem Auto hervor. Mit Ölflecken im Gesicht, auf Armen und T-Shirt und mit irgendeinem Werkzeug in der Hand.

»Oh, hey«, sagte er. »Ich glaube, ich habe Lee gerade wegfahren gehört.«

»Genau. In der Mall ist irgendein Baseballspieler, da musste er sofort hin. Wir haben an den Plakaten für den Ball gearbeitet.«

Noah stöhnte. »Ich hasse diese ganzen dämlichen Events zur Stärkung des Gemeinschaftsgefühls.«

»Das ist freiwillig, wie du weißt.«

»Klar, aber nicht unbedingt für das Footballteam«, murmelte er. »So wie bei den Festen. Es wird uns ›sehr empfohlen‹ hinzugehen, aber wir wissen alle, dass wir ein Spiel auf der Ersatzbank verbringen, wenn wir dort nicht aufkreuzen.«

Ich lachte. »Ich kann nicht glauben, dass sie das echt durchziehen.«

»Es geht an dieser verdammten Schule doch nur ums Image«, brummte er.

»Ist das der Grund, warum du da immer noch bist?«

Er grinste. »Hallo? Kennst du mich nicht? Perfekte Noten, super Footballspieler ... dafür wird über ein paar Raufereien hinweggesehen. Vor allem weil ich ja nie eine Schlägerei *anfange*.«

Ich konnte nur die Augen verdrehen.

»Gehen du und Lee dann wieder zusammen auf den Ball?«, fragte er und glitt wieder unter den Wagen. Ich machte mir nicht die Mühe zu fragen, was er da trieb, weil ich es sowieso nicht verstanden hätte.

»Nein. Er wird mit Rachel hingehen.«

Noah kam wieder hervorgerollt und sah mich besorgt an. »Mit wem gehst dann du hin?«

»Keine Ahnung«, gestand ich.

Sein Gesichtsausdruck verriet mir, dass er wahrscheinlich dem ersten Jungen, der mich fragen würde, eine Tracht Prügel androhen dürfte. Ich übersah das einfach absichtlich.

»Es wird übrigens ein Maskenball sein«, sagte ich.

»Ach ja?«

»Ja.«

Er nickte und verschwand wieder unter dem Auto. Das war eine Sache, die mich an Noah aufregte – meistens konnte ich nicht mal erraten, was er dachte. Im Gegensatz zu Lee. Wir beide konnten gegenseitig die Sätze des anderen zu Ende sprechen und genau sagen, was der andere gerade dachte. Okay, außer bei dieser Sache mit Noah. Das war wohl ein glücklicher Zufall … oder Lee hatte sich entschieden, alle Hinweise darauf, dass da was lief, zu ignorieren.

Aber Noah … Noah war wie ein Zauberwürfel. Ein unmögliches Puzzle, das ich aber auch noch nicht aufgeben wollte, weil es einfach zu verlockend war.

»Also, falls dich jemand einlädt, sagst du Nein.«

»Wie bitte?«

»Ich will nicht, dass du mit irgendeinem Idiot da hingehst, der dann was bei dir versucht, verstanden?« Seine Stimme war wegen der Musik und den metallischen Geräuschen etwas schwer zu verstehen, aber den Kommandoton hörte ich sehr deutlich. »Wenn jemand wie dieser Dixon dich – *nur als guter Freund* – fragt, dann, na gut, wenn du willst, sagst du Ja, aber –«

»Du kannst mir nicht vorschreiben, mit wem ich gehen kann und mit wem nicht«, protestierte ich. Ich hatte gewusst, dass er so reagieren würde, aber dass er einfach *erwartete*, ich würde akzeptieren, was er sagte, machte mich wütend.

»Elle –«

»Ich werde mit wem auch immer ich mir aussuche auf den Ball gehen – *verstanden*? Und zwar egal, ob derjenige das nur als guter Freund will oder nicht.«

Noah kam wieder hervor, stand auf und legte seinen Schraubenschlüssel weg. »Hör mal, Elle. Ich versuche hier auf dich aufzupassen, und du machst es mir nicht leicht. Das ist ein Ball – da sind Jungs darauf aus, was zu probieren. Ich meine, sieh dir doch an, was auf der letzten Party passiert ist. Und wenn es noch dazu ein Maskenball ist und die Chance besteht, nicht erwischt zu werden, wenn man sich einen Kuss erschleicht, werden sie genau das versuchen.«

Na schön, vielleicht hatte er recht, was den Aspekt mit dem Maskenball betraf. Aber sonst?

»Nicht jeder ist so ein Dreckskerl, Noah.«

»Aber verdammt viele Jungs.«

»Vielleicht ist mir das egal«, gab ich schnippisch zurück. Das war es in Wirklichkeit nicht, aber ich würde Noah nicht zustimmen, ohne vorher einen Streit anzuzetteln. Selbst wenn er in der Sache recht hatte. »Vielleicht will ich ja, dass irgendein Junge mich bei einem langsamen Tanz küsst.«

»Das ist *mir* aber verdammt noch mal nicht egal«, erklärte er mir entschieden. Er stand jetzt ganz ruhig turmhoch vor mir. Ich hasste es, so viel kleiner zu sein als er, wenn ich versuchte, ihn niederzustarren.

»Warum? Warum kümmert dich das überhaupt?«, fauchte ich und meine Augen wurden schmal. Ich hatte zwar das Gefühl, die Antwort zu kennen, aber das spielte keine Rolle. Ich war sauer auf ihn. »Weil ich diesen langsamen Tanz mit dir für mich haben will«, erwiderte er.

Wahrscheinlich dachte er, diese kitschige Antwort würde mich milder stimmen – wo ich doch so eine Schwäche für Romantik hatte. Und irgendwie tat sie das auch. Denn als er mich dann küsste, erwiderte ich den Kuss. Mit Herzklopfen und Sternschnuppen überall in mir drin.

»Ich hasse dich«, murmelte ich lächelnd gegen seine Lippen.

»Ich weiß«, sagte er, und ich spürte, dass er auch lächelte.

Die Heimlichtuerei mit Noah, die Aufregung, weil wir vielleicht ertappt würden, machte das Ganze so aufregend. Ich wusste, dass wir auf diese Weise nicht ewig weitermachen konnten, aber ich würde es auf alle Fälle genießen, solange es dauerte.

»Hast du das ernst gemeint?«, fragte ich atemlos nach ein paar Minuten. »Das mit dem langsamen Tanz?«

Er nickte. »Klar. Habe ich. Um genau zu sein, will ich den ganzen Abend.«

»Ach, willst du? Auf einmal?«

»Yep.« Er küsste mich rasch noch mal.

»Fragst du mich also offiziell, ob ich mit dir auf den Ball gehe?«

»Nicht ganz«, meinte er lachend und küsste mich wieder. »Aber fast.«

»Ich nehme, was ich kriegen kann.«

Er küsste mich ein letztes Mal, bevor er sich wieder

der Reparatur seines Autos widmete. Mein Blick fiel auf mein eigenes Spiegelbild in der glänzenden Fensterscheibe und ich konnte undeutlich erkennen, dass ich Ölflecken im Gesicht und am Hals hatte. Die sollte ich besser loswerden, bevor ich nach Hause ging.

»Das ist es«, sagte ich leise und strahlte übers ganze Gesicht. »Das ist das Richtige.«

»Das hast du bei den letzten fünf Kleidern auch schon gesagt«, beschwerte Lee sich. Er klang irgendwie wie Brad, wenn er zum Abendessen Gemüse aufgetischt bekam.

»Ja, aber diesmal bin ich mir sicher.«

»Wie sicher? Das warst du dir bei den anderen auch schon. Mir hat das Pinkfarbene gefallen.«

»Aber nur, weil da meine Brüste praktisch rausgekullert sind.« Ich verdrehte im Spiegel die Augen und Lee lachte. »Kannst du dir vorstellen, was dein Bruder sagt, wenn ich das trage?«

»Der würde die Finger nicht von dir lassen können.« Eine Sekunde lang klang er so ernst, dass mir ganz flau wurde und ich panisch die Augen aufriss. Doch dann lachte er. »Oder er würde mit einem Stock neben dir stehen, um all die Jungs zu vertreiben. Bist du dir mit diesem hier jetzt sicher?«

Ich nickte grinsend. »Absolut.«

»Was kostet es?«

»Es ist reduziert. Sechzig.«

Lee nickte. »Cool.«

Ich strich den Rock glatt und bewunderte mich im Spiegel. Die Farbe des Kleids war ein dunkles Apfelgrün und es reichte mir gerade bis ans Knie. Der Rock war weit und schwingend, wenn ich mich bewegte. Es war komplett rückenfrei, bis hinunter zur Hüfte. Die Träger kreuzten sich hinten im Nacken und das V-förmige Dekolleté war nicht besonders tief. Winzige silberne Perlen säumten den Ausschnitt und glitzerten, wenn Licht darauf fiel. Ich liebte dieses Kleid.

»Bist du dir ganz sicher, dass es das Richtige ist?«, fragte Lee noch mal nach.

»Yeah«, sagte ich. »Es sieht doch gut aus, oder? Bevor ich es kaufe.«

»Ja, Shelly, du siehst darin wunderschön aus.«

»Das hast du auch bei dem Blauen gesagt. Und bei dem Schwarzen.«

»Tja, weil du in allen hübsch ausgesehen hast«, sagte er so aufrichtig, dass ich lachen musste. Lee war bei solchen Anlässen fantastisch. Er sagte mir seine ehrliche Meinung – nicht nur »Du siehst toll aus« und »Nein, du siehst überhaupt nicht fett aus«. Er hatte kein Problem damit, mich sofort darauf hinzuweisen, wenn mein Hintern groß oder meine Beine wie Stummel wirkten.

Ich kehrte in die Umkleide zurück, um wieder in Shorts und Shirt zu schlüpfen.

Ich mochte mein Kleid richtig gern. Lee hatte schon einen Smoking, noch von dem Ball im Winter. Jungs hatten es gut. Ich hätte auf keinen Fall das langärmelige blaue Kleid, das ich letzten Winter im Sale ergattert hatte, noch einmal anziehen können, ohne dass es aufgefallen wäre. Außerdem war es viel zu warm. Mädchen hatten es einfach deutlich schwerer!

Schuhe sollte ich mir auch gleich hier in der Mall

besorgen. Doch das würde einfach werden, dachte ich, als wir den Laden verließen. Ich hatte in der Nähe schon silberne hochhackige Schuhe gesehen. Dann brauchten wir nur noch Masken.

O Mann.

»Was?«, fragte Lee, als ich aufstöhnte. »Was ist jetzt wieder?«

»Wir brauchen Masken.«

»Was Sie nicht sagen, Sherlock!«, keuchte er dramatisch.

Ich gab ihm mit meiner freien Hand einen Klaps. »Danke, Sergeant Sarkasmus. Aber wir brauchen Masken, die zu unseren Outfits passen. Was bedeutet, du brauchst eine violette, die zu deiner Fliege passt, und ich verdammt noch mal eine apfelgrüne zu meinem Kleid ... Oder, nein, oh, vielleicht könnte ich auch eine silberne nehmen ...«

»Du hättest doch das pinkfarbene Kleid nehmen sollen«, sagte Lee mit Singsang-Stimme.

»Ach, sei still.«

Wir fanden tatsächlich ein elegantes Modegeschäft, das im hinteren Teil eine kleine Auswahl an Masken anbot. Lee griff sofort nach einer großen Vogelmaske mit riesigem Schnabel und grünen Federn und hielt sie mir vors Gesicht.

»Wie ist die?«

»Ach, werd erwachsen.« Aber ich musste auch lachen. Direkt vor mir hing ein Spiegel und die Maske sah zum Totlachen aus.

Wir nahmen das Ganze nicht wirklich ernst. Lee wollte sich eine violette Horrormaske kaufen, irgendwas Zombie-Artiges. Ich entdeckte noch eine, die einen beschädigten Cyborg darstellte und wegen der silbrigen Farbe mehr oder weniger zu meinem Kleid gepasst hätte.

Nachdem die Managerin des Ladens uns ein paarmal scharf verwarnt hatte, trafen wir schließlich eine vernünftige Wahl.

Lee entdeckte eine violette Maske, die nur seine Augen verdeckte und nach Superhelden-Style aussah. Die war ziemlich cool. Meine Maske war ein bisschen kunstvoller und bedeckte mein Gesicht bis zur Nase. Die Farbe entsprach fast exakt der meines Kleids, sie war nur einen Ton dunkler. Außerdem war sie mit silbernen Perlen und Pailletten verziert. Perfekt – wenn auch etwas zu teuer. Aber nachdem das Kleid im Preis reduziert gewesen war, konnte ich es mir leisten, für die Maske ein bisschen mehr zu zahlen.

»Jetzt brauchst du nur noch ein Date und bist bereit«, sagte Lee.

Ich blieb abrupt stehen und stöhnte erneut auf. »Verdammt.«

Wie sollte ich erklären, dass ich mit Noah auftauchte? Jemand würde mich oder Flynn mit Sicherheit erkennen … Vor allem Lee. Lee ganz bestimmt.

Ich war geliefert.

Da musste ich mir eine wirklich gute Ausrede einfallen lassen.

Oder, weißt du, du könntest ihm auch einfach die Wahrheit sagen …

Seufzend schüttelte ich den Kopf. »Vergiss es.«

»Du hast doch noch eine ganze Woche«, sagte er

fröhlich. »Das ist doch reichlich Zeit, damit einer der Jungs dich fragen –«

»Es haben mich schon Jungs gefragt«, sagte ich. »Drei. Ich habe mitgezählt. Du ja auch. Aber Noah hat abgelehnt, noch bevor ich Gelegenheit hatte zu antworten. Es ist einfach immer da. Steht in den unpassendsten Momenten hinter mir, das schwör ich dir.«

Lee lachte. Dann meinte er: »Hey, vielleicht könntest du mit Noah gehen!«

Ich sah ihn direkt an und hoffte, dass er meinen rasenden Puls nicht bemerkte. Doch sein Lächeln war dermaßen unschuldig und sein Gesicht dermaßen offen, dass ich sofort begriff, dass er nicht den geringsten Verdacht schöpfte. »Warum?«

»Weil er auch kein Date haben wird und dich keins haben lässt. Dann macht doch einfach das Beste daraus, dass ihr beide allein seid.«

Ich rollte mit den Augen. Aber eigentlich … vielleicht würde ich das als Begründung nutzen. Wenn Lee sich das dabei denken würde, wenn wir zusammen auftauchten … dann … warum nicht?

Oder du könntest ihm die Wahrheit sagen.

Wenn Lee anderen Leuten erzählen würde, dass wir das so machten, würden die ihm alle glauben.

Oder du könntest. Ihm. Einfach. Die Wahrheit. Sagen!

Das würde ich mir überlegen. Es schien mir eine ziemlich gute Idee zu sein.

Lee zuckelte mit mir mit, während ich mir noch Schuhe kaufte. Und dann gingen wir zur Fressmeile und gönnten uns riesige Eisportionen und Limos.

»Ich kann gar nicht glauben, dass der Ball schon in einer Woche ist«, sagte er.

»Hey, und nur noch zwei Wochen und ein paar Tage bis zu unserem Geburtstag!«, rief ich.

»Stimmt!« Er grinste. »Weißt du schon, was du kriegst?«

»Ich glaube, ein Auto, aber ich weiß nicht genau. Mein Dad verrät mir nichts.«

»Dann wird es eine Überraschung, aber auch wieder keine Überraschung?«

»So ungefähr.« Ich lachte. »Ich habe die ganzen Autoprospekte gesehen, die er nicht wirklich gut versteckt hat. Und du?«

»Nichts Besonderes.« Er zuckte, den Mund voll Eis, mit den Schultern. »Ich schätze, vielleicht ein neuer Computer – wenn ich was von meinem Ersparten dazutue. Mein alter ist inzwischen schon ziemlich alt. Außerdem langsam – und damit meine ich, langsamer als die Computer in der Bibliothek.«

»Ich weiß. Darüber hast du dich ja schon oft genug beschwert. Ich glaube, du hast einen Virus drauf, seit du gegen diese Typen aus Holland online Autorennen spielst.«

»Hey, das Spiel ist wirklich geil.«

»Du verstehst doch nicht mal, was da los ist. Es ist alles auf *Niederländisch*.«

»Na und?«

Ich lachte, aber es kam mir halbherzig vor und klang auch so. »Okay.«

»Na gut, Shelly«, sagte er und legte seinen Löffel weg. Alle wussten, wenn Lee das Essen unterbrach, wurde es ernst. Daher hatte er sofort meine komplette Aufmerksamkeit. »Was ist los?«

»Hä?«

»Komm mir nicht mit ›Hä?‹. Irgendwas beschäftigt dich doch. Sagst du mir jetzt, was es ist?«

»Ehrlich. Mach dir keine Sorgen. Es ist nichts.«

»Es ist wegen Noah, stimmt's?«

Ich musste schlucken, weil ich fürchtete, er habe mich durchschaut. Das Ganze lief jetzt seit fast zwei Monaten. Ich hatte inzwischen sowieso schon Zweifel daran, dass wir mit unserer Heimlichtuerei so viel Glück haben konnten.

Aber er war mir vorher kein bisschen misstrauisch vorgekommen ... Also wovon redete er jetzt?

Ich konnte nichts anderes denken als *Hä?*

»Ich wusste es.«

»Lee, es ist – du sollst nicht ...«, stammelte ich hilflos und total durcheinander. Meine Handflächen waren klamm und mir war ganz schlecht. Plötzlich sah mein Karamelleis mit Erdbeeren überhaupt nicht mehr so appetitlich aus.

»Lass dir von ihm nicht so zusetzen, Elle«, sagte er sanft, legte seine Hand auf meine und lächelte mich lieb und tröstend an. »Er passt ja nur auf dich auf. Ich weiß, das ist etwas zu extrem, aber ... lass es einfach über dich ergehen, ja? Es sind nur noch ein paar Wochen, dann ist er fertig mit der Schule. Nächstes Jahr wird es dann bestimmt nicht so schlimm. Und er will doch nur verhindern, dass jemand dich verletzt.«

Mir fehlten die Worte.

Er wusste nicht, dass ich mich heimlich mit Noah getroffen hatte. Er wusste nicht, dass da etwas zwischen mir und seinem Bruder war. Er dachte, ich machte mir Sorgen, weil Noah so überbehütend war und mir kein Date für den Sommerball gönnte.

Ich wusste nicht, ob ich dankbar und erleichtert oder außer mir vor schlechtem Gewissen sein sollte. Es war eine seltsame Mischung aus beidem.

Gezwungen lächelte ich Lee an. Er war manchmal einfach so süß. »Danke«, murmelte ich. »Und ja, du hast recht. Ich hatte ganz vergessen, dass Noah im September aufs College geht. Weißt du schon, wohin?«

Lee schüttelte langsam den Kopf. »Ich weiß, dass er nach San Diego wollte, aber ich glaube, er hat sich noch nicht entschieden. Er hat sich auch an ein paar Ivy-League-Colleges beworben.«

»Ach ja?«

Lee nickte und fing wieder an, Eis in sich reinzuschaufeln.

»Ja, das wird komisch sein, wenn er nicht mehr dauernd da ist.«

»Ich weiß, was du meinst. Aber wenigstens wird es ein bisschen ruhiger zugehen. Und ich werde dann offiziell der heißeste Typ an der Schule sein«, fügte Lee mit einem eingebildeten Grinsen hinzu, das dem seines Bruders seltsam ähnlich war. Die beiden hatten schon einige Gemeinsamkeiten: sie waren dunkelhaarig, hatten strahlend blaue Augen und jeder ein markantes Kinn. Ihre Nasen waren ähnlich, bis Noah sich seine brach. Allerdings war Noah ein Stück größer und deutlich muskulöser. Nicht dass Lee schlecht aussah – ein paar Sommer im Fitnessstudio und das viele Schwimmen hatten ihre Wirkung nicht verfehlt.

Ich lachte. »Träum weiter, Lee.«

»Nur weil du in meinen Bruder verknallt bist …«, zog er mich auf.

»Halt die Klappe! Bin ich gar nicht!«

Er lachte wieder und nahm noch einen Riesenlöffel von seinem Eis. Ich verdrehte die Augen und widmete mich meinem Erdbeer-Karamell-Becher.

Aber insgeheim dachte ich immer noch darüber nach, dass Noah weg- und aufs College gehen würde.

Irgendwie wünschte ich mir, dass er in der Nähe seines Zuhauses bleiben würde. Ich wollte nicht daran denken, dass er nicht mehr da sein könnte. Das würde ganz eigenartig sein. Und seine Küsse würden mir definitiv fehlen …

Mir wurde aber auch bewusst, dass ich das normale Abhängen mit ihm vermissen würde.

Doch es gab noch eine andere Stimme in mir, die sagte, es wäre gut, wenn er ein College weiter weg besuchen würde. Dann konnte ich an der Schule einen Neuanfang machen, ohne dass er jedem Jungen drohte, der sich vielleicht mal mit mir verabreden wollte. Seit der Katastrophe mit Cody hatte ich noch kein anderes echtes Date gehabt. Wenn man die heimlichen mit Noah nicht zählte.

Ich seufzte. Mein Leben wurde immer komplizierter.

18

»Also, ähm ...« Warren lehnte an den Spinden neben meinem.

»Ja?«, hakte ich nach.

»Hast du schon einen Partner für den Ball?«

Ich schüttelte den Kopf. »Noah hat sie alle abgeschreckt.«

Er lachte nervös. »Ja, stimmt ... Also, ich ... Möchtest du vielleicht mit mir hingehen?«

»Nur als gute Freunde oder ...?«

»Ich dachte eigentlich eher an ein Date als an Freundschaft«, gab er zu und wich dabei meinem Blick aus.

Ich lächelte ihn aufmunternd an und fragte mich, wie nervös er wohl war. Normalerweise machte er einen ziemlich selbstbewussten Eindruck.

»Ich weiß nicht, Warren ...«

»Tja, wir könnten ja immer noch als gute Freunde gehen, oder?«

»Wie wär's denn damit: Wenn du nicht noch ein Mädchen findest, das kein Date hat, gehe ich mit dir? Wobei ich mir sicher bin, dass es viele Mädchen gibt, die gerne mit dir gehen würden.« Ich lächelte wieder.

Er sah ein bisschen enttäuscht aus, lächelte aber zurück. »Ich nehme dich beim Wort.«

»Okay.« Ich lachte. »Viel Glück.«

»Das werde ich brauchen«, sagte er. »Alle haben sich total beeilt, sich ein Date zu sichern, sobald die Plakate hingen. Es ist ja nur noch eine knappe Woche bis dahin.«

»Ich weiß. Total irre. Ich habe mein Kleid auch erst seit Samstag.«

»Echt?«

Ich nickte.

»Na ja, dann will ich mich mal bemühen, mir auch ein Date zu besorgen. Man sieht sich, Elle.«

Ich schloss meinen Spind und drehte mich um. Als ich Thomas bemerkte, der direkt hinter mir stand, schrak ich zusammen. Er lächelte mich an – obwohl, genau genommen grinste er. »Hey, Elle.«

»Äh, hi …« Ich wollte davonstürmen oder ihm sagen, er solle verschwinden. Aber irgendwie fehlte mir der Mut dazu. Da fiel mir ein, was Noah wohl damit gemeint hatte, dass ich zu nett sei. Vermutlich genau so eine Situation wie diese.

»Also, warum hast du ihm einen Korb gegeben?«, fragte er und deutete mit dem Kopf in Warrens Richtung.

»Das geht dich gar nichts an«, erwiderte ich schnippisch. »Und jetzt entschuldige mich …« Ich versuchte, um ihn herum zu gehen, aber er versperrte mir den Weg. Ich probierte es auf der anderen Seite, aber er war schneller. Gerade als ich den Kopf heben und ihn böse ansehen wollte, kam er einen Schritt auf mich zu und drängte mich gegen den Spind.

»Was sagst du dann dazu, mit mir zu gehen?«

»Nein, danke.«

»Ach, komm schon, Elle, warum denn nicht?«, fragte er und sah dabei immer noch fies und arrogant aus. »Du hast kein Date und ich auch nicht. Warum also nicht?«

»Weil ich nicht mir dir hingehen *will*. Verstanden?«

Er wollte gerade darauf antworten, als ihn jemand seitwärts gegen die Spinde stieß, sodass ich mit klopfendem Herzen heftig zusammenfuhr.

»Verzieh dich«, zischte Noah drohend.

Thomas machte ein böses Gesicht und stieß Noah weg. Dann marschierte er davon. Bevor ich auch nur ein Wort sagen konnte, packte Noah meine Hand und zog mich mit sich.

»Wo gehen wir hin?«

Er zog mich in eines der kleinen Studierzimmer mit Computern, Bücherregalen, Sofas und einer alten, kaputten Kaffeemaschine. Die Tür machte er hinter uns zu, und zum Glück (oder auch nicht) war der Raum leer. Es klingelte in dem Moment, was bedeutete, dass wir eigentlich schnellstens zu unserem nächsten Kurs sollten. Ich hatte eine Freistunde, aber das spielte keine Rolle. Keiner von uns rührte sich.

»Der wievielte Kerl war das heute schon? Der vierte? Oder der fünfte?«

Ich schnaubte. »Der zweite, um genau zu sein. Und Warren zählt nicht wirklich. Also der erste.«

»Siehst du jetzt, was ich gemeint habe?«

Ich rollte mit den Augen.

»Ich habe gehört, wie du von einem Kleid erzählt hast«, fuhr er fort. »Wie sieht es aus?«

»Es ist winzig, tief dekolletiert und extrem eng«, sagte ich spitz. Er zog eine Augenbraue hoch und ich seufzte. »Es geht bis ans Knie und ist grün. Der Rock ist weitschwingend und es ist richtig hübsch.«

Er nickte. »Klingt so. Ich bin mir sicher, du wirst darin toll aussehen.« Dann senkte er die Stimme. »Und, äh, weil wir wirklich schon spät dran sind …«

Er kam ein paar Schritte näher. Ich lächelte und stellte mich auf Zehenspitzen, damit ich ihn küssen konnte. Ich wusste, dass ich eigentlich schleunigst verschwinden sollte – aber ich wollte einfach nicht. Er schlang die Arme um meine Taille und hielt mich fest. Ich spürte seine Wärme und lächelte gegen seine Lippen.

»Hey, Elle? Noah? Seid ihr –« Lees Stimme erstarb.

Ich machte einen Satz von Noah weg, stolperte dabei über meine eigenen Füße und hatte Mühe, wieder ins Gleichgewicht zu finden. Mein ganzer Körper schien aus Wackelpudding zu bestehen und auch das Atmen fiel mir schwer. Ich warf einen schnellen Blick zu Noah, der reglos dastand und seinen Bruder mit undefinierbarem Blick anstarrte.

Der Lärm der letzten Nachzügler draußen, die sich zu ihren Kursen beeilten, ebbte ab, bis wir drei in absoluter Stille dastanden.

Lee schloss den Mund, der die ganze Zeit offen gestanden hatte. Er holte hörbar Luft, als ob er etwas sagen wollte, nur kamen keine Worte.

Ich war auch sprachlos. Er *musste* es verstehen – ihn zu verlieren, war unvorstellbar. Niemals hätte er es auf diese Weise erfahren dürfen. Jetzt würde er mich auf ewig hassen. Ich musste irgendetwas sagen.

Aber mir fiel nichts ein, was die Sache nicht nur noch schlimmer gemacht hätte.

Ich sah Noah an, der mit einem kaum wahrnehmbaren Achselzucken reagierte. Er hatte genauso wenig wie ich eine Ahnung, wie man das hier in Ordnung bringen konnte.

»Noah?«, würgte Lee schließlich hervor, während er mich nicht aus den Augen ließ. Sein Blick war nicht nur traurig oder wütend, sondern verstört. »Noah? Bitte, Shelly, sag mir, dass es nicht ist, wonach es aussieht. Sag mir sofort, dass es dafür eine vernünftige Erklärung gibt.«

»Ich … Lee, ich … du musst mir glauben, dass ich nicht … wir –«

»Rochelle«, sagte Lee mit gepresster Stimme, »sag mir, dass das hier nicht ist, wonach es aussieht.« Hoffnungsvoll bohrte sich sein Blick in meine Augen. Ich wusste, dass er keine Sekunde lang an diesen Funken Hoffnung glaubte. Nicht wirklich. Jetzt kam er mit schweren, schleppenden Schritten auf mich zu, blieb aber ein Stück von mir entfernt stehen, als halte ihn etwas zurück. Das nächste Wort aus seinem Mund war ein verzweifeltes Flehen, das mir echt das Herz brach.

»Bitte.«

Und ich hatte nur eine Antwort, die ihn mit Sicherheit noch mehr verletzen würde.

»Es tut mir leid, Lee. Es tut mir so leid …« Ich versuchte, seine Hand zu nehmen, ihm mit meinen Augen zu sagen, dass ich mir genau das hier nie gewünscht hatte. Aber er wich zurück, als würde er physisch von mir abgestoßen. Tränen traten mir in die Augen und ich spürte einen Kloß im Hals. Ich würde mir nicht erlauben zu heulen, denn das fand Lee möglicherweise erst recht erbärmlich.

»Bitte, Lee, es ist nicht so … dass ich …«

»Nicht so, dass du was?«, fauchte er, aber egal wie wütend er zu klingen versuchte, ich hörte den Schmerz über den Verrat ganz deutlich. »Mich angelogen hättest, um mit meinem Bruder zu vögeln?«

»Lee!«

»Wann genau hattest du eigentlich vor, mir davon zu erzählen? Oder hast du gedacht, du könntest es für immer vor mir verheimlichen? Denkst du, ich hätte die sogenannten ›Verbrennungen vom Lockenstab‹« – er benutzte meine Ausrede mit sarkastischem Unterton – »oder deine Nervosität, wenn du eine SMS bekamst, nicht bemerkt? Glaubst du, ich hätte nicht mitgekriegt, dass da irgendwas im Busch war?«

»Ich … ich habe nicht …« Ich holte tief Luft und versuchte, meine Gedanken zu ordnen. »Wenn du es wusstest, warum hast du dann nichts gesagt?«

»Weil ich darauf gewartet habe, dass du es mir von dir aus sagst, Elle!«, schrie er. »Wir sind schon unser ganzes Leben lang beste Freunde, und du hast ein solches Geheimnis vor mir! Dabei haben wir uns immer alles erzählt. Ich dachte mir, was immer es sein mag, du musst einen guten Grund haben, es mir nicht zu sagen, aber irgendwann würdest du es tun.«

Bevor mir darauf irgendeine Antwort einfiel, lachte er verbittert auf. »Und das hier hast du vor mir verheimlicht. Du hast mich die ganze Zeit belogen. Und so lässt du es mich herausfinden.«

»Du solltest es nie auf diese Weise erfahren!«, platzte ich verzweifelt heraus. Er musste mir zuhören, musste verstehen – und musste mir verzeihen.

»Dann hättest du es mir eben gleich sagen müssen«, schnauzte er zurück.

Ich konnte mich nicht erinnern, wann Lee und ich uns das letzte Mal so richtig gestritten hatten. Es gab hin und wieder Zankereien, eben wie in jeder Beziehung. Aber nie so. Wir hatten einander nie angeschrien.

»Ach komm, Lee. Das ist doch nicht allein Elles Schuld«, mischte Noah sich in flapsigem, coolem Ton ein, woraufhin Lee und ich ein paar Sekunden gar nichts erwiderten. »Lass sie endlich in Ruhe. Du …«

»Du«, schnitt Lee ihm mit so viel Wut in der Stimme, dass es eher wie ein Knurren klang, das Wort ab. »Wage es bloß nicht, mich zu provozieren. Wie kannst du so ein Heuchler sein! Anderen Jungs vorschreiben, sie hätten sich von Elle fernzuhalten, um sie nicht zu verletzen – und dabei benutzt du sie selbst wie irgendein Flittchen, das du in einem Club aufgerissen hast!«

Der Muskel an Noahs Kinn begann zu zucken und ich sah, wie er die Hände zu Fäusten ballte. »Du hast doch keine Ahnung, wovon du da redest.«

»Wollt ihr beide mir vielleicht einreden, ihr hättet noch nicht miteinander geschlafen?« Lee zog die Augenbrauen hoch und schaute anklagend zwischen uns hin und her. Als keiner von uns antwortete, genügte ihm das als Beweis. Schnaufend raufte er sich die Haare. »Ich wusste es. Dann hast du also wirklich einfach mit meinem Bruder gevögelt. Und mich angelogen. Ihn – also irgendeinem Kerl – mir, deinem besten Freund, vorgezogen. Wenn ihr versucht hättet, mir klarzumachen, wie schrecklich verliebt ihr ineinander seid, dann hätte ich vielleicht anders darüber gedacht, aber –«

»Nein, Lee, so war es nicht, das schwör ich dir. Es ist nur ein einziges Mal passiert.«

Er schwieg einen Moment lang und fragte dann: »Wann?« Das hatte er so leise gesagt, dass ich kurz glaubte, ihn falsch verstanden zu haben. Wann es passiert war, konnte doch nicht der wichtigste Aspekt sein, oder?

»Wie bitte?«

»*Wann* ist es passiert?«, wiederholte er und sah mir direkt in die Augen. Ich musste den Blick abwenden, weil ich mich zu sehr schämte. »Rochelle.«

»Ungefähr vor zwei Monaten«, murmelte ich, den Blick immer noch gesenkt. »Nach Warrens Party.«

»Was? Also … gleich nachdem ihr beide früher von dort abgehauen seid?«

Ich nickte.

»Als sie betrunken war?«, brüllte Lee seinen Bruder an. »Du hast mit ihr geschlafen, als sie betrunken war? Nach dem ganzen Scheiß, den du verbreitet has–«

»Ich war nicht betrunken«, mischte ich mich aufgebracht ein. »So blöd bin ich auch wieder nicht.«

»Ach ja?«, gab Lee zurück. »Im Moment möchte ich das bezweifeln.«

In diesem Moment gab das, was Noah bisher zurückgehalten hatte, nach und er stürzte nach vorn, packte Lee am Kragen seines Poloshirts und stieß ihn heftig gegen die Wand. »Du glaubst echt, dass ich sie so behandle? Du denkst, ich habe keinen Respekt vor ihr?«

»Du hast sie dazu gebracht, mich monatelang anzulügen.«

»Das war ihre Entscheidung«, giftete Noah zurück und stieß seinen Bruder erneut gegen die Wand. Ich sah Lee an Noah vorbei zu mir blicken und konnte ihn nur traurig ansehen. Ja – das war meine Entscheidung gewesen.

Einen Moment lang kaute ich auf meiner Lippe und betrachtete argwöhnisch das Gesicht meines besten Freundes. Zum ersten Mal überhaupt hatte ich keine Ahnung, was er dachte. Sein Blick war finster, seine Miene unbewegt und seine Haltung reglos. Auf unheimliche Weise ähnelte er in diesem Moment seinem Bruder.

Aber anstatt auf mich zu reagieren, holte Lee mit der Faust aus und traf Noah genau am Kinn. Und zwar so fest, dass der seinen Griff lockerte und Lee ihn wegstoßen konnte.

Er sah mich ein letztes Mal an. Mit einem so unglaublich enttäuschten Gesichtsausdruck. Und dann war er auch schon aus dem Raum und stürmte den Flur hinunter.

Noah rieb sich das Kinn. »Gar kein schlechter Schlag.« Ich starrte ihn ungläubig an, bevor ich meine Fassung wiederfand. Dies war nicht der Zeitpunkt, um mit Noah zu diskutieren. Im Moment war es das Wichtigste, dafür zu sorgen, dass ich Lee nicht verlor.

Einen Sekundenbruchteil später rannte ich ihm auch schon nach, stürzte den Flur entlang, schrie seinen Namen und versuchte, ihn einzuholen, während er die Treppe hinunter und aus dem Gebäude Richtung Parkplatz lief. Ich hörte Noah mir nachlaufen, doch ich schenkte ihm keine Beachtung. Lee war jetzt das Einzige, was zählte.

»Lee, würdest du bitte mal für eine Sekunde stehen bleiben?«, brüllte ich und hielt mir vor Seitenstechen die Rippen. Ich war völlig außer Atem.

Lee war der wichtigste Mensch in meinem Leben. Bis auf die Sache mit Noah wusste er alles von mir. Er kannte sogar meine BH-Größe. Er wusste, dass ich den Jojoba-Geruch des Shampoos hasste, das er früher mal benutzt hatte. Verdammt, er wusste sogar, dass ich auf dem Hintern ein Geburtsmal in Form einer Erdbeere hatte. Er war meine andere Hälfte. Ich konnte ihn nicht verlieren. Wir waren dazu bestimmt, bis zum Tag unseres Todes beste Freunde zu bleiben – und wahrscheinlich würden wir sogar das gemeinsam durchstehen. Wir waren doch auch im Abstand von wenigen Minuten geboren.

Manche Leute behaupten, wenn man sich verliebt, dann verbringt man den Rest seines Lebens mit diesem Menschen. Dem Menschen, der deine tiefsten und dunkelsten Geheimnisse kennt und dich trotzdem liebt. Dem Menschen, der ganz genau weiß, was er sagen muss, damit du lachst, lächelst oder dich besser fühlst. Das wird dann die Person, ohne die du, komme, was da wolle, nicht leben kannst.

Mir hätte derjenige, in den ich mich verlieben würde, ehrlich gesagt nicht gleichgültiger sein können. Mich interessierte nur, dass ich Lee nicht verlor.

Der blieb jetzt endlich stehen. Mit dem Rücken zu mir. Ich konnte die Anspannung an seinen Muskeln erkennen. Außerdem keuchte auch er heftig. Gefühlte Äonen später drehte er sich zu mir um und sah mich an. Gerade als Noah angejoggt kam und hinter mir stehen blieb.

Lees Hände waren zu Fäusten geballt, zitterten aber trotzdem. Sein Kinn bebte und er kämpfte dagegen an loszuheulen.

»Bitte«, sagte ich leise. »Es ist nicht so, wie du denkst.«

»Wie zum Teufel ist es denn dann?«, fauchte er zurück. »Ich fasse es nicht, Elle. Du lügst mich monatelang an und hintergehst mich ausgerechnet mit meinem Bruder. Hast du irgendeine Ahnung, wie sich das anfühlt? Zu wissen, dass meine beste Freundin meinen Bruder mir vorzieht? Nur wegen Sex?«

»Das habe ich nicht – das wollte ich nicht, ich … ich habe ihn nicht vorgezogen. Nein, warte, ich meine, es … es war nicht wegen …« Ich schüttelte den Kopf und suchte panisch nach Worten, die Sinn ergaben. »Ich wusste nicht, was ich sonst tun sollte! Ich wusste, dass du so reagieren würdest, wenn ich es dir erzählt hätte. Aber ich … ich konnte es nicht … Ich dachte, so wäre es das Beste für dich, ich –«

»Weißt du was, Rochelle? Heb dir das für jemand auf, dem es am Arsch vorbeigeht.«

Damit stieg er in sein Auto, ließ den Motor an, fuhr aus der Parklücke und davon.

Ich war mir nicht sicher, ob er je zurückkommen würde.

19

Ich stand da und starrte auf den leeren Parkplatz, auf dem Lees Wagen gerade noch gestanden hatte. Das Aufheulen des Motors und das Quietschen der Reifen auf dem Asphalt hallten in meinen Ohren nach.

Dann kauerte ich mich auf dem Boden zusammen. Nur gab es niemand mehr, der mich aufgefangen hätte.

Noah trat langsam, vorsichtig hinter mich. Ich hörte seine Schritte und sein Schatten fiel über mich, aber ich blickte nicht zu ihm hoch. Das wäre einfach unerträglich gewesen.

Er blieb direkt hinter mir stehen. Mit steifen, widerspenstigen Gelenken richtete ich mich auf und klopfte mir den Staub ab.

Lee hatte mich verlassen. Er war mein bester Freund, mein Zwilling, meine andere Hälfte. Und er hatte mich verlassen.

Er hasste mich. Ich hatte alles kaputt gemacht.

Wenn ich es ihm doch bloß früher gesagt hätte. Wenn wir nur nicht so blöd gewesen wären, uns in der Schule zu küssen oder …

Oder wenn ich überhaupt nie etwas mit Noah angefangen hätte.

Seufzend fuhr ich mir mit den Fingern durch die Haare. Was, wenn Lee nie mehr mit mir reden würde? Was, wenn ich ihn verloren hatte, nicht nur für eine Weile, bis er sich wieder einkriegte, sondern für immer?

Noah legte sanft eine Hand auf meine Schulter. »Elle«, fing er leise an, aber ich schüttelte seine Hand ab und drehte mich weg.

Hätte es Noah und diese blöde Kissing Booth nicht gegeben, dann wäre nichts von alledem je passiert.

»Elle«, sagte er noch mal, als ich schon wegging.

»Lass mich einfach in Ruhe«, erklärte ich ihm. Meine Stimme klang besiegt, aber das entsprach nicht einmal annähernd dem, wie ich mich fühlte. Noah versuchte nicht, mir zu folgen. Allein kehrte ich in die Schule zurück.

Für den Rest des Tages konnte ich mich auf keinen einzigen meiner Kurse mehr konzentrieren. Lee ließ sich nicht blicken. Wenn jemand mich nach ihm fragte, sagte ich, er sei krank und nach Hause gefahren. Noah wich ich aus und versuchte ansonsten zu tun, als sei nichts.

Ich brachte Dixon dazu, mich nach Hause zu fahren, nachdem ich Noahs SMS und Sprachnachrichten ignoriert hatte.

»Ist bestimmt alles okay, Elle? Du siehst aus, als müsstest du gleich kotzen«, meinte Cam.

Dixon stieg sofort auf die Bremse. »Wenn du dich übergeben musst, dann bitte außerhalb des Autos.«

Ich schüttelte den Kopf und versuchte, es mit Lachen zu überspielen. »Ich werde mich nicht übergeben, keine Sorge. Ich … ich glaube, ich habe mir nur eingefangen, was Lee auch hat.«

»Was für eine Überraschung«, meinte Cam lachend. »Ihr beide könnt wohl nicht mal allein krank werden, was?«

»Anscheinend nicht«, nuschelte ich.

Zu Hause angekommen, sah ich Dads Wagen schon in der Einfahrt stehen. Ich hatte vergessen, dass Brads Fußballtraining heute ausfiel – an dem einzigen Tag, an dem ich wirklich gern allein gewesen wäre, dachte ich seufzend, als ich die Haustür öffnete.

»Elle? Bist du das?«, rief Dad aus der Küche.

»Ja. Hallo.« Ich ging zu ihm und lächelte. »Viel zu tun?«

Er nickte. »Das ganze Team versucht, bis Mittwoch einen Deal über die Bühne zu kriegen, deshalb ist es ziemlich stressig. Ich habe später, um halb sechs, noch eine Telefonkonferenz. Die sollte so ungefähr eine Stunde dauern. Kannst du Brad was zum Abendessen machen? Im Tiefkühler ist noch Lasagne.«

»Klar. Kein Problem.«

Ich machte uns beiden Kaffee und nahm meinen mit ins Wohnzimmer, um Dad in Ruhe weiterarbeiten zu lassen. Brad hatte sich auf dem Boden ausgebreitet. Sein Mathebuch und alle möglichen Blätter lagen um ihn verstreut. Aber ich hörte ganz schwach die blecherne Titelmelodie von Super Mario Bros., und er zuckte zusammen, als ich ins Zimmer kam.

»Gib sie mir«, befahl ich.

»Was denn? Meine Mathehausaufgabe? Hier, bitte schön. Wir nehmen gerade Winkel durch.«

Ich lachte ironisch. »Sehr witzig. Gib mir die Konsole.«

Mein Bruder starrte mich stur an. Dabei konnte ich die rote Plastikkonsole seines Nintendo DS in seiner Armbeuge sehen.

»Na gut«, sagte ich lässig, »dann muss ich dir heute zum Abendessen wohl noch ein bisschen Gemüse extra servieren. Ich glaube, Brokkoli.«

Seine Augen wurden schmal. »Das traust du dich nicht.«

»Lass es drauf ankommen.«

»Mann, na schön! Mein Gott, Elle, du bist so gemein!« Er schubste die Konsole auf dem Fußboden in meine Richtung und widmete sich seiner Mathehausaufgabe – mit der er, wie ich sah, noch nicht mal angefangen hatte. Ich ließ mich mit dem Gedichtband, den wir gerade in Englischer Literatur durchnahmen, und meinem Kaffee auf der Couch nieder und bemühte mich nach Kräften, mir keine Sorgen wegen Lee und Noah zu machen.

Aber auch der Versuch, Larkin zu analysieren, hinderte meine Gedanken nicht daran, abzuschweifen. Was würde passieren, wenn Noah nach Hause kam? Würden er und Lee sich prügeln?

Ich wollte nicht mit Noah reden. Alles, was ich brauchte, war Lee, und der würde nicht mal rangehen, wenn ich ihn anrief. Also hatte ich keine Möglichkeit zu erfahren, was bei den Flynn-Brüdern los war. Ich wollte so gern zu ihnen rüberlaufen, aber draußen schüttete es fürchterlich. Dad würde mich bei so einem

Wetter bestimmt nicht gehen lassen. Und wenn Lee mich nicht reinließ, weil er nicht mit mir reden wollte, würde ich Dad alles erzählen müssen.

Ich fürchtete gar nicht, dass er kein Verständnis hätte. Ich wusste nur nicht, wo ich überhaupt anfangen sollte. Schließlich konnte ich schlecht in die Küche rauschen und verkünden: »Hey, wusstest du, dass ich heimlich was mit Noah Flynn hatte, wovon Lee jetzt erfahren hat und mich dafür hasst? Ach, und möchtest du vielleicht noch einen Kaffee, wenn ich schon mal da bin?«

Ja, genau.

Das käme bestimmt prima an.

Erst als um acht Uhr abends das Telefon klingelte, erfuhr ich irgendetwas.

»Hallo?«, meldete Dad sich. »Ah, hallo June, wie geht's?«

Ich merkte, dass sie beinah hysterisch war, konnte aber nicht genau hören, was sie sagte. Dad sah Brad und mich an, dann ging er mit dem Telefon in den Flur, sodass wir nichts hören konnten.

»Was ist denn da los?«, fragte Brad.

»Woher soll ich das wissen?«, giftete ich ihn an.

»*Woher soll ich das wissen?*«, äffte er mich nach, und ich warf ein Kissen nach ihm, während ich versuchte, zumindest Dads Worte zu verstehen. Mir wurde ganz schlecht. Was war bloß los?

Endlich kam Dad zurück ins Wohnzimmer und starrte ungläubig auf das Telefon in seiner Hand.

»Noah ist weg.«

Mein Herz setzte kurz aus. »Wie meinst du das, *Noah ist weg*? Wohin denn *weg*?«

»Er und Lee hatten einen Riesenstreit, und June sagt, danach habe er eine Tasche gepackt und sei weggefahren. Er sagte nicht, wohin oder wie lange er wegbleiben wolle. Er geht auch nicht an sein Handy, deshalb ist Matthew jetzt los, um ihn zu suchen.« Hoffnungslos schüttelte Dad den Kopf.

»Also … ich meine … Er … er kann doch noch nicht weit sein, oder?«, stammelte ich.

»Keine Ahnung. Er ist vor ungefähr zwanzig Minuten aufgebrochen.«

Mein Magen sackte ab wie bei einer Achterbahnfahrt. Ich schluckte hörbar. »Hat … hat June gesagt, worüber sie gestritten haben?«

Dad sah mir in die Augen, bevor er sagte: »Brad, warum gehst du nicht duschen und machst dich schon mal fertig fürs Bett?«

»Was? Das ist unfair. Es ist doch noch nicht mal neun!«

»Brad.«

»Na gut«, brummte mein Bruder und stampfte die Treppe hinauf. Dann knallte er seine Zimmertür hinter sich zu. Dad seufzte, bevor er sich in einen Sessel fallen ließ. Ich verstand das so, dass ich mich auch setzen sollte.

»Anscheinend«, erzählte Dad und verschränkte die Finger, »hatten sie wegen dir Streit. Gibt es irgendetwas, was du mir erzählen möchtest, Elle?«

Ich schluckte, und mir war kotzübel. »Was hat June gesagt?«

»Weich meiner Frage nicht aus, junge Dame.«

Ich schaute auf meine Knie. »Ich … ich war sozusagen … sozusagen mit Noah zusammen.«

»Was meinst du mit ›sozusagen zusammen‹?«

»Also, wir … also in der Kissing Booth, die wir für das Schulfest veranstaltet haben, da hat er mich geküsst, und dann … äh, dann haben wir … also man könnte sagen, dann waren wir heimlich zusammen.«

»Du warst mit ihm zusammen.«

»Nicht so richtig. Es ist kompliziert.«

»Dann erklär es gefälligst.«

Gab es irgendeine Möglichkeit, die Situation zu beschreiben, ohne meinen Dad zu enttäuschen? Ich wusste sehr gut, dass er von Noah nicht besonders viel hielt – weil er in Schlägereien geriet, weil er ein Motorrad fuhr … Das war aber bisher nie ein Problem gewesen. – Bisher. Weil er ganz bestimmt nicht begeistert davon war, dass ich Noah datete.

»Wir haben uns nur heimlich getroffen, weil ich nicht wollte, dass Lee davon erfuhr. Noah und ich zanken andauernd, und ich dachte nicht, dass das mit uns wirklich funktionieren würde. Aber das wünschte ich mir – deshalb haben wir auch weitergemacht, und dann hat Lee es rausgekriegt, und jetzt ist alles kaputt und mein Leben zu Ende.« Ich schnappte nach Luft, als ich fertig war.

Dad sah … völlig verstört und geschockt drein. Anders kann man seinen Gesichtsausdruck nicht beschreiben. Als könne er die Worte nicht fassen, die da gerade aus meinem Mund gekommen waren. Als wolle er sie nicht glauben. Ich blickte wieder zu Boden.

»Wie lange genau geht das jetzt schon, Rochelle?«

»Ungefähr zwei Monate. Seit dem Schulfest.«

Dad schob sich seine Brille auf die Stirn und rieb sich die Augen, wie er es immer machte, wenn er total gestresst war. »Und die ganze Zeit über hast du Lee nichts gesagt?«

»Ich dachte, ich würde ihn beschützen«, erklärte ich.

Dad schüttelte den Kopf. »Eine seltsame Art, damit umzugehen. Aber – Noah? Unter all den Jungs da draußen? Er ist ja nicht gerade der … Stabilste, was Beziehungen angeht.«

»Ich weiß, ich weiß, wir sind nicht gerade ein Traumpaar oder so, aber …«

»Würdest du sagen, du liebst ihn oder etwas in der Art?«

»Was? N-nein!«, rief ich. »Nein, natürlich nicht!«

Dad seufzte nur wieder. Ich redete weiter, weil ich versuchen wollte, wenigstens ein wenig von dem Schaden wiedergutzumachen. »Er macht mich glücklich, Dad.«

Er sah mich mit gerunzelter Stirn an. »Bist du dir da sicher, Elle?«

Ich nickte. »Schon.« Meine Stimme war leise, und irgendwie konnte ich ein Lächeln kaum unterdrücken. Um es loszuwerden, schüttelte ich den Kopf und stand auf. »Also was ist zwischen Lee und Noah passiert? Was hat June gesagt?«

»Sie saßen gerade beim Abendessen«, erzählte Dad, »und ganz plötzlich sei Lee ausgerastet. Er hat angefangen, Noah anzuschreien, dann haben sie sich gestritten, und anschließend ging Noah nach oben, packte eine Tasche und stürmte davon.«

Das Telefon klingelte wieder. Wir sahen es auf dem Couchtisch aufleuchten. Dad ging ran und ich saß wie auf Kohlen, während ich nur seinen Teil des Gesprächs hörte. »Hey. Mm-hmm. Ja, ich habe gerade mit ihr darüber gesprochen. Was? Nein, nein, ich hatte keine Ahnung …« Er seufzte erneut und hörte dann für eine Weile nur zu. Schließlich gab er mir das Telefon. »Sie möchte mit dir reden.«

Meine Hand zitterte, als ich es in die Hand nahm. »Hallo?«

»Ach, Elle, hallo. Hör mal, hast du irgendeine Idee, wo Noah hingefahren sein könnte? Er geht nicht an sein Handy, und Matthew kann ihn nicht finden, und … wir wissen nicht, wo wir ihn noch suchen sollen.«

»E-es tut mir leid, ich habe wirklich keine Ahnung.« Als June daraufhin nur seufzte, fügte ich noch hinzu: »Ihr wisst doch, wie impulsiv er ist. Wahrscheinlich fährt er nur durch die Gegend, um Dampf abzulassen. Er kommt bestimmt wieder nach Hause, keine Sorge.«

»Tja«, erwiderte sie in leicht ironischem Ton, »ich schätze, du kennst ihn inzwischen besser als jeder von uns, nicht wahr, Elle?«

»Ich … ich wollte nicht …« Aber mir fiel keine angemessene Antwort ein. Mir fehlten schlicht die Worte.

»Ist schon gut. Ich habe irgendwie geahnt, dass es in letzter Zeit ein Mädchen in seinem Leben gab. Er benahm sich so anders. Ich hätte nur nie erwartet, dass du dieses Mädchen bist.«

Wieder fiel mir keine Antwort ein, nur ein »Ähm«.

»Hör zu, es ist nur … falls du von ihm hörst, könntest du mir dann bitte, bitte Bescheid geben, damit ich weiß, dass alles mit ihm okay ist?«

»Natürlich.« Bevor sie danach Danke sagen und sich verabschieden konnte, platzte ich heraus: »Ist Lee da? Kann ich ihn sprechen?«

»Ich …« June verstummte. »Ich glaube nicht, dass das jetzt eine besonders gute Idee ist, Elle. Tut mir leid.«

»Er will mich auch nicht sehen, oder?«

»Nein«, erwiderte sie zögernd. »Würdest du mir bitte deinen Dad noch mal geben?«

»Klar. Bye.«

»Bye, Elle.«

Ich gab meinem Vater das Telefon zurück. Das Gespräch dauerte nicht mehr lange. Von meinem Dad hörte ich nur »Mm-hmm, ich weiß, genau … nein, verstehe … ja, natürlich.«

Den restlichen Abend über sprachen wir nicht viel. Ich dachte, vielleicht sollte ich Noah anrufen. Für den Fall, dass er überhaupt ranging, konnte ich dann wenigstens seine Mom ein bisschen beruhigen. Aber ich konnte mich nicht einmal überwinden, nach meinem Handy zu greifen.

Ich wusste, dass Dad enttäuscht von mir war. Vielleicht wäre es leichter gewesen, wenn er geschrien oder mir auf andere Weise gezeigt hätte, dass er wütend oder traurig war. Einfach irgendeine andere Reaktion als dieses stumme Unbehagen, das uns umfing.

Es war 21 Uhr 23, als ich es nicht mehr aushielt. »Ich gehe schlafen«, sagte ich und stand auf.

Dad reagierte nicht, bis ich das Wohnzimmer schon fast verlassen hatte. »Ich kann ja verstehen, dass du mir nichts davon erzählen wolltest – aber Lee? Elle, du musst mit ihm reden. Er wird schon drüber wegkommen. Ihr seid schon zu lange befreundet, als dass ihr euch davon entzweien lasst.«

Ich konnte nur nicken. »Ich hoffe, du hast recht, Dad. Ich hoffe wirklich, du hast recht.«

20

Ich konnte nicht schlafen, wie sehr ich mich auch bemühte. Es war unmöglich, weil ich mir solche Sorgen machte. Natürlich machte ich mir Sorgen um Noah, aber vor allem um Lee. Noah kam schon zurecht, doch Lee konnte nicht einfach ein Pflaster auf diese Sache kleben und alles wäre wieder gut.

Es war schon Mitternacht, als meine Willenskraft aufgebraucht war und ich es nicht mehr aushielt. Ich griff nach meinem Handy und drückte die Schnellwahltaste 2.

Es klingelte. Und klingelte und klingelte und klingelte. Kurz bevor die Anrufbeantworterfunktion einsetzte, ging er ran.

»Shelly?«

Ich atmete tief aus. Vorher hatte ich gar nicht gemerkt, dass ich die Luft angehalten hatte. »Lee.«

Sekunden vergingen mit Schweigen. Nur die Geräusche unseres Atems zeigten an, dass wir beide noch da waren. Ich brach das Schweigen zuerst.

»Wie geht es dir?«

»Ganz ehrlich? Ich weiß es nicht.«

Ich nickte, obwohl er mich ja nicht sehen konnte. »Es tut mir so leid, Lee. Ich wollte nie, dass das alles so kommt. Nicht *so*.«

Er seufzte. »Ja, aber du hast es trotzdem zugelassen.«

»Ich weiß, ich weiß. Ich hab's verbockt.«

»Das ist die Untertreibung des Jahrhunderts«, knurrte er, aber ich hörte das Kichern in seiner Stimme, das er mit einem Hüsteln zu kaschieren versuchte.

Ich stieß auch ein kleines Lachen aus.

»Ich weiß. Tut mir leid. Ich ... Es kam mir wie die beste Option vor, es dir nicht zu sagen. Ich wusste, es würde dich verrückt machen, wenn du annehmen müsstest, dass ich hinter deinem Rücken etwas mit deinem Bruder angefangen hatte – das war so bescheuert von mir ... Ich hatte die ganze Zeit vor, es wieder zu beenden, und ich habe es gehasst, dich anzulügen, aber dann habe ich nicht Schluss gemacht und es immer weiterlaufen lassen und ...« Hilflos verstummte ich. »Ich dachte, indem ich es dir nicht sagte, würde ich das Richtige tun: Weil vielleicht hätte es ja nicht funktioniert, und dann wollte ich dich da gar nicht erst mit reinziehen. Ich dachte, ich würde ... dich beschützen.«

Eine ganze Weile sagte er nichts. Ich wusste, er war noch da, weil er ins Telefon atmete.

»Es tut mir leid, Lee. Es tut mir unendlich leid.«

Ich wunderte mich nicht darüber, dass mir Tränen in die Augen stiegen. Schniefend bemühte ich mich, nicht zu weinen. Lee würde es merken, auch wenn er mich nicht sehen konnte.

»Hasst du mich?«, musste ich ihn einfach fragen. Ich

hielt es nicht aus, das nicht zu wissen. Vor allem als er nicht antwortete. »Lee?«

»Ich … ich hasse dich nicht«, erwiderte er zögernd. »Aber ganz sicher mag ich dich im Moment auch nicht wahnsinnig gern. Ich kann einfach nicht glauben, dass du das die ganze Zeit vor mir verheimlicht hast! Und Noah auch. Wo ich dachte, ihr beiden könnt keine fünf Sekunden zusammen im selben Raum sein, ohne euch zu streiten.«

Jetzt schwieg ich. Aus Angst, die Sache noch schlimmer zu machen.

Ich war so erschöpft.

»Schlaf jetzt ein bisschen, Elle«, meinte Lee seufzend, aber mit sanfter, fürsorglicher Stimme. »Wir sehen uns morgen früh.«

»Du meinst, dass du mich immer noch mit zur Schule nimmst?«

»Natürlich tue ich das. Wann hätte ich das denn jemals nicht getan?«

Da fing ich wirklich an zu weinen – aber diesmal aus Erleichterung. Mit dem Handrücken wischte ich mir über die Wangen. Ich wollte nicht, dass Lee es hörte und mich pathetisch fand.

»Ich seh dich morgen früh«, wiederholte er. »Nacht, Elle.«

»Nacht«, antwortete ich. Aber kurz bevor er auflegen konnte, fragte ich noch mal: »Lee?«

»Ja?«

»Du weißt, wie lieb ich dich habe, oder?«

Ich hörte das Lächeln aus seiner Stimme, als er antwortete: »Klar weiß ich das. Ich hab dich auch lieb.

Obwohl das nicht heißt, dass ich dich dauernd gernhaben muss.«

Jetzt lächelte ich. »Ich weiß.«

Man sagt ja, wer etwas liebt, soll es loslassen. Tja, für mich war es verdammt noch mal ausgeschlossen, dass ich meinen besten Freund kampflos aufgeben würde.

Danach legten wir auf und Sekunden später war ich eingeschlafen.

Am nächsten Morgen tupfte ich mir vor dem Spiegel Concealer auf die Ringe unter meinen Augen. Ich wollte nicht, dass jemand vermutete, irgendwas sei nicht in Ordnung. Das mit Noah und mir konnte ich nicht erzählen – es hätte die Sache für Lee auch nicht besser gemacht.

Das typische Geräusch von zweimal kurzem Hupen ließ mich vom Spiegel zurückspringen. Ich musste von einem zum anderen Ohr grinsen. Schnell schnappte ich mir meine Tasche und rannte die Treppe hinunter.

»Bis später«, rief ich.

»Ist Lee da?«, fragte Dad.

»Ja. Bye!«

Ich schlüpfte auf den Beifahrersitz des Mustangs und warf Lee die Arme um den Hals. Dabei bohrte sich die Handbremse in meinen Bauch und ich stieß mir den Ellbogen am Lenkrad, doch das war mir egal. Ich hatte Lee nicht verloren. Nur das zählte.

Er erwiderte kichernd meine Umarmung. »Ich freu mich auch, dich zu sehen.«

»Ich werde alles tun, um das wiedergutzumachen, das schwör ich dir. Ehrlich, es tut mir so leid.«

»Das weiß ich«, sagte er. »Und ich werde dich beim Wort nehmen.«

»Alles im Rahmen der Vernunft«, fügte ich einschränkend hinzu. »Also keine lebenslange Versorgung mit Milchshakes. Ich muss schließlich fürs College sparen, wie du weißt.«

Er schwieg, ließ die Hand über der Gangschaltung schweben und sah mir in die Augen. »Verstehe. Wie wär's dann mit einem Kuss?«

Ich blinzelte. »Wie bitte?«

»Du hast mich schon gehört.« Da war ein Glitzern in seinen Augen, aber ich war mir nicht ganz sicher, ob er nur Spaß machte.

»Ist das jetzt der Moment, in dem mein bester Freund mir gesteht, dass er wahnsinnig verliebt in mich ist?«, versuchte ich nervös lachend zu scherzen.

Lee blickte weg, räusperte sich und legte den Gang ein. Ich glaube, mein Herz setzte tatsächlich kurz aus.

»Also …« Er räusperte sich noch mal, rutschte auf seinem Sitz herum und zerrte am Sicherheitsgurt.

Mir fiel die Kinnlade runter, bevor er zu kichern anfing. Ich lächelte zaghaft und musste dann auch lachen. Mit dem Handrücken gab ich ihm einen Klaps. Er winkte ab.

»Ich mache doch nur Spaß«, meinte er lachend. »Ganz bestimmt nicht. Ich konnte nur nicht widerstehen. Hast du wirklich geglaubt, ich meine das ernst? Ach komm, Shelly, das wäre doch echt bizarr.«

»Ja, das kann man wohl sagen.«

Er steuerte auf die Straße und wir saßen ein paar Sekunden schweigend da, bevor ich vorsichtig nachfragte: »Hast du, äh … seit gestern Abend mal mit deinem Bruder gesprochen?«

Lees Hände umklammerten das Lenkrad so fest, dass seine Knöchel weiß wurden. »Nein«, meinte er mit zusammengebissenen Zähnen. »Und weißt du, was ich finde? Soll er doch abhauen. Wenn er mit dem Unheil, das er angerichtet hat, nicht umgehen kann, dann ist er einfach ein Feigling. Ich weiß, dass du an der ganzen Sache nicht völlig unschuldig bist, aber er hätte dich nicht so behandeln sollen. Du hast was Besseres verdient.«

Ich schüttelte den Kopf. Dem konnte ich nicht zustimmen.

»Er wird sich nie ändern, Elle. Er wird immer ein egoistischer Player bleiben.«

»Das kannst du doch nicht wirklich glauben.« Keiner von uns war sich je ganz sicher gewesen, ob dieser Player-Vorwurf überhaupt hundertprozentig stimmte. Aber Lee schien ja jetzt überzeugt davon zu sein.

Er zuckte mit den Achseln. »So ist Noah eben.« Als wäre das die Antwort auf alles.

Nur leider fühlte es sich für mich nicht an wie die richtige Antwort. Und schon gar nicht wie die auf alle Fragen.

Ich war heute Morgen ungewöhnlich früh wach gewesen und hatte nicht mehr einschlafen können. Die Gedanken an Noah und unsere Beziehung – worin genau auch immer sie bestehen mochte – beschäftigten mich zu sehr. Natürlich war ich glücklich mit Noah, aber Lee war immer noch der wichtigste Mensch in meinem Leben, und ich konnte es nicht noch mal riskieren, ihn zu verlieren. Und wenn das bedeutete, auf Noah verzichten zu müssen, wäre ich ohne Zögern dazu bereit.

Aber ich wusste nicht mal, wie Noah über all das dachte. Wollte er überhaupt noch mit mir zusammen sein? Vielleicht war das für ihn nur etwas Kurzfristiges, bevor er im Herbst aufs College wegging. Etwas, das für viel zu viel Ärger gesorgt hatte.

»Was?«, fragte Lee.

»Nichts. Vergiss es.«

Und dieses eine Mal hakte er nicht nach.

In der Schule schien niemand zu ahnen, dass irgendetwas passiert war. Es gab jedenfalls keinerlei Gerüchte. Alles war absolut und vollkommen normal. So, wie es sein sollte.

Verstohlen warf ich einen Blick auf Lee, während wir uns mit den anderen Jungs unterhielten. Er merkte es, bedachte mich mit einem angedeuteten Lächeln und einem matten Schulterzucken. Ihm schien es genauso unangenehm zu sein, so zu tun, als sei nichts.

Das war aber alles nicht so schlimm, bis wir auf dem Weg zu unserem Klassenzimmer waren und ich hörte, dass mein Name über den Lärm all der Schüler hinweg gerufen wurde.

»Elle, warte doch mal! Elle!«

Ich riss den Kopf hoch. Das war Noahs Stimme. Ich griff nach Lees Arm und sah ihn vermutlich ziemlich erschrocken an. Was sollte ich jetzt machen?

»Elle!« Er war schon ein Stück näher. Ich wollte mich damit jetzt nicht auseinandersetzen. »Elle, warte!«

Ich zog an Lees Arm und zerrte ihn in den nächstbesten Flur. Wir blieben vor dem Klassenzimmer stehen.

»Ich kann ihn jetzt nicht treffen«, erklärte ich Lee leise und ließ seinen Arm endlich wieder los.

»Ja, da kann ich dir keinen Vorwurf machen.« Er lächelte verständnisvoll. »Vergiss ihn.«

»Das sagst du so leicht. Ich kann ihm schließlich nicht für den Rest meines Lebens aus dem Weg gehen. Er ist schließlich verdammt noch mal dein Bruder.«

»Danke, dass du mich daran erinnerst«, murmelte Lee gereizt. Dann seufzte er und fuhr sich mit der Hand vor und zurück durch die Haare, sodass sie erst recht in alle Richtungen abstanden. »Egal. Aber ich schätze, du hast recht. Das wird jetzt vermutlich ziemlich peinlich zwischen euch beiden.«

»Danke für deine Unterstützung«, murmelte ich sarkastisch.

»Komm schon.« Er ging voraus ins Klassenzimmer und damit war das Thema beendet.

Ich schaffte es, Noah bis zur Mittagspause auszuweichen.

Ich setzte mich einfach neben Rachel und Lee, die sich unter ein paar Bäumen neben dem Footballfeld niedergelassen hatten.

»Sehr gesund«, meinte Rachel und deutete mit dem Kopf auf meine Dose Orangenlimo und den Schokoriegel.

»Jawohl. Du kennst mich ja – schon immer ein Gesundheitsfreak.«

»Ich habe von der ganzen Sache mit Flynn – also, ich meine, Noah – erfahren«, sagte sie leise und lächelte mitfühlend. Prompt stand Lee auf und bückte sich, um Rachel einen flüchtigen Kuss zu geben. »Ich gehe mal zu den Jungs, um ein bisschen Football zu spielen. Bis gleich.«

»Das ist immer noch ein etwas heikles Thema«, murmelte ich. »Zumindest für Lee.«

»Klar … aber ich dachte, du könntest vielleicht ein bisschen Girltalk gebrauchen.«

»Da hast du vollkommen recht.«

»Also …« Sie drehte sich so, dass sie auf ihre Ellbogen gestützt halb auf dem Bauch lag. Ich machte es mir in derselben Position neben ihr gemütlich. »Mochtest du ihn wirklich? Oder ging es nur um Sex?«

Ich wurde rot. »Es gab nur dieses eine Mal. Danach hatte ich zu viel Angst, erwischt zu werden.« Ich atmete geräuschvoll durch die Nase aus. »Er hat nicht so viele löbliche Eigenschaften. Er ist überbehütend, gerät in Schlägereien, ist impulsiv …«

»Abgesehen von seiner unbestreitbaren Attraktivität«, wandte sie ein. »Erzähl mir nicht, dass das keine positive Eigenschaft ist.«

Ich lachte. »Vorsicht, du redest hier quasi von deinem Schwager.«

Sie zuckte mit den Achseln und wir lachten wieder. Ich wollte gern das Thema wechseln, aber mir fiel kein unauffälliges Manöver ein, um das hinzukriegen.

Schließlich war es Rachel, die weiterredete. »Lee wird sich ziemlich hin und her gerissen fühlen, wenn du weiter mit seinem Bruder zusammen bist. Ich verstehe, dass das für ihn eigenartig wäre. Und wenn die Sache für dich schlecht ausgeht, würdest du ihn vielleicht auch nicht mehr sehen wollen. Er würde dich schrecklich vermissen und natürlich auch seinen Bruder nicht verlieren wollen …« Sie verstummte und biss sich auf die Lippe.

»Hat Lee das alles gesagt?«

Sie lächelte schuldbewusst. »Gestern am Telefon klang er, als würde er jeden Moment losheulen. Er will dich nicht verlieren. Ihr beiden seid ja praktisch Zwillinge.«

Ich riss einen Grashalm ab und wickelte ihn um meinen Zeigefinger. »Die meisten seiner früheren Freundinnen empfanden es als Bedrohung, dass wir uns so nah sind. Sie wurden immer den Verdacht nicht los, dass daraus irgendwann so eine Geschichte wird, bei der man sich in den besten Freund verliebt. Was total lächerlich und mehr als seltsam wäre, verstehst du? Aber egal, ich will dir nur sagen, wie froh ich bin, weil du das nicht denkst.« Ich lachte ironisch. »Ich glaube, du bist seine erste Freundin, die mich nicht hasst.«

»Ihr seid unzertrennlich, aber ich könnte mir euch beide nicht als Paar vorstellen.«

»Endlich«, rief ich, »endlich jemand außer Cam und Dixon, der das auch so sieht.«

»Obwohl … wenn ich dich so reden höre, finde ich es ein bisschen nervig, dass er schon so viele Freundinnen vor mir hatte.«

»So viele auch wieder nicht«, sagte ich. »Aber ich werde dir ein Geheimnis verraten.«

»Ooh, ich höre«, sagte sie, woraufhin wir wieder beide lachen mussten. »Schieß los.«

»Du bist das erste Mädchen, für das er mich versetzt hat. Also muss das mit euch beiden eine ziemlich ernste Sache sein.«

»Das hoffe ich«, sagte sie. »Ich mag ihn wirklich richtig gern.«

»Das hoffe ich doch! Hast du nicht gesehen, wie er dich anschaut?«

Sie strahlte übers ganze Gesicht. »Dann habe ich mir das nicht eingebildet?«

Ich schüttelte den Kopf. »Ihr beiden seid so süß zusammen.«

»Danke.«

Wir schwiegen eine Weile und beobachteten die Jungs, die sich vor uns den Ball zuwarfen.

»Also, was hast du jetzt wegen Flynn vor? Ich meine, Noah. Meine Güte. Lee sagt mir dauernd, ich soll ihn Noah nennen, aber das ist so ungewohnt, verstehst du?«

Ich seufzte. Eigentlich hatte ich gehofft, sie von dem Thema weglotsen zu können. »Keine Ahnung. Ich sollte wahrscheinlich gar nichts tun, aber eigentlich will ich, und … ich bin total durcheinander. Und Lee …« Ich seufzte wieder. »Keine Ahnung.«

»Tja, du solltest dich besser schnell entscheiden.«

»Warum?«

»Weil er gerade auf uns zukommt.«

Ich setzte mich ruckartig auf und verschüttete dabei meine Limo ins Gras. »Shit«, murmelte ich und sprang auf, bevor ich mir auch noch was über die Hose kippte. Hektisch klopfte ich mich ab, schaute hoch und sah Noah mit großen Schritten über das Footballfeld direkt auf mich zukommen. Er machte ein ernstes Gesicht. Aller Augen waren auf ihn gerichtet – oder, im Fall einiger extrem neidischer Mädchen, auf mich.

»Elle? Wo willst du hin?«, rief Rachel mir nach.

Ich rannte ins Mädchenklo, als sei der Teufel hinter mir her. Dort sperrte ich mich in eine Kabine ein und weigerte mich, wieder herauszukommen, obwohl einige Mädchen – Rachel, Lisa, Olivia, Jaime und Karen – mich dazu zu überreden versuchten.

Ich tat es erst, als jemand gegen die Tür trommelte und ich Lee schreien hörte: »Shelly, beweg jetzt sofort deinen Hintern hier raus.«

Ich riss die Kabinentür auf. »Du darfst hier nicht rein! Das ist die Mädchentoilette!«

»Interessiert mich einen Dreck. Jetzt komm schon. Reiß dich mal zusammen.«

»Lee Flynn! Was zum Teufel machst du hier drin?«, rief eine Lehrerin, die plötzlich wie aus dem Nichts aufgetaucht war. Es handelte sich um Miss Harris, eine Mathelehrerin.

»Äh … Frauenprobleme? Echt schlimme Bauchkrämpfe, verstehen Sie?«

»Sofort raus hier, junger Mann, bevor ich dir zwei Wochen Nachsitzen aufbrumme!«

Er verdrehte die Augen und packte mich am Handgelenk, bevor ich irgendetwas sagen oder tun konnte. Weil ich nicht wollte, dass er Ärger bekam, ließ ich mich von ihm nach draußen führen. Das Glück war jedoch endlich auf meiner Seite, denn in diesem Moment klingelte es und wir mussten zum Unterricht. Ich setzte mich in meinen Englischkurs und schaute noch schnell aufs Handy. Wieder eine Nachricht von Noah.

Ich löschte sie ungelesen.

21

Noah kam weder am Dienstag noch am Mittwoch nach Hause. Seine Eltern hatten nichts von ihm gehört, waren aber froh, von Lee zu erfahren, dass er in die Schule gegangen und offenbar wohlauf war. Ich ignorierte weiterhin seine Sprachnachrichten und SMS und ging ihm in der Schule aus dem Weg. Am Mittwochabend rief er bei uns auf dem Festnetz an und mein Dad ging ran. Er legte aber sofort wieder auf.

Am Donnerstagmorgen war meine Glückssträhne allerdings zu Ende.

Ich ging vor der ersten Stunde zur Toilette und stieß beim Rausgehen direkt mit jemandem zusammen.

»Oh, sorry«, sagte ich automatisch. Ich war so geistesabwesend, dass ich mich wahrscheinlich auch bei einer Wand entschuldigt hätte. Es fühlte sich ohnehin fast genauso steinhart an.

Äh, damit kam ich der Sache schon ziemlich nah.

»Oh.« Ich versuchte, einen Schritt um Noah herum zu machen, doch er hielt mich mit einer Hand auf meinem Arm zurück.

Er sah … nun ja, ehrlich gesagt, schrecklich aus.

Von vermutlich mehreren schlaflosen Nächten hatte er tiefe Ringe unter den Augen. Außerdem roch er schwach nach Rauch.

Aber hey, das war Flynn – deshalb hätte mich das nicht so überraschen sollen. Wer sagte, dass er nicht auch noch betrunken war?

»Wir müssen reden«, sagte er mit heiserer Stimme. Ohne meine Antwort abzuwarten, zog er mich ins nächstbeste leere Klassenzimmer und machte die Tür hinter uns zu.

Ich lehnte mich an den Rand des Pults, während er an der Tür stehen blieb.

»Wie geht's dir?«, fragte er unvermittelt und sah mir direkt in die Augen.

Ich runzelte irritiert die Stirn und war mehr als nur ein bisschen überrumpelt. »Viel besser, seit Lee mir verziehen hat, falls du das meinst.«

»Wenigstens einem von uns beiden«, murmelte er und fuhr sich mit beiden Händen übers Gesicht. »Es ist ja jetzt zu spät, um irgendwas zurückzunehmen. Nachdem die Katze aus dem Sack ist.«

Das fühlte sich an, als mache er mir einen Vorwurf. Deshalb reagierte ich ein bisschen gereizt. »Hey, hör zu, ich hatte nicht unbedingt geplant, es ihm auf diese Weise zu sag–«

»Ich gebe dir auch keine Schuld, Elle«, sagte er rasch. »Ich … hör zu, ich muss mit dir reden, und …«

»Dann rede«, sagte ich, wobei ich viel ruhiger und selbstbewusster klang, als mir zumute war. Nicht dass ich mich beschweren wollte. Ich war froh, dass er mir (anscheinend) nicht anmerkte, wie mein Puls vor Aufregung raste, wie feucht meine Handflächen waren und wie mein Magen sich zusammenzog.

»Es …« Er schluckte schwer. »Es tut mir leid. Ich habe dich ausgenutzt, und es war schrecklich für mich zu sehen, wie verzweifelt du warst, als Lee es erfahren hat. Wir hätten es ihm von Anfang an sagen sollen. Ich hätte nicht zulassen sollen, dass du ihn belügst. Das war auch meine Schuld. Ich hab's mit verbockt. Und das tut mir leid.«

Er sagte das alles so schnell, als versuche er alles auszusprechen, bevor er es sich anders überlegen konnte. Ich dachte schon fast, ich hätte ihn irgendwie falsch verstanden. Aber er klang, als meine er jedes Wort genau so. Als habe ihn diese Geschichte wirklich mitgenommen.

»Ich weiß«, fügte er zögernd hinzu, »wahrscheinlich wolltest du mich nie wieder sehen, und das verstehe ich, aber …«

»Kann ich dich was fragen?«

»Äh … klar.«

»Wo hast du die letzten Tage verbracht?«

Er lächelte traurig und hob den Blick von seinen Stiefeln, um mich direkt anzusehen. »Ich habe in einem Motel gewohnt. Weil ich die Sache mit Lee für dich nicht noch schlimmer machen wollte. Ich habe auch versucht, dich zu vergessen. Weil ich nicht schlafen konnte, bin ich durch die Gegend gefahren. Aber ich kann einfach nicht aufhören, an dich zu denken.«

Das war nicht ganz die Antwort, die ich erwartet hatte.

Aber ich kannte Noah gut genug. Er war kein Lügner.

Er kam näher – so nah, dass ich zurückwich und mich auf das Pult setzte, während er in voller Größe vor mir aufragte. Dabei berührten wir uns.

»Ich weiß auch nicht, was zum Teufel das mit dir ist, Elle, aber ich kann nicht … ich will nicht …«

»Was?«

»Du machst mich verrückt«, war alles, was er sagte. Mit leiser, sanfter … mit zärtlicher Stimme. »Absolut verrückt. Ich brauche dich.«

Mein wie wild schlagendes Herz setzte kurz aus und schlug dann Purzelbäume. Was redete er da? Das war ja ziemlich eindeutig. Er war doch wohl nicht verlie–

Lee hatte mir gerade erst verziehen. Die Sache vielleicht noch nicht abgehakt, aber mir immerhin verziehen.

Und jetzt wollte Noah einfach … weitermachen, wo wir aufgehört hatten? War er irre, weil er meinte, das könnte ich einfach so?

Nachdem ich meinen besten Freund um Haaresbreite verloren hatte, wollte ich dieses Schuljahr in Frieden beenden. War das zu viel verlangt? Abgesehen davon würde Noah sowieso bald aufs College und damit weggehen.

Ich konnte nicht wieder mit ihm zusammen sein. *Das konnte ich nicht*. Es wäre nicht richtig.

Also … warum fiel es mir dann so schwer, mich selbst davon zu überzeugen, dass das falsch wäre?

»Elle«, sagte er und strich mir das Haar aus dem Gesicht. »Shelly …«

Ich schüttelte den Kopf und stand auf. »Nein. Dazu wird es nicht kommen. Ich kann nicht …«

»Elle«, sagte er und seine strahlend blauen Augen verdunkelten sich, als er noch einen Schritt näher kam. »Du bringst mich echt um den Verstand.«

»Bist du etwa betrunken?«

»Nein. Ich bin stocknüchtern und das ist alles die Wahrheit. Ich *brauche* dich.«

Ich schüttelte erneut den Kopf und wich zurück, bis ich wieder das Pult hinter mir spürte. Noah kam mir nach und stützte seine Hände zu meinen beiden Seiten auf das Pult. Sein Körper versperrte mir den Weg. Sein Atem kitzelte mich im Gesicht.

»Elle«, sagte er noch mal. Ich schaute ihm in die Augen und wusste, dass er ehrlich war, aber ich wollte es nicht glauben. Ich wollte von diesem Pult rutschen, die Tür hinter mir zumachen und das hier alles aussperren. Ich wollte nicht zurück zu diesem Feuerwerk der Gefühle, das seine Berührung und seine Küsse bei mir auslösten, weil ich wusste, dass ich ihn dann nie mehr verlassen wollte. Wenn ich das jetzt nicht schaffte, würde es mir nie mehr gelingen – zumindest nicht, bis es zu spät wäre.

So brachte ich nur ein einziges Wort heraus: »Nein.«

Er schlug mit den Handflächen gegen die Schautafel hinter mir, sodass sie klapperte und ein nur locker befestigtes Poster herabfiel.

Ich schüttelte den Kopf und schloss die Augen, als ob es meiner Standhaftigkeit helfen würde, ihn nicht zu sehen. Doch das funktionierte nicht. »Nein.«

Er ließ die Hände auf meine Schultern fallen, und als ich die Augen wieder aufschlug, sah er mich flehentlich an.

»Lass mich«, sagte ich und versuchte, seine Hände abzustreifen. Ich hoffte inständig, dass er mich jetzt nicht küsste – denn ich wusste, dann würde ich seinen Kuss erwidern.

»Ich kann es diesmal besser machen«, sagte er. »Keine Heimlichtuerei.«

»Ich werde nicht mit dir zusammen sein«, sagte ich schwach.

Er seufzte und lehnte seinen Kopf an meinen. Da erstarrte ich. Aber nicht weil ich mich vor ihm fürchtete, sondern vor mir selbst.

Er hatte beinah die Arme um mich gelegt. Das Einzige, was ich mir jetzt wünschte, war, dass er mich umarmte und küsste.

Aber das war unmöglich! Ich konnte nicht wieder zu diesem Status zurück. Dann käme ich nie mehr von ihm los. Und das konnte ich Lee nicht antun.

»Noah, bitte, lass … es einfach.«

»Ich kann nicht anders«, sagte er gepresst und der Muskel an seinem Kiefer zuckte, als er sich zurücklehnte, um mich anzusehen. »Ich habe es ja versucht, glaub mir. Was ist das bloß mit dir? Du machst mich verrückt, bringst mich noch um. Ich brauche dich.«

»Ich habe *Nein* gesagt.« Heftig stieß ich ihm gegen die Brust und schlüpfte unter seinem Arm hindurch zur anderen Seite des Klassenraums. »Noah, ich kann das nicht. Es tut mir leid, aber ich kann nicht.«

»Warum?«

»Ich … ich kann einfach nicht.«

Dann rettete mich die Schulglocke. Der Flur war voller Schüler, die zur ersten Unterrichtsstunde mussten.

Noah rührte sich nicht, und für Momente stand ich da wie gelähmt.

»Ich … ich muss gehen«, presste ich schließlich hervor und rannte hinaus. Dort drängelte ich mich zwischen den Leuten durch und kümmerte mich nicht darum, wenn ich jemand auf die Füße trat. Ich wollte nur noch weg.

Und das lag nicht daran, dass ich mich vor Noah fürchtete.

Vielmehr hatte ich Angst vor meinen Gefühlen für ihn.

»Willst du mir etwa weismachen, dass du für deine – nein, warte, ich muss mich korrigieren – für unsere Party zum siebzehnten Geburtstag noch keine Ahnung hast, wie du feiern willst?«

Ich lachte. »Darüber habe ich in letzter Zeit einfach nicht nachgedacht. Aber uns muss bald etwas einfallen. Wir haben ja nur noch ungefähr eine Woche Zeit.«

Lee seufzte theatralisch. »Und da wirfst du mir vor, ich würde immer alles aufschieben! Also, was machen wir? Nur eine winzig kleine Feier mit engen Freunden und der Familie?«

»Enge Freunde? Du machst wohl Witze. Das ist unser halber Jahrgang, und dazu noch die Zwölfte.«

»Stimmt. Dann also eine *große* Feier mit engen Freunden und der Familie? Was? Ja? Ja? Meine Eltern haben mal gemeint, wir könnten für die Party einen Club mieten.«

»Das wäre cool … aber auch extrem teuer …«

»Na gut. Dann also eine Hausparty bei mir?«

»Ich schätze mal. Viele andere Möglichkeiten haben wir ja nicht, oder?«

Lee und ich hatten schon vor Monaten entschieden, dass wir irgendwas irre Cooles, irre Episches machen wollten, das niemand toppen könnte. Und weil unser Geburtstag gleich nach Ferienbeginn war, galten unsere Partys in den letzten Jahren immer als große Schuljahres-Abschlusspartys. Da alle aus der Zwölften, mit denen wir befreundet waren, demnächst weggehen würden, wollten wir irgendwas noch Größeres und Besseres als je zuvor veranstalten.

Ich wusste, dass Lee sich eine Riesenparty wünschte, und die war ich ihm auch schuldig. Während der ganzen Sache mit Noah hatte ich mich egoistisch benommen, weil ich es ihm nicht gesagt und ihn hintergangen hatte. Deshalb war ich ihm jetzt was schuldig. Also musste ich mir was richtig Tolles für ihn einfallen lassen.

Auf einmal hatte ich eine Idee.

»Erinnerst du dich an die sechste Klasse? Da hatten wir diese Kostümparty auf dem Kinderspielgelände, das es nicht mehr gibt. Die hatten da ein Bällebad und alles Mögliche in der Art.«

»Ja. Damals war ich der Kater mit Hut aus dem Bilderbuch und du irgendeine Disney-Prinzessin.«

»Genau.«

»Was ist damit? O Gott, nein. Auf keinen Fall. Auf gar keinen Fall.«

»Auf jeden Fall.«

»Nein.«

»Warum nicht? Das wäre so lustig!«

»Shelly, ist dir nicht klar, wie kindisch das klingt?«, meinte er lachend.

»Doch, und gerade das macht es irre cool! Wir sind quasi die einzigen Leute, die so was abziehen und was Episches draus machen können. Vertrau mir.«

»Bist du dir sicher?«

»Mhmm.«

»Darauf müssen wir einschlagen, bevor du es dir anders überlegst.«

Ich nickte, grinste und streckte ihm meine Faust hin. Lee grinste zurück und stieß mit seiner Faust gegen meine. Dazu machten wir beide Explosionsgeräusche.

»Das haben wir seit der Sechsten nicht mehr gemacht.«

»Wegen der Party-Idee kam mir das angemessen vor«, erklärte ich lachend.

»Werden wir echt eine Kostümparty schmeißen?«

»Ja, verdammt. Und wir gehen als die Olsen-Zwillinge.«

Er wollte mir kichernd eine Kopfnuss geben, aber ich wich aus und rollte ins Gras. Dann setzte ich mich wieder auf, schlug die Beine unter und grinste.

»Dann eben Thing 1 und Thing 2 aus dem Bilderbuch von Dr. Seuss«, erklärte er.

»Ich werde mir aber die Haare nicht blau färben«, protestierte ich. Dann grinste ich schelmisch. »Aber ich bin mir sicher, dass Rachel dich gern in einem hautengen roten Jumpsuit sehen würde …«

»Ich nehm's zurück«, rief er, schüttelte den Kopf und wedelte abwehrend mit den Händen. Da musste ich noch heftiger lachen.

Dann meinte er: »Sollen wir nächsten Freitag feiern? Nach der offiziellen Zeugnisverleihung?«

»Ja, das könnten wir machen. Ich meine, unser Geburtstag ist am Sonntag, also … Und falls ich ein bisschen was trinke, dann …«

»Will ich nicht an meinem Geburtstag verkatert sein«, beendete er den Satz für mich.

»Ebenso.«

»Na klar. Soll ich die Einladung sofort rumschicken?«

»Tja, ich habe …«

»Pass bloß auf, dass du dir dabei nicht wehtust.«

Ich musste lachen, schaffte es aber trotzdem, ihn tadelnd anzusehen. »Ha-ha. Ich wollte nur sagen, ›gerade das Gleiche gedacht‹, bevor du mich so unhöflich unterbro–«

Er reckte einen Zeigefinger in die Luft. »Halt den Gedanken kurz fest«, sagte er und unterbrach mich damit absichtlich schon wieder. Ich grinste, während er sein Handy aus der Tasche fischte und darauf herumtippte, um die Nachricht an etwa fünfzig gemeinsame Freunde zu schicken. Wir waren uns einig, dass wir immer noch welche dazu einladen konnten, wenn wir wollten. Schwieriger wäre es, die Einladung wieder zurückzunehmen.

In dem Moment summte mein Handy und ich holte es ebenfalls hervor.

»Wer ist das?«, fragte Lee.

»Noah.«

Ruckartig hob er den Kopf von seinem eigenen Display. »Was zum Teufel will der denn jetzt? Hat er dich nicht schon genug getriezt?«

Ich drückte auf »beschäftigt« und ignorierte Noahs Anruf. »Er hat mich nicht belästigt, Lee ...«

»Mhmm. Vielleicht. Ich glaube nur, dass er nicht gut für dich ist, Elle. Das ist alles. Ich versuche eben, auf dich aufzupassen. Und ich kenne meinen Bruder.«

»Glaubst du, ich kenne ihn nicht? Er hat mich nie schlecht behandelt, Lee.«

»Aber er hat dich auch absolut nicht so behandelt, wie du es verdient hättest«, hielt er dagegen. Dann meinte er seufzend: »Ist ja auch egal. Ich will darüber nicht mehr streiten. Also. Das Kostüm für unsere Party.«

»Ach, mach dir darüber keine Gedanken.« Ich grinste schelmisch. »Da habe ich schon die perfekte Lösung.«

22

Wenn ich am Freitag nicht gerade Unterricht hatte, war ich damit beschäftigt, Leute anzurufen, um sicherzustellen, dass die letzten Vorbereitungen für den Sommerball am nächsten Tag liefen. Das war mehr als genug Stress, um mich von meinen Gedanken an Noah abzulenken.

Für Samstag hatten Rachel, May, Lisa und ich geplant, dieses kleine Spa zu besuchen, um uns die Nägel und die Frisuren machen zu lassen. Lisas Mom arbeitete dort und hatte einen Spezialpreis für uns arrangiert.

Trotzdem fühlte ich mich total als Außenseiterin, denn alle Mädchen redeten dauernd von ihren Dates. Dass seine Fliege einfach perfekt zu ihrem Kleid passte, dass ihr Schwarm sie gebeten hatte, ihr einen Tanz zu reservieren, wie heiß er in seinem Smoking aussah …

Und ich stand ohne Date da. Also musste ich wohl allein hingehen. Inzwischen konnte ich auch keinen der Jungs mehr bitten, nur als guter Freund mit mir zu gehen, weil alle bereits vergeben waren. Vermutlich war ich die einzige Person an der ganzen Schule, die niemanden hatte.

»Wir können doch alle zusammen gehen, nicht wahr?«, meinte Lisa am Freitag in der Mittagspause, als ich zwölf Minuten hatte, um eine Kleinigkeit zu essen. Sie würde mit Cam gehen. Dixon mit May. Warren hatte ein Mädchen aus seinem Geschichtskurs eingeladen, die ich nicht besonders gut kannte.

»Ja«, stimmte Lee zu. »Dann musst du nicht alleine aufkreuzen.«

»Das wird sich alles finden, Elle, du wirst schon sehen«, versuchte Dixon mich zu überzeugen.

»Tja … du hast eben eine Menge Einladungen ausgeschlagen«, wandte Cam vorsichtig ein.

»Ich nicht. Das hat *er* praktisch jedes Mal für mich getan.« Dabei musste ich gar nicht erläutern, wer mit *er* gemeint war.

»Hey, apropos, kommt dein Bruder eigentlich auch auf den Ball, Lee?«, fragte Rachel.

»Keine Ahnung. Und es ist mir so was von egal.«

Rachel und ich wechselten einen Blick. Wir wussten beide, dass es Lee nicht egal war. Aber keine von uns sagte einen Ton.

Obwohl wir die Stretchlimo gemeinsam mieteten und zusammen hinfahren würden, stünde ich allein da.

Ich runzelte die Stirn. Ich konnte versuchen, Noah die Schuld zu geben, oder wütend auf mich selbst sein, weil ich zugelassen hatte, dass er allen, die mit mir gehen wollten, eine Absage erteilte.

Aber ich wusste, warum ich mich auf keine Auseinandersetzung eingelassen hatte. Ich wusste ganz genau, warum – weil ich davon ausgegangen war, mit ihm zusammen zu sein. Eben weil es ein Maskenball war. Ich hatte gehofft, dass er mein Date sein könnte. Er hatte mich ja sogar gefragt, an jenem Nachmittag in der Garage – nicht mit vielen Worten, sondern auf seine eigene Art.

Aber nein, dazu würde es jetzt nicht mehr kommen. Keinesfalls. Und was für Chancen hatte ich denn noch, dass mich heute irgendwer fragte, wo der Ball schon morgen war?

Null.

Mein Haar war geföhnt, perfekt geglättet, weich, geschmeidig und glänzend. Meine Nägel hatten eine perfekte French Manicure bekommen. Die letzte halbe Stunde hatte ich auf mein Make-up verwendet, und zwar nach einer Profi-Anleitung, die ich online gefunden hatte.

Dabei würde das nicht sehr viel bringen – die Maske verdeckte mein halbes Gesicht. Eigentlich machte ich es nur der Form halber.

Mein Kleid sah wunderschön aus. Jetzt, wo ich komplett gestylt war. Das dunkle Apfelgrün schien meine Haut zum Schimmern zu bringen, und meine braunen Augen funkelten durch die Maske. Der Stoff raschelte bei jeder Bewegung leise und umspielte meine Beine. Die silbernen Kitten Heels passten perfekt zur Perlenverzierung des Kleids und zur Maske.

Ich sah großartig aus. Verdammt, ich fühlte mich großartig!

Schon ewig hatte ich mich nicht mehr so normal gefühlt. Fast als wäre die ganze Sache mit Noah nie passiert.

Also, wenn ich schon allein hingehen musste, dann sah ich dabei wenigstens verdammt gut aus, dachte ich entschlossen. Doch dann fiel mir ein, was auf einem Sommerball normalerweise so passierte: Ja, ich würde gemeinsam mit den anderen in der Limo fahren, aber ich würde im Ballsaal nicht mit meinem Date fotografiert, auch würde mein Dad keine peinlichen Bilder von uns machen …

Vielleicht sah ich aus, als käme ich damit klar, aber auf einmal fühlte ich mich nicht mehr so.

Ich seufzte, da klingelte es an der Haustür. Ich griff nach meiner silbernen Clutch und warf noch einen letzten Kontrollblick in den Spiegel. Sie waren früh dran, aber immerhin war ich fertig.

»Elle, sie sind da«, rief Dad nach oben, bevor er die Tür aufmachen ging.

»Ja«, antwortete ich.

Dann lief ich nach unten, um alle zu begrüßen und mit ihnen in die Limo zu steigen. Auf dem Treppenabsatz steckte ich noch kurz den Kopf in Brads Zimmer. »Also dann bis später.«

Er unterbrach sein Spiel und musterte mich. »Wow. Hat ja auch lang genug gedauert.«

»Lang genug wofür?«

»Um dich von trollhässlich in gar nicht so übel zu verwandeln.« Dabei lächelte er aber sein süßes Zehnjährigen-Lächeln mit Zahnlücke, sodass ich auch grinsen musste und ihm durch die Haare strubbelte.

»Ach, lass das! Meine Güte, du bist so was von nervig!«

Lachend verabschiedete ich mich.

Noch oben auf der Treppe blieb ich wie angewurzelt stehen.

» … will mit ihr sprechen.«

»Sie will aber nicht mit dir sprechen. Ich glaube, du gehst jetzt also besser.«

»Nicht, bevor ich mit ihr gesprochen habe.«

»Nein. Und jetzt verschwinde verdammt noch mal von meiner Veranda, bevor ich die Polizei rufe.«

Noah schob sich trotzdem an ihm vorbei. Aber als Dad anfing, ihn zurückzudrängen, gab ich ein seltsames Geräusch von mir. Das war kein Wort, eher ein Quieken. Jedenfalls hielten beide inne und schauten zu mir hoch.

»Was tust du hier?«, zischte ich und eilte die Stufen hinunter, wobei ich mich ans Geländer klammerte, um mit meinen kleinen Absätzen nicht zu stolpern. »Noah, was zum Teufel tust du hier?«

»Er geht gerade wieder …« Das klang nach echter Drohung eines wütenden Vaters.

Noah trat nervös von einem Fuß auf den anderen. Er war wohl eingeschüchtert oder fühlte sich zumindest unbehaglich. Ich sah Noah nur an und wartete auf eine Antwort. Dann sah ich ihn mir genauer an.

Er trug ein weißes Oberhemd mit schmaler grüner Fliege, die ein bisschen nachlässig gebunden war. Den schwarzen Smoking hatte er mit seinem Markenzeichen, den schwarzen Stiefeln, kombiniert, die ihn irgendwie sexy aussehen ließen. Das dunkle Haar fiel ihm fast bis in die Augen, und er sah ein wenig zerzaust und derangiert aus.

Nervös kratzte er sich im Nacken. »Ich bin gekommen, um mit dir zu reden.«

Seufzend drehte ich mich Dad zu. »Gibst du uns eine Minute?«

»Schön«, sagte er nach einer langen Pause. Dann zeigte er mit ausgestrecktem Zeigefinger drohend auf Noah. »Aber wenn du ihr auch nur ein Haar krümmst, schwöre ich dir …«

»Dad!«, zischte ich und deutete mit einer Kopfbewegung Richtung Küche. Er warf Noah noch einen finsteren Blick zu, bevor er in der Küche verschwand. Aus Brads Zimmer hörte ich immer noch Musik. Er bekam also anscheinend nichts von all dem mit, was sich hier unten gerade abspielte.

Als ich wieder zu Noah hinsah, verschwand der eben durch die Haustür. »Was machst du denn? Ich dachte, du wolltest reden.«

»Ich hab's dir doch gesagt, Elle. Diesmal mache ich es richtig.«

Und da zog er auch schon die Tür hinter sich ins Schloss. Verwirrt starrte ich sie bestimmt eine Minute lang an. Da klingelte es wieder.

Immer noch verblüfft öffnete ich.

Und da war Noah wieder. Diesmal allerdings mit einem Ansteckbukett mit einer weißen Lilie. Außerdem hatte er ein Knie gebeugt.

»Was treibst du da?«, fragte ich nervös lachend.

»Elle Evans, willst du mein Date für den Sommerball sein?«

Ich konnte nicht anders – ich konnte einfach nicht anders: Ich brach in prustendes Gelächter aus. Als ich merkte, wie finster er mich daraufhin ansah, riss ich mich zusammen und biss mir auf die Lippe.

Ernsthaft? Wer hätte sich je vorstellen können, dass ausgerechnet Noah Flynn, der (vermeintliche) krasse Player und Gewalt-Junkie, auf der Terrasse eines Mädchens einen Kniefall machte, um sie zum Ball einzuladen? Das war so was von surreal und einfach zu komisch.

»Ist das dein Ernst?«

»Klar. Also, bist du mein Date?«

Ich schwankte. Eigentlich wollte ich Ja sagen und fand seine Geste auch so wirklich süß. Aber ich wusste, dass ich es besser lassen sollte. Es wäre eine schreckliche Entscheidung. Ich würde mich dafür hassen. Aber ich würde mich auch hassen, wenn ich Nein sagte …

Da stand er auf und sah mich mit einem kleinen Lächeln an. Es war eines von dieser seltenen, ansteckenden Sorte, bei dem das Grübchen in seiner linken Wange sichtbar wurde.

»Komm schon, Shelly, sei nicht so streng mit mir. Ich bemühe mich doch, oder? Ich weiß, dass ich ein Mistkerl war und dir wehgetan habe. Ich habe viele Dinge gemacht und gesagt, die ich bedauere, und … jetzt versuche ich, das wiedergutzumachen. Kommst du bitte mit mir auf den Ball?«

Er streckte mir das Bukett hin. Ich betrachtete die wunderschöne, duftende Blüte und schaute dann wieder ihm ins Gesicht. Da sah ich immer noch dieses Lächeln und ein hoffnungsvolles Strahlen in seinen blauen Augen. Da konnte ich doch nicht Nein sagen, oder?

»Ich … ich weiß nicht …« Das war nur ein Flüstern. »Ich glaube, dass das keine gute Idee ist.«

»Vergiss, was alle anderen glauben und was sie sagen werden. Was willst *du* denn?«

»Ich sollte nicht … ich meine, wir können doch nicht …«

»Vergiss, was das Richtige wäre. Was willst *du*?«

Ich sah ihn an. Ach, verdammt, ich wusste, was ich wollte. Mein Verstand hielt noch dagegen. Ich wusste, was ich tun sollte, was das Richtige wäre und was alle anderen von mir erwarteten.

»Shelly?«, beharrte er und hielt mir immer noch das Bukett hin.

Ich holte tief Luft und schloss kurz die Augen. Jetzt. Jetzt oder nie.

Ich würde komplett wider mein besseres Wissen handeln, und das letzte Fünkchen Vernunft in mir schrie auf …

Ich streckte ihm meine Hand hin. »Ja, Noah, ich komme mit dir auf den Ball.«

Er atmete auf und lachte gleichzeitig. »Wirklich?«

Ich nickte und schaute ihm direkt in die Augen. Da grinste er breiter, als ich das je an ihm gesehen hatte, und befestigte die Blume an meinem Handgelenk.

Die hartnäckigen negativen Gedanken ignorierend sprudelte es aus mir heraus: »Hast du überhaupt eine Maske? Es ist doch ein Maskenball.«

»Klar.« Er rollte mit den Augen und grinste, als wollte er sagen: Was denkst du denn?

»Oh, okay.«

Dann lächelte er wieder und ich konnte nur zurücklächeln. »Ich muss total verrückt sein, mich darauf einzulassen.«

Er nickte. »Genau. Dann bist du jetzt fertig zum Gehen?«

»Äh, eine Sekunde noch«, sagte ich, ließ Noah auf der Türschwelle zurück und ging in die Küche. Drinnen war Dad offensichtlich gerade zu seinem Sessel zurückgekehrt und hatte sich die Fernsehzeitung geschnappt, damit es nicht so aussah, als hätte er gelauscht.

»Sei nicht sauer«, sagte ich leise in der Hoffnung, er wäre nicht zu enttäuscht von mir.

»Ich bin nicht unbedingt sauer … ich halte es nur für keine gute Entscheidung«, sagte er kopfschüttelnd. »Nach allem, was du mit Lee durchgemacht hast …«

»Ich weiß«, sagte ich sanft, »aber …«

Dad seufzte schwer, nahm seine Brille ab und presste die Fingerspitzen auf die geschlossenen Lider. »Es gibt ein Aber. Großartig. Gerade als ich dachte …«

»Er ist auf ein Knie gegangen, um mich zu fragen«, sagte ich. »Ich glaube, es tut ihm wirklich leid.«

»Mmm.« Dad dachte eindeutig etwas anderes. »Entweder das, oder er hat es nur auf eine Sache abgesehen.«

»Dad. Jetzt komm. Es ist ja nur ein Ball«, sagte ich leise. »Das bedeutet doch nicht, dass ich … keine Ahnung, wieder mit ihm zusammen bin oder so.«

»Allein die Tatsache, dass du zugestimmt hast, mit ihm hinzugehen, spricht Bände, Elle. Hör zu, tu, was sich für dich richtig anfühlt, aber sei bitte vorsichtig. Ich möchte nicht, dass du am Ende darunter leidest. Oder schwanger bist, um es ganz deutlich zu sagen«, fügte er streng hinzu.

»Ja, Dad«, sagte ich, wie jede ungeduldige Teenagertochter.

»Das meine ich ernst, Kleines. Du tust, was du willst – oder was sich für dich richtig anfühlt. Daran kann ich dich nicht hindern. Aber ich bin überzeugt, dass es nicht das Richtige für dich ist.«

»Ich weiß nicht, was ich machen soll.« Ich seufzte und fühlte mich, als wäre ich wieder sieben und nicht fast siebzehn. Also tat ich das, was jedes verletzliche kleine Mädchen tun würde – ich umarmte meinen Dad. »Ich weiß nicht, was ich machen soll.«

Er drückte mich. »Du wirst es herausfinden.«

»Das kann ich nur hoffen.«

Leise lachend schob er mich von sich weg. »Jetzt sieh dich einer an, Elle. Wann ist mein kleines Mädchen bloß groß geworden?«

Ich lächelte zaghaft.

»Du siehst toll aus. Und du wirst das alles hinkriegen. Da bin ich mir ganz sicher.«

»Er macht mich wirklich glücklich, Dad.«

Er lächelte matt – was ihn auf einmal so viel älter wirken ließ.

Ich erwiderte das Lächeln und kehrte in den Flur zurück, wo Noah auf mich wartete und schon ein wenig nervös aussah. Ich merkte erst, dass Dad mir gefolgt war, als ich seine Stimme hörte.

»Na gut – also, ich glaube, wenn du mit meinem kleinen Mädchen auf diesen Ball gehst, dann muss ich vorher ein paar Fotos machen.« Er zückte seine Kamera und gab mir ein Zeichen, mich näher neben Noah zu stellen.

Ziemlich verlegen schob ich mich an seine Seite. Noah zog mich an sich und legte den Arm um mich. Das fühlte sich sofort angenehm und vertraut an. Schön.

Dad machte mehrere Fotos. Dann sagte er: »Und jetzt hör mir gut zu. Ich bin mit dieser ganzen Sache nicht glücklich, aber wenn es das ist, was Elle will, dann finde ich mich damit ab – *vorläufig*. Aber wenn du irgendetwas – und damit meine ich, auch nur das Geringste – tust, das sie verletzt, Junge, dann wirst du dir wünschen, heute Abend keinen Fuß über diese Schwelle gesetzt zu haben. Haben wir uns verstanden?«

»Ja, Sir«, antwortete Noah und klang erstaunlich aufrichtig und höflich.

»Dann ist es ja gut. Habt Spaß, Kinder.«

»Bye, Dad«, sagte ich und schenkte ihm noch ein aufmunterndes Lächeln, das er mit einem zweifelhaften Achselzucken quittierte. Dann schloss ich die Haustür, und Noah, der vom Fotografieren noch den Arm um meine Taille gelegt hatte, führte mich die Einfahrt hinunter.

»Moment«, sagte ich und blieb stehen. »Weiß Lee von dieser Sache? Hast du es ihm gesagt?«

»Nein. Warum? Spielt das eine große Rolle? Erzähl es ihm später.« Beim letzten Satz schaute er allerdings zu Boden.

»Tja, sie sollten eigentlich jeden Moment hier vorbeikommen. Mit der Limo …«

»Tja, schreib ihm eine SMS, dass du schon weg bist. Oder dass etwas schiefgegangen ist und du sie nachher dort siehst. Keine Ahnung. Schreib ihnen, dass du mit mir hingehst, wenn du unbedingt willst.«

»Ich sage, dass mit meinem Make-up was schiefgegangen ist«, beschloss ich und schrieb Lee auch schon.

Sind gerade bei Dixon weggefahren. Danke für die Info. Dann sehen wir uns dort.

Das war das Tolle an einem männlichen besten Freund: kein Beileid, keine besorgten Nachfragen, was passiert sei und ob ich Hilfe brauche. Er akzeptierte es einfach fraglos.

Ich fühlte mich schrecklich, weil ich ihn wieder belogen hatte, auch wenn es nur eine einzige SMS war. Da war diese schreckliche Vorahnung, dass alles wieder von vorne anfangen könnte – das Lügen, die Heimlichtuerei, der Verrat … Und am schlimmsten fand ich, dass ich das alles so bereitwillig und ohne Zögern tat.

Aber ich konnte ihm ja schlecht schreiben: *Macht euch nicht die Mühe, mich abzuholen, weil ich jetzt doch mit Noah auf den Ball gehe.*

Ja, genau.

Ich musste es Lee ins Gesicht sagen. Damit er mich verstand. Alles erklären. Dass es der einzige Weg war. Keine Lügen mehr. Das war das Mindeste. Er verdiente mehr als eine SMS oder ein Telefonat.

Einen Moment lang fragte ich mich, was Noah vorhatte, als er an die Beifahrerseite des Wagens ging. Er würde mich doch sicher nicht fahren lassen. Wo er ohne Erlaubnis kaum jemand sein Auto anfassen ließ. Lee war fast genauso schlimm – er ließ mich auch nie ans Steuer. (Im Ernst – ein winzig kleiner Kratzer von einem Briefkasten am Wagen meines Vaters hatte mich anscheinend fürs ganze Leben gebrandmarkt.)

Aber Noah hielt mir nur die Tür auf. Das war eine so formvollendete Höflichkeitsgeste, dass ich meinen Augen kaum traute.

»Danke«, stammelte ich und stieg ein. Er schloss die Tür für mich, bevor er selbst einstieg und Richtung Hotel Royale losfuhr. Wir würden ungefähr zwanzig Minuten unterwegs sein, und ich hatte keine Ahnung, wie diese Zeit vergehen sollte, ohne dass es zwischen uns peinlich wurde.

Ich hatte eine Frage, die ich unbedingt loswerden musste.

»Was machen wir denn gleich? Einfach zusammen dort aufkreuzen und alle wissen lassen, dass wir ... wir ... was auch immer?« Ich wollte nicht sagen, ein Date haben, für den Fall, dass er das anders sah.

Noah seufzte. »Hör zu, ich lege jetzt mal alle Karten auf den Tisch, Elle. Ich bin gerne mit dir zusammen. Du bedeutest mir etwas – wahrscheinlich mehr, als du solltest. Deshalb ... will ich dich nicht noch mal verlieren. Ich versuche, es bei dir wiedergutzumachen, aber ich verstehe das, wenn du es lieber ... du weißt schon, unverbindlich oder so halten möchtest.«

»Also ...?«

»Also, was ich zu sagen versuche, ist ... dass die Entscheidung ganz bei dir liegt.«

Mein Herz hämmerte so heftig, dass ich den Rest seiner Worte kaum verstand.

»Wenn du, du weißt schon ... zusammen sein ... ein Paar sein möchtest ...«

Ich starrte ihn an. Seine Augen waren auf die rote Ampel vor uns gerichtet, seine Finger umklammerten das Lenkrad. Er sah … doch, man konnte es nicht anders nennen: verletzlich aus.

Er hatte mir ja schon erzählt, warum er nie eine Freundin gehabt hatte, immer nur kurze Affären. Weil keine mit einem Typen zusammen sein wollte, der ständig in Schlägereien verwickelt war. Und das konnte ich auch keinem Mädchen verübeln. Aber … eines ließ sich auch nicht leugnen: Noah hatte eine wirklich liebenswerte und fürsorgliche Seite. So wie er heute Abend bei mir zu Hause aufgetaucht war oder wie er mir die Autotür aufgehalten hatte.

Lee wird mich dafür hassen …

»Ich muss vorher mit Lee reden. Ich kann die Bombe nicht einfach so platzen lassen.«

Auch wenn ich damit noch nichts Konkretes ausgesagt hatte, leuchteten Noahs Augen, als er zu mir hinübersah. Ein Lächeln – kein Grinsen, ein Lächeln – umspielte seine Mundwinkel. »Wirklich?«

Ich lachte. »Ja, wirklich.«

Wir wussten beide, was meine Antwort war. Aber ich musste sichergehen, dass ich dafür nicht meinen besten Freund verlieren würde. Kein Junge, nicht einmal Noah, war das wert. Er verstand, dass ich die Bedingung hatte, zuerst Lee davon erzählen zu müssen.

Zu mehr kam ich gar nicht, weil er sich rasch zu mir rüberbeugte und mir einen schnellen Kuss auf den Mund gab, bevor die Ampel auf Grün sprang. Für meinen Geschmack ging das viel zu schnell, aber mein Herz geriet trotzdem in Aufruhr.

Er streckte die Hand aus und fand meine. Unsere Finger schoben sich ineinander. Das fühlte sich so leicht und natürlich an, als passten wir perfekt zusammen – auch wenn unsere Persönlichkeiten und Gewohnheiten etwas anderes vermuten ließen.

Den Rest der Strecke legten wir praktisch schweigend zurück. Nur dass es kein peinliches Schweigen war, bei dem man sich beständig fragte, ob man nicht Konversation betreiben sollte. Es war eine angenehme Stille. Bei der man einfach die Gegenwart des anderen genießen konnte.

Wir waren schon nicht mehr weit vom Royale entfernt. Es herrschte eine Menge Verkehr: wegen des Feuerwehrautos, der zwei Streifenwagen, einer Reihe von Stretchlimos und anderer Limousinen, eines Rolls Royce und der zwei oder drei Pferdekutschen – ganz zu schweigen von denjenigen, die in ihren ganz normalen Autos kamen.

»Die Limos begreife ich ja noch«, sagte Noah. »Aber Kutschen? Das ist doch verrückt. Wir sind hier doch nicht bei MTV. Was für eine Geldverschwendung.«

Ich musste lachen, weil ich so ziemlich das Gleiche gedacht hatte.

Jetzt strich ich mein Kleid glatt und packte einen Taschenspiegel aus, um meinen Lippenstift nachzuziehen. Als ich seinen Blick auf mir spürte, sah ich Noah an. »Was?«

»Nichts.«

»Nein, im Ernst, was ist denn?«, hakte ich nach und kontrollierte mein Gesicht in dem winzigen Spiegel. Vielleicht hatte ich Lippenstift am Zahn.

»Nichts. Du siehst großartig aus.«

»Oh. Danke. Hey, das ist ja irre, wie gut deine Fliege zu meinem Kleid passt.«

Er schaute an sich herunter, als brauche er die optische Bestätigung. »Na ja. Ich habe mich daran erinnert, dass du mir von einem grünen Kleid erzählt hast. Und das hier war die einzige grüne Fliege, die ich in der Mall finden konnte, auf der nicht lauter Palmen waren.«

Mein Spiegelbild grinste mich an, während ich weiter mein Make-up kontrollierte.

»Ehrlich, Elle, steck das weg. Du siehst auch so schon umwerfend aus.«

Umwerfend ... Ich konnte gar nicht aufhören zu lächeln. »Wirklich?«

»Ja, wirklich.« Er lachte leise. Die Schlange bewegte sich, da die Limos nacheinander wegfuhren, sodass wir ein Stückchen weiterkamen. »Oh, hey, schau mal – da ist eure Limo.«

Ich verrenkte mir den Hals, um zu sehen, wohin er zeigte. Eine schwarze SUV-Stretchlimo parkte vor dem Eingang des Royale. Ich erkannte Lee sofort. Er führte Rachel am Arm. Nach ihnen stiegen alle anderen aus.

Da alle bereits ihre Masken trugen, war es gar nicht so leicht, die einzelnen Leute zu erkennen. Man konnte sie leicht mit anderen verwechseln. Außerdem trugen viele Jungs ganz schlichte Masken, die alle sehr ähnlich aussahen.

Vielleicht würde (außer Lee, natürlich) gar keiner mich und Noah zusammen bemerken. Vielleicht würde ich gar nicht von scharenweise Mädchen umringt, die wissen wollten, warum ich mit Noah Flynn hergekommen war.

Irgendwie hoffte ich, dass man uns nicht erkannte. Das würde diesen Abend so viel einfacher machen.

Wir fuhren zum Eingang des Hotels, wo schon ein Hotelpage wartete, um den Wagen zu parken. Noah öffnete mir erneut die Tür. Ich hatte gar nicht mitbekommen, wann er sich seine Maske aufgesetzt hatte. Die war schwarz mit grauen Metallnieten am oberen Rand und bedeckte sein halbes Gesicht.

Noah gab dem Pagen die Schlüssel, legte einen Arm um meine Taille und führte mich zum Eingang. Da spürte ich schon, dass etliche Leute uns anstarrten und überlegten, wer wir wohl waren. Dabei hatten wir den Ballsaal noch nicht einmal betreten.

Mein Magen zog sich zusammen und ich merkte, wie mein Atem immer flacher wurde.

»Beruhig dich«, flüsterte Noah mir ins Ohr, wobei sein Atem meine Wange kitzelte. »Alles wird gut, das verspreche ich dir.«

»Oh, ich hoffe wirklich, dass du recht hast …«

23

Eine kleine Schlange von Leuten hatte sich mit ihren Dates aufgestellt. Sie warteten, um sich unter dem prachtvollen Blumenbogen an der Seite des Ballsaals fotografieren zu lassen. So, wie es aussah, würde ich also doch noch ein Foto mit meinem Date bekommen.

Die kunstvollen Kristalllüster tauchten den Raum in ein warmes Licht und ließen die Goldverzierungen an Wänden, Säulen und Decke aufblinken. Die Schatten der tanzenden Paare fielen auf den schimmernden Marmorboden. Die Decke ragte bis zu einer Kuppel hinauf. An einer Wand war eine Bar aufgebaut. Kleine runde Tische mit weißen Tischdecken und Blumengestecken säumten die Tanzfläche und die Band spielte auf einer niedrigen Bühne am anderen Ende des Saals.

Kurz gesagt: Alles war perfekt. Unglaublich, makellos, wunderschön. Ich war ziemlich stolz auf meine Idee mit dem Blumenbogen für die Fotos, der so romantisch aussah.

»Es ist fantastisch, findest du nicht?«, sagte ich grinsend zu Noah.

»Ja«, stimmte er mir zu und blickte sich genauso staunend um wie ich.

»Die nächsten, bitte!«, sagte der Fotograf, und wir rückten ins Scheinwerferlicht. Ich stand verlegen da, weil ich spürte, wie die Leute uns ansahen. Natürlich machten sie das, weil wir gerade fotografiert wurden. In dreißig Sekunden würde ihre Aufmerksamkeit dem nächsten Paar gelten. Aber im Moment wartete ich nur darauf, dass jemand rief: »Mein Gott! Elle und Flynn?«

»Hey, entspann dich«, flüsterte er mir ins Ohr, wovon ich ein wenig zusammenzuckte.

»Sorry, ich bin nur ein bisschen … angespannt.«

Er lächelte dieses umwerfende sexy Lächeln, das mich schon etwas lockerer machte. Ich wandte dem Fotografen das Gesicht zu, und Noah stellte sich hinter mich, die Arme um meine Taille gelegt. Meine Arme kamen auf seine. So lächelte ich in die Kamera und war nach dem Blitzlicht kurz fast blind. Dann –

»Die nächsten, bitte!«

Und schon standen wir nicht mehr im Mittelpunkt der Aufmerksamkeit.

»Möchtest du etwas trinken?«

»Äh, j-ja.«

»Dann besorge ich uns mal was.«

»Okay.«

Er hatte mich gerade mal vier Sekunden allein gelassen, als auch schon der andere Flynn-Bruder direkt vor mir stand.

Mist! Hatte er gesehen, dass ich mit Noah da war? Hatte jemand uns zusammen reinkommen gesehen? Ich meine, er sah nicht sauer aus, aber …

Er schob mir vorsichtig die Maske hoch. »Shelly, da bist du ja.«

Ich lächelte. »Hey, Lee.«

»Das Make-up-Desaster in den Griff gekriegt?«

Ich atmete unhörbar auf. Er hatte nichts mitbekommen … »Klar, danke. Alles bestens jetzt.«

»*Awesome*. Also, äh, wirst du jetzt zu uns an den Tisch kommen oder lieber alleine hier rumstehen?«

Ich zögerte. »Lee, ich muss dir noch was sag–«

»Ist das Elle?« Jemand drehte mich an der Schulter herum und ein maskiertes blondes Mädchen grinste mich an. »Ich dachte mir schon, dass du das bist! Hübsches Kleid, übrigens. Hi, Lee. Hör mal, Elle, es gibt da ein Problem mit dem Essen, und Tyrone hat mich gebeten, dich zu suchen. Irgendwas wegen der vegetarischen Alternative und einem Nussbraten …?«

»Nein, nein, wir hatten gesagt, kein Nussbraten, weil Jon Fletcher eine Nussallergie hat.«

»Ja, das weiß ich. Aber Tyrone hat gesagt, ich soll dich holen.«

»Ich war aber gar nicht fürs Essen zuständig.« Ich hatte nur ein bisschen mitgeholfen.

»Ich weiß«, sagte sie. Ich war mir fast sicher, Kaitlin vor mir zu haben, weil ihre Stimme ein bisschen nasal klang. Weil sie jetzt gereizt war, klang sie sogar noch nasaler. Ja, das war definitiv Kaitlin. »Aber Tyrone hat gesagt, ich soll dich holen, weil Gen durchdreht.«

Ich seufzte. »Na gut.«

»Super! Also, du gehst durch die Tür neben der Bühne, wo die Band spielt, und auf der Mitte des Flurs ist eine Tür in die Küche.«

»Lee, ich bin gleich wieder da. Geh nicht weg – ich muss dir was sagen.«

»Na klar.« Schon verschwand er in der Menge.

Ich folgte Kaitlins Wegbeschreibung und fand nach ein paar falschen Türen tatsächlich die Küche. Dort zankten Tyrone und Gen gerade einerseits mit dem Küchenchef, andererseits und hauptsächlich aber miteinander.

»Sie hätten mir deutlicher sagen müssen, dass es ein Problem mit Nussallergien gibt …«, beschwerte der Mann sich aufgebracht.

»Das haben wir doch!«, schrie Gen schon fast.

»Bist du dir da ganz sicher, Gen?« Tyrone hatte sich seine Maske auf die Stirn geschoben und blähte gereizt die Nasenflügel.

»Absolut sicher! Das hätte ich doch niemals vergessen, Ty!« Sie wirbelte zu mir herum und sah mich verzweifelt an. »Elle, sag du es ihnen!«

Seufzend wandte ich mich an den Küchenchef. »Können Sie denn nicht einfach ein vegetarisches Gericht zubereiten, das kein Nussbraten ist? Nur ein einziges?«

Er war nicht gerade begeistert, aber irgendwie gelang es uns, ihn dazu zu überreden – ohne einen Aufpreis für Jon.

Als ich die Küche wieder verließ, hatte ich natürlich keine Ahnung, wo meine Freunde steckten. Oder mein Date. Alle tanzten oder standen in Grüppchen um die Tische.

Da die Jungs alle Smoking trugen und ihre Gesichter hinter Masken versteckten, konnte man sie kaum voneinander unterscheiden. Ich suchte fünf Minuten lang nach Lee, dann gab ich auf. Von Rachel wusste ich, dass sie ein bodenlanges fliederfarbenes Kleid mit einer violetten Schleife trug, aber auch sie konnte ich nirgends entdecken.

Ich lehnte mich an einer Stelle an die Wand, wo es nicht ganz so voll war, und seufzte. Das Abendessen würde in vierzig Minuten serviert, aber die Zeit bis dahin wollte ich nicht allein verbringen. Warum hatten wir uns noch mal für einen Maskenball entschieden? Von wegen cool, chic und witzig. Es *nervte* einfach nur.

Jemand stellte sich neben mich. »Hier, du siehst aus, als könntest du das brauchen.« Wer auch immer das war, hielt mir ein kleines Glas Bowle hin.

»Danke ...« Mit gerunzelter Stirn versuchte ich zu erraten, wer es war. Die Musik war so laut, dass ich die Stimme nicht erkannt hatte.

Da schob mein Retter seine Maske weit genug nach oben. »Cam!« Sofort zog er sie wieder runter.

»Wer dachtest du denn, dass ich bin?«, meinte er lachend.

»Peter Parker. Also, das hatte ich gehofft.«

»Maguire oder Garfield?«

»Garfield.«

»Tut mir leid, dich zu enttäuschen. Ich habe dich nur erkannt, weil du vorhin mit Lee gesprochen hast. Du siehst echt hübsch aus.«

»O danke.« Ich grinste. »Du siehst auch gut aus. Wie läuft es so?«

»Gut. Aber sag mal, hab ich dich mit jemand kommen gesehen?«

»Nein … Das glaube ich nicht …«

Ich hasse Lügen.

»Oh, dann muss es jemand anders gewesen sein. Na ja, lass uns mal lieber die anderen suchen. Ich bin mir nur einen Drink holen gegangen, aber du sahst hier ziemlich einsam aus. Außerdem kann ich wegen der verdammten Masken niemand erkennen.«

»Ich finde es auch blöd.«

»Und was machst *du* hier ganz allein?«

»Ich konnte auch keinen finden«, verteidigte ich mich lachend.

»Ausreden, Ausreden … Dann komm. Ich *glaube*, sie sind alle noch da drüben.« Ich folgte Cam durch die tanzenden maskierten Teenager und hielt mich dabei an seinem Arm fest, um ihn nicht zu verlieren. Die ganze Zeit hielt ich auch Ausschau nach Noah, konnte ihn aber nirgends entdecken.

Bald hatten wir die anderen gefunden. Die Mädchen sahen natürlich alle hinreißend aus, die Jungs gaben aber auch ein ziemlich eindrückliches Bild ab. Lees Fliege passte perfekt zu Rachels Kleid. Die meisten anderen hatten sich einfach für Schwarz entschieden. Cam hatte ebenfalls versucht, den Ton von Lisas Kleid zu treffen – allerdings war seine Fliege hellrot und ihr Kleid dunkelrot.

Lee und Rachel waren so ein süßes Paar.

»Du bist doch nicht zu traurig, Elle, oder? Du weißt schon, weil du alleine hier bist«, sagte Warren. Das war ein bisschen unsensibel, aber so war Warren eben, also dachte ich mir nicht viel dabei.

»Nein«, sagte ich. »Mir geht's gut.«

»Ich könnte schwören, dass ich dich mit jemand kommen gesehen habe und ihr fotografiert wurdet«, sagte Bridget, Warrens Date.

»Nein, das war sie nicht, ich hab sie schon gefragt«, antwortete Cam für mich.

»Ach. Das ist ja seltsam. Aber seht ihr, alle mit diesen blöden Masken, da kann man die Leute eben kaum voneinander unterscheiden!«

Dann wurde fröhlich vor sich hin geplaudert. Ich hielt weiter die Augen nach Noah offen, entdeckte ihn aber nirgends. Einmal ging ich mit den Mädchen zusammen tanzen, dann forderte mich zuerst Cam, später Lee auf. Irgendwann tauchte Cody auf und tippte Lee auf die Schulter.

Ich erkannte ihn nur an seinem aufblitzenden Zungenpiercing, als er fragte: »Darf ich ablösen?«

»Nur zu«, sagte Lee. Er verbeugte sich formvollendet vor mir und ging dann zu den anderen, die alle zusammen tanzten. Die Musik hatte gerade zu einem langsameren Stück gewechselt, zur Akustikversion irgendeines Popsongs.

»Hi, Cody.«

»Hey, Elle.« Er lächelte. »Hoffe, es macht dir nichts aus, dass ich mir diesen Tanz gestohlen habe.«

Ich lachte. »Mach dir darüber mal keine Gedanken.«

»Du siehst heute Abend echt hübsch aus«, sagte er. »Tut mir leid zu hören, dass du kein Date hast.«

Ich stöhnte theatralisch. »Weiß das schon jeder?«

Er zuckte mit den Achseln und lachte mit. »Keine Sorge. Das ist nur passiert, weil Flynn alle Jungs abgeschreckt hat, oder? Aber bis jetzt hat ihn noch keiner gesehen – da wirst du den ganzen Abend durchtanzen und anderen Mädchen die Dates klauen.«

»Mit wem bist du noch mal da?«

»Mit Amy. Amy Johnson.«

Ich nickte. »Cool. Und sie stört es nicht, wenn du mit mir tanzt?«

»Nee. Mach dir darüber keine Gedanken. Wie geht's dir denn überhaupt? Außer in Chemie sehe ich dich kaum.«

»Ganz gut, würde ich sagen. Und dir?«

»Wie immer, wie immer.«

Wir lachten über die verlegene Gesprächspause hinweg, die danach eintrat, und plauderten bis zum Ende des Songs über die Band und die Dekoration. Als Jason mich zum nächsten Tanz auffordern wollte, lehnte ich ab, um »Lee zu suchen«. Dabei hatte ich eigentlich vor, Noah zu finden.

Vielleicht hätte ich ihn auch gefunden – wenn nicht plötzlich alle begonnen hätten, ihre Plätze zum Essen einzunehmen. Ich stellte mich auf die Zehenspitzen und spähte in alle Richtungen.

»Elle! Elle!« Ich drehte mich um. »Hier drüben!« Lee winkte, damit ich mich zu ihm setzen sollte.

Ich lächelte, auch wenn es sich eher anfühlte, als schnitte ich eine Grimasse. Dann schob ich mich durch die Menge zu meinem Platz.

Am Tisch blieb natürlich ein Stuhl frei: Er war für fünf Paare gedacht, nämlich Warren, Dixon, Lee und Cam mit ihren Begleiterinnen, und dann war da noch ich.

Ich betete, dass Noah mich sehen und sich auf den freien Platz neben mir setzen würde.

»Flynn! Hier ist noch Platz, Alter …«, hörte ich den harten Brooklyn-Akzent von Andy, einem der Footballspieler, der Noah soeben zu sich an den Tisch lotste. Dort saßen Mädchen und Jungs gemischt – niemand neben seinem Date, und es gab auch noch genau einen freien Stuhl.

Er ging in die Richtung und hatte, wie ich feststellte, seine Maske in der Hand. Er wollte irgendetwas sagen, aber da war eines der Mädchen schon aufgesprungen und zog ihn neben sich. Sein Blick schweifte durch den Saal und fing meinen auf, als er im Begriff war, sich hinzusetzen.

Wir sahen uns mit hilflosem Ausdruck an, der so viel sagte wie: Jetzt kommen wir von unseren Tischen wohl nicht mehr weg. Eigentlich war das für mich sogar ein Glücksfall, denn ich hatte Lee noch nichts gesagt. Das würde ich aber unbedingt noch tun. Damit es nicht wieder so lief wie beim letzten Mal.

Hätte ich das Problem mit dem vegetarischen Essen nicht gehabt oder wäre ich nicht zum Tanzen aufgefordert worden …

Die Umstände waren gegen uns, aber davon würde ich mich diesmal nicht aufhalten lassen.

Bewusst schob ich diese Gedanken vorläufig beiseite. Darum konnte ich mich später kümmern. Jetzt wollte ich das Zusammensein mit meinen Freunden genießen.

Aber das war leichter gesagt als getan. Es fiel mir schwer, mich nicht nach Noah umzudrehen. Die ganze Zeit fühlte ich mich abgelenkt.

Das entging auch anderen nicht.

Als jemand vor meinem Gesicht mit den Fingern schnippte, zuckte ich zusammen und ließ vor Schreck die Gabel fallen.

»Erde an Elle! Was ist mit dir los?«

»Nichts«, beteuerte ich Lee gegenüber so unschuldig wie nur möglich. Ich zwang mich auch zu einem Lächeln. »Gar nichts ist los.«

»Doch. Und da fällt mir ein: Was wolltest du mir denn vorhin sagen? Du weißt schon, bevor Kaitlin dich unterbrochen hat?«

Ich schluckte heftig. »Äh, n-nichts Besonderes …«

»Ja, klar. Okay. Entschuldigt uns kurz, Leute.« Lee stand auf und zog mich mit sich.

Mein Herz begann heftig zu hämmern und meine Handflächen wurden feucht.

»Elle, was ist denn?«, fragte Rachel.

»N-nichts …«, murmelte ich und erntete nur einen besorgten Blick.

Lee führte mich durch die Tür in der Nähe unseres Tisches hinaus in die Hotellobby.

»Im Ernst«, sagte er und verschränkte die Arme vor der Brust. »Was ist los?«

Ich zupfte nervös an dem Blumenbukett um mein Handgelenk. »Also … versprich mir erst, dass du mir bis zum Ende zuhörst, ja? Flipp nicht aus oder sei sauer. Hör mir erst einmal zu, bitte. Okay?«

»Okay«, sagte er misstrauisch und schien sich schon mal auf schlechte Neuigkeiten gefasst zu machen.

»Ich hatte vorhin kein Problem mit meinem Make-up«, fing ich an, woraufhin er mich mit einem erleichterten Lachen unterbrach.

»Das war's? Wolltest du nur nicht die Einzige sein, die allein in der Limo sitzt? Mann, einen Moment lang hatte ich schon befürchtet, du würdest wieder mit Noah rummachen.«

Ich biss mir auf die Lippe. »Er kam vorbei. Vorhin, bei mir zu Hause. Deshalb habe ich dir das mit dem Make-up gesagt.«

Lees Miene verfinsterte sich. »Was wollte er?«

»Er …« Ich hörte Schritte hinter ihm und schaute hoch. Da sah ich Noah sich nähern. Ich griff nach Lees Ellbogen, um zu verhindern, dass er sich umdrehte und sofort eine Szene machte. »Sei nicht sauer, Lee, versprich es mir. Er – er hat gesagt, dass er versuchen will, es wiedergutzumachen, und … und …«

»Hey, Leute, was gibt's?«

Ich hätte Noah umbringen mögen. Konnte er mich nicht einfach in Ruhe mit Lee reden lassen, ohne sich einzumischen? Jetzt würde Lee bestimmt überreagieren, oder Noah würde es auf die Spitze treiben, nur um ihn zu provozieren, und …«

»Was hast du dir eigentlich dabei gedacht, vorhin bei Elle aufzukreuzen?«, stellte Lee ihn zur Rede. »Meinst du nicht, du hast schon genug Unheil angerichtet?«

»Genau darum war ich dort«, sagte er und der Blick seiner blauen Augen saugte sich an mir fest. »Um zu versuchen, es wiedergutzumachen.«

»Lee, er hatte ein Bukett dabei und alles«, warf ich eilig ein.

»Das interessiert mich nicht«, rief Lee und drehte sich wieder zu mir. »Elle, er hat sich dir gegenüber supermies benommen. Er hat dich total hängen lassen, nachdem ich es erfahren hatte.«

»So war das nicht«, widersprach Noah in drohendem Ton. »Und das weißt du auch. Ich habe versucht anzurufen un–«

»Das bedeutet überhaupt keinen Unterschied, Noah«, fauchte Lee. »Tatsache ist, dass du nicht da warst, als sie dich wirklich gebraucht hätte. Du hast eben nicht versucht, die Sache anständig in Ordnung zu bringen. Du hast sie mit allem allein gelassen, während du gekniffen hast und auf deinem verdammten Motorrad abgehauen bist. Du hast sie dazu gebracht, mich anzulügen und ihren Dad, und wozu? Um ein bisschen Spaß zu haben? Ein bisschen Action?«

»Lee …«

»Warum fragen wir sie denn nicht selbst, hm? Warum warten wir nicht mal ab«, sagte Noah und der Muskel an seinem Kiefer zuckte, »was Elle selbst möchte?«

Sie sahen mich abwartend an.

Ich schaute Noah an. Mehr musste ich gar nicht tun, damit Lee resigniert aufseufzte.

»Elle, mal im Ernst, glaubst du wirklich, dass das das Best–«

»Noah«, unterbrach ich Lee, »könntest du uns für eine Minute allein lassen?«

Er zuckte mit den Achseln. »Klar.« Dann ging er ein paar Schritte von uns weg und lehnte sich gegen die Wand.

Ich wandte mich wieder an Lee und sprach mit flüsternder Stimme. »Ich weiß, dass du das dumm und leichtsinnig findest, aber ... ich will mit ihm zusammen sein. Es fühlt sich an wie das Richtige.«

Lee verzog nachdenklich den Mund. Ich konnte sehen, wie es in ihm arbeitete. »Wenn ihr einfach nur rummachen wollt ... Ich meine, du kamst mir immer eher wie ein Mädchen für eine richtige Beziehung vor, nicht wie eine Type, die bloß auf eine Affäre scharf ist. Ich mache mir echt Sorgen um dich, Shelly.«

Ich lächelte gelassen, griff nach seiner Hand und drückte sie. »Das weiß ich. Und diesmal werden wir es richtig machen«, wiederholte ich Noahs Worte.

»Und zwar ...?«

»Sie meint, dass wir richtig offiziell zusammen sein wollen«, sagte Noah laut genug. Ich wurde rot und schaute auf meine Schuhspitzen, bevor ich wieder Lee ansah. Dessen Augenbrauen verschwanden fast unter seinen Haaren.

»Wenn du einverstanden bist«, fügte ich hinzu. »Nur, wenn du nichts dagegen hast.«

»Moment mal, ist das ernst gemeint?«

Ich nickte, und Noah, der inzwischen wieder neben uns stand, sagte: »Yeah. Warum? Hast du damit ein Problem, Brüderchen?«

Lee sah ihn nicht an, sondern hatte die Augen nur auf mich gerichtet. In den Augenwinkeln meinte ich, die Andeutung eines Lächelns zu sehen. »Wenn irgendein Mädchen ihn ändern könnte ...« Er klang ein bisschen entnervt. Froh war er über die Situation nicht. Aber er akzeptierte sie offenbar.

»Ich gehe mal besser wieder rein, bevor sich noch jemand Gedanken macht. Bis nachher, Elle.« Noah nickte mir kurz zu und verschwand. Ich holte tief Luft und war mir nicht sicher, was Lee sagen würde. Jetzt, wo Noah nicht mehr in Hörweite war.

»Und du hast behauptet, er würde sich nie ändern«, sagte ich scherzhaft und drückte leicht seinen Arm.

Er lachte nicht. Stattdessen seufzte er schwer und kniff sich kurz in die Nasenwurzel. Das machte er immer, wenn er unglücklich war. Zum Beispiel auf der Beerdigung seines Großvaters oder als sein Hund, Patches, gestorben war. Damals waren wir zehn.

»Bist du denn wirklich glücklich, Shelly? Ich weiß, wie Noah ist. Bist du dir sicher, dass du dich nicht von ihm hast überreden lassen? Du weißt doch auch, wie er ist. Bist du *wirklich* glücklich mit ihm?«

»Das bin ich«, versicherte ich ihm. »Ich weiß, dass du das albern und kitschig finden wirst, aber bei ihm fühle ich mich innerlich gut. Es ist irgendwie … egal, was sonst so in meinem Leben los ist, denn wenn ich mit ihm zusammen bin, kann ich das alles vergessen. Ich kann es einfach genießen, bei ihm zu sein, deshalb bin ich glücklich. Ich bin glücklich, Lee. Und ich weiß, das ist dumm, weil wir es wahrscheinlich beenden werden, wenn er aufs College geht, aber …«

Ich verstummte, weil mir nichts weiter einfiel. Ich fand keine Worte, um meine Gefühle für Noah zu erklären. Ich hoffte einfach, dass Lee zumindest versuchen würde, mich zu verstehen.

Ja, das Herz will, was das Herz eben will.

Nur dass das hier keine Herzensangelegenheit war. Weil ich ihn ja nicht liebte. Natürlich nicht. *Das* wäre ja auch lächerlich. Nein. Ich liebte ihn definitiv nicht.

»Also … willst du mir damit sagen, dass du ihn liebst?«

»Nein! Nein – auf keinen Fall«, beharrte ich. Ich hätte wissen müssen, dass Lee diese Schlussfolgerung zog. Würde ich Noah lieben, wäre das eine vernünftige Erklärung dafür, wieder mit ihm zusammen zu sein. Aber ich liebte ihn ja nicht. Ganz bestimmt nicht.

»Oh.« Auf einmal war da so etwas wie Mitleid in seinem Gesicht, was ich nicht ganz verstand. Als wüsste er etwas, von dem ich keine Ahnung hatte.

»Lee, was –«

»Hör zu, ich bin mit dieser Sache nicht einverstanden, Shelly. Er hat dir wehgetan, und ich glaube nicht, dass die Sache gut ausgehen wird. Aber wenn es das ist, was du wirklich willst … Dann werde ich hinterher da sein, um die Scherben aufzukehren, okay?«

Ich lächelte. Es war kein strahlendes Lächeln, aber ein echtes. Und es passte genau zu Lees. »Im Ernst? Du bist nicht sauer auf mich?«

»Nein, Shelly …« Er grinste. »Wenn es ist, was du willst, bin ich für dich da, wenn es vorbei ist. Ich werde immer für dich da sein.«

Ich umarmte meinen besten Freund ganz fest und flüsterte: »Danke, Lee.«

Er drückte mich an sich. »Ich hab dich ja gewarnt, dass du mich noch dazu bringen wirst, wie ein Mädchen daherzureden.«

Lachend sagte ich leise: »Ich hab dich lieb.«

»Klar, ich hab dich auch lieb.« Dann ließ er mich los. »Komm jetzt. Wir wollen doch das Dessert nicht verpassen. Ich will unbedingt meinen Käsekuchen. Wenn ich nicht da bin, klaut Dixon ihn mir bestimmt.«

Lachend folgte ich ihm zurück an unseren Tisch.

»Alles in Ordnung bei euch?«, fragte Cam und sah mich besorgt an.

»Ist wirklich alles okay mit dir, Elle?«, fragte Dixon.

Ich sah, wie Rachel stumm die Worte formte: »Dein Bruder?« und Lee mit irgendwie hilfloser Miene nickte. Ihr Gesicht drückte Verständnis aus und sie lächelte mich aufmunternd an.

Ich drehte mich um und schaute zu Noahs Tisch. Er lachte gerade über etwas, das einer der Jungs gesagt hatte, sah dabei aber mich an. Er fing meinen Blick auf und zwinkerte mir zu, bevor er sich abwandte.

»Klar«, sagte ich strahlend. »Alles großartig.«

Und in jenem Augenblick stimmte das auch ganz und gar.

24

»Äh, darf ich um euer aller Aufmerksamkeit bitten?«

Sofort verstummten die Leute auf der Tanzfläche. Ich war dort schon seit etwa zwanzig Minuten zusammen mit den Mädchen. Jedes Mal wenn ich versuchte wegzukommen, gelang es mir nicht. Entweder wollten sie noch ein bisschen mit mir tanzen oder jemand begann eine interessante Unterhaltung. Als ich mir »kurz was zu trinken« besorgte, hatte ich Noah nirgends entdecken können.

Jetzt stand er oben auf der Bühne, und zwar anstelle des Sängers vor dem Mikrofon.

Alle schwiegen und sahen ihn an.

»Darf ich um euer aller Aufmerksamkeit bitten?«, wiederholte er.

Ohne genau zu wissen, warum, begann mein Herz zu rasen und ich bekam kaum noch Luft. Ich hatte keine Ahnung, was Noah da oben vor allen Leuten vorhatte, aber mein Körper reagierte, als wüsste er bereits, was gleich kommen würde.

Er nahm seine Maske ab, sodass an seiner Identität kein Zweifel bestand.

Ich schluckte. Was zum Teufel sollte das?

»Also, der einzige Grund, warum ich heute Abend hier oben stehe, ist, dass ich jemand zeigen möchte, dass es mir leidtut. Wisst ihr, es gibt da dieses Mädchen. Sie will mir nicht aus dem Kopf. Und ich habe ein paar ziemlich miese Sachen gemacht und will das jetzt in Ordnung bringen. Also … Elle? Wo bist du?«

Alle drehten sich, fast wie auf Kommando, zu mir um. Trotz meiner Maske schienen alle zu wissen, wo ich mich befand. Ich zupfte an den Falten meines Kleids herum und warf Noah einen warnenden Blick zu.

»Können wir vielleicht einen Scheinwerfer kriegen?«, rief er, und ich hörte eine gewisse Schadenfreude in seiner Stimme.

Irgendwer hatte tatsächlich einen Scheinwerfer zur Verfügung und blendete mich damit. Ich hielt mir eine Hand über die Augen.

»Toll, danke. Also, äh, Elle. Ich bin's und möchte mich entschuldigen. Jungs?« Beim letzten Wort wandte er sich an die Band, die zu spielen begann. Und zwar keinen langsamen Song, sondern etwas ziemlich Flottes. Ich erkannte es sofort.

I Really Want You von den Plain White T's. Das war einer meiner Lieblingssongs. Aber bestimmt nicht Noahs Art, mir romantisch seine Liebe zu gestehen … Zum Teufel, er sang ja nicht mal selbst, sondern überließ das der Band.

Doch auf einmal sprang er von der Bühne, das Mikro noch in der Hand, und bahnte sich einen Weg durch die Menge, die sich für ihn teilte, bis er direkt vor mir stand.

»Da geht dein Ruf dahin«, sagte ich leise lachend.

»Denkst du, das macht mir etwas aus?«

Ich biss mir auf die Lippe. »Aber ...« Bevor ich ihn fragen konnte, warum, unterbrach er mich, indem er wieder ins Mikro sprach, während die Band noch ein Stückchen instrumental weitermachte.

»Möchtest du meine Freundin sein, Elle?«

Ich spürte, wie ich hinter meiner Maske errötete.

Bis jetzt hatte ich die anderen gar nicht zur Kenntnis genommen. Ich hatte das Geflüstere, während er auf der Bühne stand, nicht realisiert. Aber jetzt kamen die Zurufe wie aus einer Konfettikanone bei einer Wahlkampfveranstaltung.

»Sag Ja!«

»O mein Gott, das ist so süß!«

»Ich kann einfach nicht glauben, dass *Flynn* so was macht ...«

»Sie ist so ein Glückspilz!«

»Guckt ihn euch an. Das ist dermaßen süß!«

»Sag Ja, Elle!«

Alle feuerten mich an. Mein Blick ging von der Menge zurück zu Noah, der mich ganz ruhig ansah und nur ein klein wenig darüber grinste, wie er mich hier in Verlegenheit brachte.

»Also? Willst du meine Freundin sein, Elle Evans?«

Ich biss mir auf die Lippe, aber das strahlende Lächeln, das sich auf mein Gesicht stahl, konnte ich sowieso nicht unterdrücken. »Ja, verdammt.«

Er lachte leise in sich hinein, und das war auch das einzige Geräusch, das ich hörte. Nichts von dem Jubel, den Pfiffen oder »Oooh«-Rufen. Nur sein Lachen.

Noah warf das Mikrofon jemand zu, von dem aus es zurück zur Bühne weitergereicht wurde, aber auch darauf achtete ich kaum. Die Band wechselte zu einem langsamen Song, und viele Paare begannen wieder zu tanzen. Wer auch immer hinter dem Scheinwerfer stand, schaltete ihn aus.

Noah zog mich in seine Arme und ich verschränkte die Hände hinter seinem Nacken.

»Das war sehr süß«, sagte ich, obwohl ich wusste, wie sehr er die Bezeichnung »süß« hasste.

Prompt verzog er das Gesicht. »Aah. Bitte nenn mich nicht süß.«

»Tut mir leid. Ich meinte sexy. Sehr machomäßig.«

Da musste er grinsen. »Ich habe mich gerade für dich zum Idioten gemacht, Shelly. Ich hoffe, das weißt du.«

»O ja, das weiß ich«, meinte ich lachend. »Das wäre aber wirklich nicht nötig gewesen.«

»Ich weiß, aber ich wollte es. Ich hab dir doch gesagt, dass ich es diesmal richtig machen will. Und ich habe eine Menge gutzumachen.« Er wirbelte mich im Kreis herum, was mich erst recht zum Lachen brachte, und zog mich dann noch enger an sich. Dort, wo wir uns berührten, prickelte meine Haut, und ich hätte noch Stunden genau so in seinen Armen verbringen können.

»Und übrigens, jetzt, wo wir quasi offiziell zusammen sind, kann ich dir ja etwas sagen, ohne wie ein absoluter Idiot zu klingen.«

»Ach?«

Mein Herz raste wie wild, und er beugte sich vor, um in mein Ohr zu flüstern.

Sag es nicht sag es nicht sag es nicht.

Sag es sag es sag es.

Sag es nicht sag es nicht sag es –

»Ich mag dich echt, Shelly.«

Eine Welle überspülte mich – Erleichterung, da war ich mir sicher. Nicht Enttäuschung. Definitiv keine Enttäuschung.

Ich lächelte ihn an. »Ich mag dich auch.«

Er beugte sich langsam vor, um mich zu küssen. Das war kein so leidenschaftlicher Kuss wie sonst. Nicht annähernd. Aber auch dieser sanfte, innige Kuss bewirkte bei mir ein großes Feuerwerk und alles.

Ich löste mich zuerst von ihm. »Noah … alle schauen schon«, murmelte ich mit glühenden Wangen.

»Na und?«

Ich biss mir auf Unterlippe. »Das ist … seltsam. Außerdem kann es sein, dass ein paar der Mädchen mir mit ihren Blicken noch ein Loch in den Kopf brennen.«

»Was du nicht sagst. Ein paar Jungs sehen auch so aus, als würden sie mir gleich den Kopf abreißen.«

»Was?«

Er sah mich an, als sei ich begriffsstutzig. »Ich bin hier mit dem umwerfendsten Mädchen überhaupt zusammen. Meinst du nicht, dass sie da ein bisschen eifersüchtig sind?«

Ich merkte, wie ich noch röter wurde. »Keine Ahnung …«

»Ernsthaft, Elle, glaub mir einfach. Du bist wunderschön.«

Ich musste unwillkürlich lächeln. Noah hatte es wieder gesagt. Und ich erinnerte mich so genau daran, dass ich mir nie im Leben hätte vorstellen können, dass Noah Flynn das Wort »wunderschön« benutzt, um ein Mädchen zu beschreiben. Das klang aus seinem Mund so seltsam, aber im positiven Sinne – im besten Sinne.

»Ich hab dich zum Rotwerden gebracht …«, zog er mich auf und strich dabei mit den Lippen über meine Wange.

Da gab ich ihm einen Klaps auf den Rücken. »Halt die Klappe. Wenigstens trage ich keine Superman-Unterwäsche.«

»Ha-ha«, machte er sarkastisch. »Komm mit.«

Er fasste mich am Arm, zog mich aus dem Ballsaal in die Lobby und dort in eine Nische hinter einen großen Farn in einem Blumentopf. Hinter dem Farn schob er mich an die Wand und stützte seine Hände zu beiden Seiten meines Kopfes dagegen.

»Darauf warte ich schon den ganzen Abend«, flüsterte er, bevor seine Lippen meinen Mund berührten.

Als wir zurück in den Ballsaal kamen, wurde Noah sofort von ein paar seiner Teamkollegen zu einem Drink in Richtung Bar geschleppt. Mich umringten die Mädchen.

»O mein Gott, Elle! Warum hast du uns nichts davon gesagt?«

»Wie lange lief das eigentlich schon? Das hättest du uns ruhig erzählen können!«

»Ooh, du hast so ein Glück, Elle! Ich glaub's nicht. Flynn hat eine richtige Freundin?«

»Du musst uns alles erzählen!«, quietschte Jaime, packte mich bei den Händen und zog mich zum Sitzen an einen Tisch. »Wann hat das überhaupt angefangen?«

»Hm ... das ist kompliziert ...«

»Was? Wart ihr etwa vorher schon zusammen oder so was?«

»Nein, aber ...«

»Ach, du bist echt der größte Glückspilz aller Zeiten, weißt du das? Hast du eine Ahnung, wie neidisch wir alle sind? Ich meine ... hier geht's um *Flynn*!«

»Hey ... also, Elle«, sagte Dixon, der plötzlich aufgetaucht war und seine Hände auf meine Schultern legte. »Die Jungs fragen sich gerade ... wie lange bist du jetzt schon vergeben?«

Ich lachte und wurde wieder rot. »Warum?«

»Sie überlegen, wie übel Flynn sie wohl verkloppen wird, weil sie über dich gesprochen haben.«

Ich musste noch mehr lachen. »Äh, seit heute Abend.« *Offiziell*, fügte ich im Stillen hinzu.

»Verstehe ... Also droht niemand ein Knochenbruch«, meinte er ebenfalls lachend. »Na ja, dann ... Glückwunsch. Ich glaube, das ist angemessen. Wer hätte das gedacht?«

»Das kannst du laut sagen ...«

»Hey, Elle!« Rachel bahnte sich den Weg zu mir. Ich seufzte erleichtert und stand auf. Die Mädchen, die mich über Noah ausquetschen wollten, komplett ignorierend fasste ich sie am Arm und zog sie weiter.

»Dann habt ihr beiden euch also geeinigt?«, fragte sie.

Ich nickte. »Sieht so aus. Aber –«

»Oh nein, nein, nein«, unterbrach sie mich hektisch. »Wenn es ein Aber gibt, ist das kein gutes Omen.«

»Es ist ja kein schlechtes Aber! Nur ein … Ich-weiß-auch-nicht-wo-das-hinführen-wird-Aber.«

Sie nickte zögernd. »Verstehe …«

»Was?«, fragte ich. »Was meinst du damit?«

»Es ist nur … also, bist du dir sicher, dass es wirklich das Richtige ist? Ich weiß ja, dass du ihn magst und alles, aber trotzdem. Alle wissen schließlich, wie er ist …«

Ich zuckte mit den Achseln. »Ich weiß, aber … es kümmert mich eigentlich nicht mehr.«

Sie sah mich lange an, dann schien sie etwas zu begreifen und nickte.

Als die Band ankündigte, dass es nach dem nächsten Song langsam aufs Ende zuginge, machte Rachel auf einmal einen abgelenkten Eindruck. »Also, wie du meinst, Elle. Ich verstehe dich vollkommen. Hör mal, ich muss jetzt trotzdem …«

»Lee suchen?«

»Genau.« Sie lachte schuldbewusst. »Ja, sorry.«

»Geh ruhig, Rach. Ich muss auch Noah suchen.«

»Genau. Finde Noah.« Sie zwinkerte mir vielsagend zu, bevor sie davoneilte.

Jemand fasste mich auf eine derart entschlossene Weise am Arm, dass ich sofort erkannte, um wen es sich handelte. Ich wurde auf die Tanzfläche gezogen, bevor ich protestieren konnte.

»Den ersten Tanz hast du mir nicht geschenkt«, sagte Noah mit dem süßesten Lächeln der Welt, »aber den letzten lasse ich mir auf keinen Fall entgehen.«

Er hatte uns für die Nacht sogar ein Zimmer im Royale gebucht. Als ich das erfuhr, wusste ich auch, warum er früh am Abend eine Zeitlang verschwunden war.

Kichernd ließ ich mich von ihm aus dem Aufzug führen. »Das hättest du nicht tun müss–«

»Ich weiß, ich weiß, aber ich habe dir heute Abend doch schon eine Million Mal gesagt, dass ich versuche, etwas bei dir wiedergutzumachen. Deshalb benehme ich mich wie ein dämlich perfekter, unrealistischer Boyfriend, nur um dir zu beweisen, wie ernst ich das hier nehme.«

»Oh, so bist du also, wenn du ernst bist?«, sagte ich skeptisch.

»Hey, sei mal ein bisschen nachsichtig mit mir. Ich gebe mir echt Mühe!«

Ich grinste. »Okay. Tut mir leid. Ich bin schon still.«

Er lachte mich an, als wir vor einem Zimmer im siebten Stock ankamen, nahm die Schlüsselkarte aus seiner Tasche und öffnete die Tür.

»Nach dir«, sagte er und vollführte eine förmliche Verbeugung.

Ich will ehrlich sein: Eigentlich hatte ich mit Rosenblütenblättern auf dem Boden, brennenden Kerzen überall und vielleicht sogar kitschiger romantischer Musik gerechnet. So wie man das aus Filmen kennt, am Valentinstag oder wenn der Held wahnsinnig verliebt ist und gleich einen Antrag macht.

Denn als Noah sich einen »dämlich perfekten, unrealistischen Boyfriend« nannte, hatte ich gedacht, er würde vielleicht eine Show abziehen – eine Riesengeste, um mich zu beeindrucken.

So war ich, als er mich eintreten ließ, erleichtert, dass es keine Kerzen, keine Musik und kein gedämpftes Licht gab. Nichts Romantisches oder Kitschiges. Es war einfach eine normale Suite, mit einem plüschigen weißen Sofa, dicken weißen Teppichen und einem offenen Durchgang ins Schlafzimmer mit einem sich direkt anschließenden Bad.

Es hätte ja auch gekünstelt gewirkt, wenn er zur großen Geste ausgeholt hätte. Er war schließlich Noah Flynn – stürmisch und ungehobelt und vollkommen unromantisch. Sogar bei seiner »romantischen Geste«, vorhin beim Ball, hatte er mir nicht singend seine Liebe gestanden. Das war typisch Noah – und ich liebte es.

»So viel zu dämlich perfekter, unrealistischer Boyfriend«, sagte ich scherzhaft, als er die Tür hinter uns schloss.

»Oh, glaub mir, du hast noch nicht alles gesehen. Komm mit.«

Er griff nach meiner Hand und zog mich ins Schlafzimmer.

Das war echt dämlich perfekt und unrealistisch. Oder, na ja, fast. Für Noahs Verhältnisse jedenfalls.

»Jetzt weißt du, wohin ich zu Beginn des Abends verschwunden bin«, sagte er. »Hast du eine Ahnung, wie lange es dauert, aus Blütenblättern Buchstaben zu machen? Unmöglich. Ich habe irgendwann aufgegeben. Eigentlich wollte ich ›sorry‹ schreiben, aber …«

»Das verstehe ich«, meinte ich lachend.

Dunkelrote Blütenblätter waren über Bett und Teppichboden verstreut.

Ich stellte mich auf Zehenspitzen, um ihn auf die Wange zu küssen. »Das wäre nicht nötig gewesen.«

»Klar, weiß ich. Aber ich gebe mir eben Mühe, verstehst du? Ich hab dir doch gesagt, dass ich das tun will. Und ich weiß doch, wie romantisch du im Grunde deines Herzens bist.«

Ich lächelte verlegen.

»Ein bisschen überrascht es mich ja schon, dass du mir derart bereitwillig eine zweite Chance gegeben hast«, sagte er, während er mich aufs Bett zog und in seine Arme schloss. »Ich hatte eher erwartet, dass du einen Streit mit mir anfängst.«

»Wäre dir ein Streit etwa lieber, Noah?«, fragte ich.

Er zog spaßeshalber an einer meiner Haarsträhnen. »Nein, ich sage es ja nur. Ich beschwere mich keineswegs. Das ist ein Unterschied.«

»Kaum.«

Er lachte, und ich spürte seinen Brustkorb dabei vibrieren. Er küsste mich sanft. Gerade als ich den Kuss erwidern wollte, klingelte mein Handy.

Ich spürte Noahs Seufzer mehr, als dass ich ihn hörte, und fast widerwillig entließ er mich aus seinen Armen, bevor ich aufstand, um nach meiner Handtasche zu greifen.

Als ich die Nummer des Anrufers sah, seufzte ich und ging rasch ins Badezimmer, das Handy allerdings schon am Ohr. *Wenn ich hier kurz unterbrechen musste, konnte ich ja auch mal eben mein Make-up kontrollieren,* sagte ich mir.

»Hi, Dad«, sagte ich und hoffte, dass er mir meinen Widerwillen wegen der Störung nicht zu deutlich anhörte. Dann trat ich näher an den Spiegel, um ein bisschen von dem verwischten Eyeliner abzutupfen.

»Wie war der Ball?«

»Gut.«

Er räusperte sich. »Hast du dir überlegt, was du jetzt wegen ihm tun wirst?«

Ich biss mir mal wieder auf die Unterlippe, bevor ich antwortete. »Ja. Ja, ich habe mich entschieden.«

Dad seufzte. »Du wirst mit ihm zusammenbleiben, nicht wahr.« Es war eher eine Feststellung als eine Frage. Er wusste es schon.

»Ja«, gestand ich leise. »Ich muss jetzt auflegen. Dann sehe ich dich morgen, in Ordnung?«

»Na gut.«

Ich holte ein paarmal tief Luft, um mich zu beruhigen. Dann machte ich das Handy aus, damit wir nicht erneut gestört würden. Nachdem ich ein bisschen Lippenbalsam aufgetragen und mir die Haare aufgeschüttelt hatte, kehrte ich ins Schlafzimmer zurück.

Noah lag auf dem Bett. Die Arme hinter dem Kopf verschränkt, ein Bein leicht angewinkelt. Das war zwar keine Pose, aber er sah trotzdem wie ein Model aus. Die Augen hielt er halb geschlossen, total relaxt. Ich glaubte, er habe mich gar nicht zurückkommen gehört.

Ich musterte ihn von oben bis unten. Er war so attraktiv, mit seinem zerzausten dunklen Haar und dem Smoking – sogar mit der gebrochenen Nase. Er war so groß, dass ich mir neben ihm zierlich vorkam. Und ich liebte seine Augen, strahlend blau und eindringlich – denn jetzt waren sie weit offen und betrachteten mich auf eine Weise, die mich erröten ließ.

»So schön du heute Abend in diesem Kleid auch aussiehst, Elle – ich muss sagen, dass du mir ohne noch besser gefällst.«

»Ach, tatsächlich? Und was bringt dich zu der Annahme, dass es dazu heute noch kommen wird?«

Er grinste schelmisch. »Ich glaube nicht, dass das ein Problem sein wird.«

Ich lächelte ihn verführerisch an, während er vom Bett aufstand und zu mir kam. Mit hochgezogener Augenbraue fragte ich mich, wie sein Plan wohl aussah.

Doch da blieb er ein Stück vor mir abrupt stehen. »Komm her«, sagte er mit erstaunlich sanfter Stimme und zog mich in seine Arme. So ging er rückwärts, bis er auf dem Bett zu sitzen kam und ich auf seinem Schoß. Während er mich fest umarmte, legte ich meine Arme um seine Schultern. Es war ein zärtlicher, inniger Moment.

»Wir müssen überhaupt nichts tun, weißt du. Wenn du es lieber langsam angehen möchtest, brauchst du nur ein Wort zu sagen. Ich habe dieses Zimmer nicht deshalb gebucht. Ich wollte nur mit dir allein sein – selbst wenn du dich später entschließt, nach Hause zu fahren.«

Jetzt war ich verblüfft. Dabei war ich mir so sicher gewesen, dass er diese Suite nur aus dem Grund gebucht hatte, damit wir Sex haben konnten. Und jetzt sagte er, er würde mich nicht drängen, wenn ich nicht wolle. Flynn, der für mich auf Sex verzichtete.

Jeez.

Zuerst hatte er gekniet, um mich zum Ball einzuladen, dann die Sache mit dem Song, den er für mich ausgesucht hatte, dann die Blütenblätter auf dem Bett – und jetzt das?

Mann. Er hatte sich *echt* verändert.

»Ich habe gehört, wie du zu Lee gesagt hast, wir hätten die Sache deiner Ansicht nach überstürzt«, sagte er als Nächstes. »Und weil wir es diesmal richtig machen, dachte ich …«

Ich hatte das wirklich zu Lee gesagt, weil ich ihm gegenüber jetzt total ehrlich sein konnte und mich dabei nicht verurteilt fühlte. Aber ich hatte natürlich nicht gedacht, dass Noah das mitbekommen hatte … In letzter Zeit hatte ich mir wirklich überlegt, dass wir es überstürzt hatten, dass ich nicht zu Ende gedacht, sondern mich vom Reiz der Heimlichtuerei hatte hinreißen lassen.

So wie jetzt hier hätte mein erstes Mal sein sollen, dachte ich, während ich die Suite, die Blütenblätter und Noah so betrachtete …

Ich schüttelte an ihn gelehnt leicht mit dem Kopf. »Nein, ich möchte es.«

Wäre das hier eine kitschige Romanze, dann würde es jetzt Zeit für uns, *ich liebe dich* zu sagen.

Tatsächlich murmelte er irgendetwas, das ich nicht verstand, küsste mich auf den Mund und brachte mich in seinen Armen zum Schmelzen. Er zog seine Jacke aus, und während ich mich an seinen Hemdknöpfen zu schaffen machte, zerrte er an seiner Fliege. Er lehnte sich gerade so lange von mir weg, um sie sich über den Kopf zu ziehen.

Ich musste kichern, als sie in seiner Eile zwischen seinen Zähnen hängen blieb.

»Untersteh dich«, nuschelte er, den Mund voller Stoff. Da musste ich erst recht lachen, wurde von ihm aber schnell mit Küssen zum Schweigen gebracht. Ab dem Moment hörte ich komplett auf nachzudenken. Keine meiner Aktionen danach war noch bewusst gesteuert. Heute Nacht gab es nur … *uns*.

25

Blinzelnd öffnete ich die Augen, gähnte, drehte mich um und fand mich Nasenspitze an Nasenspitze mit Noah wieder. Seine Lippen waren leicht geöffnet und seine Wimpern wirkten ungewöhnlich lang. Er sah friedlich und unschuldig aus.

Ich schmiegte mich enger an ihn und beobachtete ihn beim Schlafen. Schon immer hatte ich mich gefragt, warum Menschen in Beziehungen das machten – warum betrachteten sie jemand, der gar nichts tat. Aber jetzt verstand ich es. Weil man den anderen dann in seinem verletzlichsten Zustand sah.

Als Noah sich nach einer Weile immer noch nicht rührte, und ich so hellwach war, dass an Einschlafen nicht mehr zu denken war, beschloss ich, ihn zu wecken.

»Noah«, flüsterte ich ihm ins Ohr. »Noah … wach auf …«

Er brummte irgendetwas Unverständliches, legte einen Arm um mich und zog mich enger an sich, ohne jedoch die Augen zu öffnen.

»Noah«, sagte ich noch einmal.

Keine Reaktion.

Ich beugte mich vor und drückte ihm sanft einen Kuss auf die Lippen. Da rieb er sich die Augen und fuhr sich mit den Händen durchs Haar.

»Wenn das immer deine Art ist, mich aufzuwecken, hätte ich nichts dagegen, öfter die Nacht mit dir zu verbringen«, erklärte Noah mit leuchtenden Augen.

»Ha-ha«, erwiderte ich ironisch, musste aber auch lächeln. Ich strich mir ein paar Haarsträhnen aus dem Gesicht. »Guten Morgen.«

Er küsste mich auf die Nasenspitze. »Ich wünsche dir auch einen guten Morgen.« Dann streckte er sich und umarmte mich fest. Unsere Beine schoben sich ineinander.

Plötzlich zog ich mein rechtes Bein ruckartig zurück.

»Was ist?«

»Deine Füße sind so kalt«, beschwerte ich mich, woraufhin er lachend die Augen verdrehte. Langsam schob ich mein Bein wieder zurück, achtete aber darauf, seine Füße nicht zu berühren.

Wir blieben noch mindestens eine Stunde liegen. Ineinander verschlungen unterhielten wir uns leise und küssten uns.

Ich hätte nicht glücklicher sein können.

Später setzte Noah mich zu Hause ab. Ich würde später vorbeikommen, um Lee zu besuchen. Dann musste ich unbedingt erfahren, ob er endlich »Ich liebe dich« zu Rachel gesagt hatte. (Denn auch wenn es ihm selbst vielleicht noch nicht klar war, wusste ich, dass er verliebt in sie war.)

Da er die Verbindung zwischen mir und seinem großen Bruder nicht besonders gut fand, wollte ich nicht mit den Spuren meines Make-ups von gestern und in einem zerknitterten Ballkleid bei ihm aufkreuzen. Damit hätte ich ihm die ganze Sache überdeutlich unter die Nase gerieben.

»Elle?«, rief Dad, obwohl ich die Haustür so leise wie nur möglich hinter mir geschlossen hatte.

Ich seufzte. Weil ich immer ein eher lautes, aufsässiges Kind gewesen war, hatte ich mich nie darin geübt, unbemerkt aus dem Haus oder wieder hinein zu schleichen. Jetzt rief ich: »Ja, ich bin's!«

»Wie war der Ball?«, fragte er. Seufzend strich ich mein Kleid glatt und ging ins Wohnzimmer. Brad hing kopfüber von der Couch – die Beine oben auf der Sitzfläche, den Kopf knapp über dem Boden. Kurz schaute er von seinem Nintendo hoch, bevor er gleich wieder weiterspielte.

»Der Ball war fantastisch«, antwortete ich. »Es gab nur ein kleines Drama wegen Nüssen im vegetarischen Hauptgang, weil einer der Jungs eine Nussallergie hat …«

»Wie langweilig«, sagte Brad in leierndem Tonfall und nervte mich damit, wie nur kleine Brüder es können.

»Warst du bei der After-Party?«, fragte Dad.

»Nein …«, erwiderte ich zögernd. »Wir, äh … Noah hatte uns ein Zimmer gebucht …« Meine Stimme wurde immer leiser, bevor ich ganz verstummte.

»Hatte er das.« Das Missfallen meines Vaters war unüberhörbar.

»Es ist nichts passiert«, sagte ich schnell, konnte aber nicht verhindern, dass meine Wangen glühten. So viel zum Thema Peinlichkeit …

Da mischte auch Brad sich wieder ein. »*Noah and Elle, sitting in a tree, doing things they shouldn't be …*«, sang er hämisch.

»Na und?«, erwiderte ich im selben Ton, weil mir nichts Besseres einfiel. Er sah mich über sein Nintendo hinweg böse an, woraufhin ich ihm die Zunge rausstreckte.

»Ist es schon zu spät, um zurückzunehmen, was ich gestern über mein kleines Mädchen gesagt habe, das schon so erwachsen ist, Elle?« Dad lachte und schüttelte den Kopf über uns beide. Ich lächelte verlegen. »Dann hast du den Ball also genossen?«

»Ja. Und wisst ihr, was Noah gemacht hat? Er hat die Band dazu gebracht, mir einen Song zu widmen, bei dem er mich vor allen Leuten gefragt hat, ob ich offiziell seine Freundin sein will. So ernst nimmt er das. Also mich«, fügte ich noch hinzu.

»Oooch, ist die kleine Ellie-Belly etwa verliiiebt?«, sagte Brad mit verstellter Stimme. Dazu machte er Kussgeräusche und schnitt Grimassen.

»Nein!«, sagte ich schnell. »Nein! Ganz bestimmt nicht.«

Dad sah mich an und schien nicht so recht zu wissen, ob er das akzeptieren oder von mir enttäuscht sein sollte. Ich wollte gerade mit einem Achselzucken darauf reagieren, als es an der Haustür klingelte.

»Ich gehe schon«, sagte ich rasch und rannte hinaus.

»Mir ist zu Ohren gekommen, dass du wieder zu

Hause bist«, sagte Lee, der am Verandageländer lehnte und mich angrinste. Seine Augen hörten kurz auf zu lächeln, als er mich sah – meine Aufmachung verriet nur zu deutlich, was ich letzte Nacht getan hatte –, aber er fing sich schnell wieder.

»Außerdem musste ich unbedingt aus dem Haus«, erzählte er weiter. »Meine Eltern machen Noah gerade die Hölle heiß.«

»Warum?«

»Na ja, erstens weil er, ich zitiere, ›die letzte Woche Gott weiß wo verbracht und Gott weiß was getrieben hat‹. Zweitens weil er – ich zitiere wieder – ›vom College fliegen wird, bevor es auch nur angefangen hat, wenn er sich weiterhin so albern und rücksichtslos benimmt‹.«

Seufzend fuhr ich mir mit einer Hand durch die Haare. Lee fügte noch hinzu: »Das wird schon wieder, aber ich muss nicht unbedingt dabei sein.«

»Wie war die After-Party?«

»Du hast echt was verpasst«, erklärte er feierlich und musste dann schon wieder grinsen. »Es war total witzig. Warren war betrunken und hat Karaoke gesungen, mit Tanzeinlage. Und dann hat er allen gesagt, wie sehr er sie liebt. Soo lustig. Aber keine Schlägereien oder Ähnliches.«

»Weil Noah nicht dabei war«, bemerkte ich.

Lee lachte. »Stimmt, stimmt …« Dann räusperte er sich. »Äh, ich würde dich ja fragen, wie es bei dir gelaufen ist und dich zwingen, ›mir alles ganz genau zu erzählen, meine Freundin‹« – er sprach mit verstellt hoher Stimme und fuhr sich dazu wie ein Mädchen durchs Haar. »Aber ich will eigentlich gar nicht wissen, was für schlimme Dinge du mit meinem Bruder getan hast.«

Ich grinste. »Ich dachte ehrlich gesagt auch nicht, dass du das wissen willst. Aber wenn wir schon davon sprechen, mein Freund, habt ihr, du und Rachel …?«

»Nein, haben wir nicht«, sagte er und reckte dabei ziemlich stolz das Kinn in die Höhe.

»Echt? Ich dachte, ihr wärt schon so weit.«

»Dachte ich auch …« Er zuckte mit den Schultern. »Aber sie meinte, sie sei noch nicht bereit dazu, also werden wir einfach warten, bis sie es ist.«

»Aaah!«, machte ich mit verstellter Stimme und kniff ihm in die Nase. »Du stehst ganz schön unterm Pantoffel, mein Lieber.«

Lee widersprach nicht mal. Er verdrehte nur die Augen. Und unter seinen vielen Sommersprossen wurde er rot. Ich kicherte, aber nicht boshaft.

»Weiß Rachel überhaupt, wie sehr sie dich in der Hand hat?«

»Na ja …«

»O mein Gott! Du hast es gesagt, stimmt's? Das hast du bestimmt! *Du hast ihr gesagt, dass du sie liebst!* Wann hast du es ihr gesagt? Als ihr so langsam miteinander getanzt habt? Oder unterm Sternenhimmel bei der After-Party?«

Lee lachte und legte seine Hände fest auf meine Schultern. »Beruhig dich mal wieder, Miss Romantic. Wenn du mir die Gelegenheit dazu gibst, erzähle ich dir, wie es passiert ist.«

Ich verschloss meine Lippen mit einem imaginären Reißverschluss.

»Als wir getanzt haben, kam es mir quasi wie von selbst über die Lippen. Aber echt leise. Sie hatte mich nicht gehört, und sagte: ›Was?‹ Also musste ich es noch mal lauter sagen, aber sie verstand mich immer noch nicht. Da habe ich es richtig laut gesagt. Da drehten ein paar Leute die Köpfe und sie wurde knallrot …« Er grinste und lachte. »Das war richtig süß, weil sie es dann auch gesagt hat, während sie so rot im Gesicht war – ehrlich, wie eine Tomate, und –«

Ich boxte ihm gegen den Arm. »Du bist so gemein!«

»Ich bin nicht gemein. Es war süß, und das habe ich doch gesagt! Hör auf, mich zu unterbrechen! Jedenfalls sagte sie es auch und sah dabei wie eine echt süße Tomate aus«, bemerkte er spitz, »und darauf ich: ›Was? Ich kann dich nicht hören‹, also musste sie es auch richtig laut sagen.«

Ich lächelte. »Ach, das ist aber mal süß.«

»Du färbst schon auf mich ab«, sagte er und gab mir einen leichten Stoß gegen die Schulter. »Ich bin schon ganz verweichlicht, weil ich all die Jahre mit dir abgehangen habe.«

»Hast du sie danach geküsst? Nachdem ihr es euch gesagt habt?«

»Logisch.«

»Oooh …«

»Willst du jetzt eigentlich den ganzen Tag hier rumstehen und Aaah und Oooh sagen oder können wir ein bisschen *Judge Judy* schauen? Natürlich erst nachdem du dich geduscht hast. Dein Mascara ist etwas lädiert.« Er zeigte mit dem Finger auf meine Augen und spazierte dann fröhlich an mir vorbei ins Haus.

Ich konnte nur lachend den Kopf schütteln, während Lee es sich gemütlich machte und mit Brad und meinem Vater plauderte. Rasch lief ich nach oben, um mich zu duschen und umzuziehen.

Allerdings beschäftigte mich die ganze Zeit ein Gedanke: Mein doofer kleiner Bruder hatte mich damit aufgezogen – damit, in Noah … verliebt zu sein.

Das konnte doch nicht stimmen.

Ich meine, als alles anfing, wusste ich das ganz genau … also, bis gestern Abend war das bestimmt nichts Ernstes. Offiziell. Und vor dem gestrigen Abend konnte ich gar nicht … war ich nicht …

Oder vielleicht doch?

26

Lee und ich hatten es uns im Garten hinter unserem Haus bequem gemacht. Die Sonne schien und das Wetter war einfach zu gut, um drinnen zu bleiben. Eigentlich verbrachten wir solche Tage lieber an Lees Pool. Sein Garten war auch viel schöner: Wir hatten nur eine Hollywoodschaukel, die schon so alt war, dass sie bei jeder Bewegung quietschte. Die Hälfte des Rasens war vertrocknet – Dad war in letzter Zeit zu beschäftigt gewesen, um sich darum zu kümmern, und zu geizig, um einen Gärtner kommen zu lassen.

Ich hatte schon vorgeschlagen, zu Lee zu gehen, weil doch der Pool jetzt ideal wäre, aber Lee wollte lieber noch etwas warten.

»Shelly, mein Dad hat gesagt, er schickt mir eine SMS, sobald es empfehlenswert ist, dorthin zurückzukommen. Das heißt, sobald Noah wütend abgehauen ist oder sie damit fertig sind, ihm zu allem die Meinung zu sagen. Und bis jetzt habe ich noch nichts gehört.«

»War es wirklich so schlimm?«

»Glaub mir, das willst du gar nicht wissen.«

Genau in dem Moment klingelte sein Handy und er

fischte es aus der Hosentasche. Er runzelte die Stirn und ging nicht ran, wie ich es erwartet hatte.

»Wer ist es?«, fragte ich und stand auf, um aufs Display zu gucken.

»Noah«, murmelte er. »Was zum Teufel will der denn?«

»Hier kommt ein Vorschlag: rangehen und es rausfinden.«

Er warf mir einen ironischen Blick zu und nahm das Gespräch an. »Was?«

Ich hörte Noahs Stimme. Er klang genauso genervt, aber ich konnte nicht verstehen, was er sagte.

»Klar«, sagte Lee und gab mir sein Telefon. »Dein Handy ist wohl noch aus. Er will dich sprechen.«

»Oh.« Ich merkte, dass schon die Aussicht, mit ihm zu telefonieren, mich zum Strahlen brachte. Und dabei hatte er noch gar nichts gesagt. Was war bloß in letzter Zeit mit mir los? »Hi.«

Dabei wusste ich genau, was los war. Es handelte sich um denselben Grund, aus dem ich eingewilligt hatte, mit ihm auf den Ball zu gehen. – Egal wie sehr ich mich bemühte, eine andere Begründung zu finden.

»Ich versuche seit einer Ewigkeit, dich zu erreichen.«

»Wie lange genau dauert diese ›Ewigkeit‹ schon?«

»Äh, vier Minuten? Ich hab *zweimal* versucht, dich anzurufen.«

Ich lachte. »Ja, das ist echt ›ewig‹, Mr Ungeduld. Was wolltest du denn?«

»Hör mal, Elle …« Noah klang irgendwie seltsam, als fiele es ihm schwer zu sprechen. Ich sah ihn vor mir, wie er sich die Haare raufte und sich mit einer Hand über den Nacken fuhr. Ich runzelte die Stirn und fragte mich, was los war.

Dann sagte er sie. Diese schicksalhaften Worte.

Ich wusste, dass ich diese Sache mit Noah längst hätte beenden sollen – verdammt, ich hätte gar nichts mit ihm anfangen dürfen. Aber dafür war es jetzt zu spät. Ich wusste, dass ich mich viel zu weit darauf eingelassen hatte, weil die Worte, die er dann sagte, mir kurz den Atem verschlugen.

Er seufzte ins Telefon. »Wir müssen reden.«

Wir würden uns in einem kleinen Café am Stadtrand treffen. Das war alles, was ich mir von diesem Gespräch merkte. Außer einem gestammelten »Okay« brachte ich auch nichts heraus.

»Was ist denn los?«, fragte Lee mich danach und sah besorgt aus. »Du siehst echt panisch aus.«

»Ich ... er ... wir ... in einem Café ...«

»Was? Shelly, jetzt atme mal tief durch und erzähl mir, was er gesagt hat. Aber als Erstes – bist du okay?«

Ich nickte erst und schüttelte dann den Kopf. »Also ... ich ... ich weiß nicht. Er ... wir ...« Ich atmete tief durch. »Er hat gesagt, dass wir reden müssen.«

Lee zuckte zusammen und holte scharf Luft. »Autsch. Aber Moment mal, bist du dir da sicher? Ich meine sicher, dass er das gesagt hat?«

Ich nickte. »Wir treffen uns um acht. In so einem kleinen Café.«

»Das ist ja schon in einer Stunde.«

Ich nickte. »Ich muss mich fertig machen ...« Wie benommen und mit dem Gefühl, meine Beine wären aus Holz, ging ich in mein Zimmer hinauf. Dad arbeitete im Wohnzimmer und Brad war mit ein paar seiner Freunde im Park. Lee kam die Treppe hinter mir hochgejoggt.

»Warte mal, was glaubst du denn, dass los ist?«

»Er macht mit mir Schluss, oder? Ich meine, wir sind doch gerade erst offiziell zusammen … und jetzt beendet er es, stimmt's? Das sagt man doch so, wenn man Schluss machen will. ›Wir müssen reden‹, und dann heißt es, ›das liegt nicht an dir, sondern an mir‹, und …«

Lee schnippte mit den Fingern vor meinem Gesicht, was mich zusammenzucken ließ, weil ich darauf nicht gefasst gewesen war. »Beruhig dich mal.«

»Sorry …«

»Sieh mal, vielleicht will er … wirklich nur reden. Vielleicht will er nicht mit dir Schluss machen. Ich wüsste auch nicht, warum.«

»Aber … aber dann hätte er das doch gesagt, oder nicht? Dann hätte er gesagt: ›Mach dir keine Sorgen, wir machen nicht Schluss.‹ O Gott, was zieht man eigentlich an, wenn jemand mit einem Schluss macht?«

Ich fing an, in meinem Schrank und den Schubladen zu wühlen. Auf der Suche nach etwas zum Anziehen. Das meinte ich ernst – sollte ich etwas richtig Süßes anziehen, damit er es sich noch mal überlegte? Oder sollte ich einfach so bleiben, wie ich war: in meinen alten Jeans-Shorts und dem violetten Tanktop? Damit es aussah, als mache mir das Ganze nichts aus?

Ich beschloss, mich nicht umzuziehen, aber ein bisschen Make-up zu benutzen.

»Elle, komm mal runter – wahrscheinlich will er nicht Schluss machen. Das wäre ja verrückt.«

»Danke, Lee, das beruhigt mich jetzt echt.« Ich griff nach meinem Eyeliner, aber meine Hand zitterte so, dass ich mich stattdessen aufs Bett warf, die Hände vors Gesicht schlug und frustriert aufstöhnte.

Ich wusste, dass ich Noah zu nah an mich herangelassen hatte. Ich hatte es nur nicht wahrhaben wollen. Irgendwie hatte ich gedacht, wenn ich mir einredete, es sei unmöglich, könne es nicht sein. Wenn ich mir sagte, ich würde mich nicht zu sehr auf ihn einlassen, dann würde das bedeuten … ich hätte mich nicht verliebt …

Jetzt fragte ich mich, wie lange ich eigentlich schon so für ihn empfand. Und jetzt – gerade als es mir endlich bewusst wurde, da wollte er Schluss machen.

Sogar Brad hatte es vor mir gecheckt. Und Lee … er wusste es auch. Deshalb hatte er mich immer wieder so seltsam angesehen. Mein Dad und Rachel hatten es auch geahnt. Ihre Blicke ergaben jetzt Sinn. War ich wirklich die Letzte, die kapierte, was ich fühlte?

Obwohl, tief in meinem Inneren hatte ich es auch gewusst. Ich hatte nur zu viel Angst, es mir einzugestehen.

Die Logik sagte mir, dass er mein Gefühl bestimmt nicht erwiderte. Er war schließlich drauf und dran, mit mir Schluss zu machen. *Wir müssen reden* … Ich biss mir auf die Lippe.

Da spürte ich Lees Hand auf meinem Knie und öffnete die Augen. Er hatte sich über mich gebeugt. Seine Nase war nur ein, zwei Zentimeter von meiner entfernt und ich schaute direkt in seine großen blauen Augen.

»Lee …«

»Mhm?«

»Wir haben ein Problem.«

»Mhm?«

»Ich glaube …« Ich schluckte und hielt seinen Blick fest. »Ich glaube, dass ich mich vielleicht in ihn verliebt habe.«

»Na endlich. Meine Güte, das war schon offensichtlich, als du einverstanden warst, mit ihm auf den Ball zu gehen. Niemand, der zurechnungsfähig war, hätte sich darauf eingelassen. Ich hatte eigentlich schon damit gerechnet, dass du es mir sagst, als du mir davon erzählt hast.«

»Moment – du wusstest es und hast mir nichts gesagt?«

»Ich dachte, du musst selbst draufkommen … Okay, okay«, gab er zu, als er meine skeptische Miene bemerkte. »Ich dachte, du würdest es nicht zugeben.«

»Wie kannst du es denn bitte vor mir selbst gewusst haben?«, fragte ich naiv.

»Weil ich deine bessere Hälfte bin. Die Ashley zu deiner Mary Kate, Thing 1 zu deinem Thing 2«, fügte er grinsend hinzu.

»Lee, was soll ich tun? Er wird mit mir Schluss machen …«

Lee zuckte mit den Achseln. »Ich weiß nicht, was ich dir sagen soll, Shelly. Außer, dass es wieder gut wird. Und weißt du warum? Weil du mich hast. Ich hab dir doch gesagt – was auch immer passiert, ich bin für dich da. Egal ob du Liebeskummer hast – oder schwanger bist oder sonst was.«

Ich lächelte. »Tja, solange ich dich habe …«

Er lachte. »Als Trostpreis, was?«

»Sei nicht albern. Du bist kein Trostpreis. Du bist mein bester Freund.«

Er lächelte zaghaft und irgendwie traurig. »Aber ich bin dir nicht so wichtig wie er. Mit dem Typen, in den du verliebt bist, kann ich nicht mithalten. Ganz egal, ob er mein Bruder ist.«

»Lee, das ist Blödsinn. Du wirst immer, immer, immer der wichtigste Typ in meinem Leben sein. Abgesehen von Dad. Aber schon ziemlich nah dran.« Ich lächelte. »Egal ob mit oder ohne Noah. Zwischen uns wird nie irgendein Kerl stehen. Niemals. Kapiert?«

»Und auch kein Mädchen«, versicherte er mir. »Beste Freunde.«

»Wir werden zusammen alt und alles.«

»Ich kann mir gar nicht vorstellen, ohne dich in einem Rollstuhl neben mir Klingelstreich zu spielen. Wenn du dann mit Hochgeschwindigkeit abzuhauen versuchst.«

Ich lachte und drückte ihn. Da drückte er mich so fest, dass mir fast die Luft wegblieb.

»Du machst dir echt Sorgen, mich zu verlieren, was?«, scherzte ich.

»War das so offensichtlich?«

»Ich will dich doch auch nicht verlieren.«

Grinsend zwinkerte er mir zu. »Hey, hast du dich eigentlich jemals gefragt, ob das funktioniert hätte, wenn wir … also, du weißt schon, je zusammen gewesen wären?«

Ich hob fragend die Augenbrauen.

»Damit will ich nicht sagen, wir hätten es probieren sollen!«, fügte er rasch noch hinzu. »Ich meine nur.«

»Alle haben damit gerechnet, dass es am Ende so kommt.«

»Gott weiß, warum. Zu viele Mädchenfilme und kitschige Romane, würde ich sagen.«

Ich lachte. »Als Paar hätten wir versagt.«

»Verdammt richtig. Das wäre eine echte Katastrophe geworden.«

Keine Ahnung, wie ich damit umgegangen wäre, wenn Lee mir gestanden hätte, dass er in mich verliebt sei. Jedenfalls würden wir immer nur beste Freunde sein. »Außerdem bist du ja in Rachel verliebt.«

»Und du in Noah.«

»Zumindest vorläufig noch ... danke für die Erinnerung.«

»Mist. Dabei hatte ich das mit der Ablenkung bis jetzt ganz gut hingekriegt, oder?«

»Hast du, mit deinen rührseligen Äußerungen. Und jetzt rutsch mal – du bist mir im Licht, und ich muss mich um mein Make-up kümmern.«

Lachend rutschte er beiseite, damit ich an meinen Schminktisch kam. Wenigstens zitterte meine Hand jetzt nicht mehr, sodass ich Eyeliner auftragen konnte, ohne mir dabei aus Versehen selbst ins Auge zu stechen.

»Soll ich dich hinfahren? Du musst ja eigentlich schon bald aufbrechen, wenn du nicht im Verkehr stecken bleiben willst ...«

»Ja, bitte«, sagte ich und stopfte mir ein paar Fünfdollarscheine in die Tasche. Lee fand schließlich auch zwischen Unmengen Kaugummipapieren und Münzen seinen Autoschlüssel.

»Na gut, dann wollen wir uns mal das Herz brechen lassen«, sagte ich mit einem ironischen Lächeln.

Er klopfte mir auf die Schulter – allerdings etwas zu fest. Als wolle er mir Mut zusprechen. Ich stolperte vorwärts und musste mich am Geländer festklammern, um die restlichen Stufen nicht runterzufallen.

»Beruhig dich. Es wird alles gut werden.«

Das glaubte ich ihm nicht wirklich.

Um kurz nach acht kamen wir an – es war doch etwas mehr Verkehr gewesen. Ich entdeckte sofort Noahs Maschine auf dem Parkplatz. In Gedanken versuchte ich mir zu notieren, dass ich Lee anrief, damit er mich abholte, bevor ich mich darauf einließ, mit Noah zurückzufahren – falls er mir das überhaupt anbot …

»Schick mir einfach eine SMS, wenn ich dich holen soll, okay?«, sagte Lee leise zu mir, während wir auf den Eingang zuliefen. Ich nickte, betrat das Lokal und ließ sofort nervös den Blick schweifen. Da sah ich, wie er mir winkte: Noah saß an einem Tisch weit hinten, vor einem Fenster.

Lee drückte meinen Arm. »Du machst das schon, Shelly. Und abgesehen davon … verdient er dich gar nicht.«

Ich lachte, aber es klang gekünstelt. »Bis später, Lee.«

Er salutierte und ich ging mit hochgerecktem Kinn auf Noah zu.

Der sah sogar noch besser aus als sonst. Vielleicht lag es daran, dass mir jetzt bewusst war, was ich für ihn empfand. Oder auch nur daran, dass ich gleich von ihm verlassen werden würde. Seine Haare waren vom Fahrtwind zerzaust. Er trug eine dunkelblaue Jeans, ein schlichtes weißes T-Shirt und darüber seine abgeschabte alte Lederjacke. Und jetzt stand er tatsächlich auf, um mich zu begrüßen.

Ich konnte fast Lee lästern hören: »Oh, schau mal, was für einen Gentleman du aus Noah gemacht hat!« Dazu würde er mich mit dem Ellbogen in die Rippen stoßen.

»Hey«, sagte Noah und klang dabei ein bisschen atemlos und nervös. »Äh, setz dich doch.«

Also setzte ich mich. Dann fingen wir gleichzeitig an zu reden, unterbrachen uns und fingen wieder an.

»Du zuerst«, sagten wir beide. Er lächelte zaghaft und ich lachte kurz auf.

Da kam auch schon ein Kellner herbeigeeilt, der unter einer hohen Dosis Koffein zu stehen schien, um seine Schicht zu schaffen. »Was kann ich euch bringen, Guys?«

»Äh …« Würden wir überhaupt so lange bleiben? Oder wollte Noah mir nur eben den Laufpass geben und dann auf seiner zweirädrigen Todesfalle davonrasen?

»Ich nehme einen normalen Kaffee«, sagte er zu dem Kellner. Dann deutete er auf mich. »Und für sie einen halbfetten Latte mit Schlagsahne obendrauf.«

Der Kellner nahm nickend die Bestellung auf. »Großartig. Das bringe ich euch sofort.«

Nachdem er gegangen war, brachte ich nur heraus: »Woher weißt du, wie ich meinen Kaffee trinke?«

»So einen hattest du schon mal. Eine seltsame Kombination – wahrscheinlich habe ich sie mir deshalb gemerkt.«

»Oh.« Ich war geschockt – aber im positiven Sinn. Dieser Typ konnte doch nicht vorhaben, mit mir Schluss zu machen, oder?

Ich wollte so, so gern glauben, dass Lee recht hatte. Dass sein Bruder einfach nur durch den Wind war. Aber …

Aber.

Da war immer noch ein Aber.

Ich sagte nichts und Noah auch nicht. Wir warteten einfach schweigend, bis unsere Kaffees kamen. Dann nahm er einen Schluck, lehnte sich auf seinem Stuhl zurück, legte ein Bein quer auf das andere und einen Arm über die Rückenlehne.

Ich nippte noch nicht mal an meinem Latte. Dabei würde ich mir nur die Zunge verbrennen. Und ich war nicht bereit, mir alle Geschmacksknospen auf meiner Zunge zu verbrennen, auch wenn hier peinliches Schweigen herrschte.

Schließlich entschloss er sich doch zu reden. »Hör zu, wir müssen reden.«

»Machst du mit mir Schluss?«, platzte ich heraus, weil ich die Frage einfach nicht länger zurückhalten konnte.

Er seufzte und mein Herz wurde tonnenschwer. Sein Gesichtsausdruck war ernüchternd.

»Warte, Elle, ich möchte, dass du mir zuhörst, okay?«

Ich nickte – was sollte ich auch sonst tun?

»Man hat mir einen Studienplatz in Harvard angeboten. Für Informatik.«

»Harvard … du meinst, Harvard in Massachusetts?«

Er nickte. »Genau.«

»Das ist ja großartig – herzlichen Glückwunsch.« Nur klang leider meine Stimme nicht begeistert genug. Ich versuchte es erneut. »Das ist fantastisch, Noah.«

»Ich weiß. Aber …«

Da war es wieder. Dieses schreckliche, schreckliche Wort.

Nur freute ich mich diesmal sogar ein bisschen, es zu hören.

»Halt, warte, kein Aber. Du kannst nicht *nicht* nach Harvard gehen.«

»Das ist in Massachusetts. Auf der anderen Seite des Landes, Elle. Ich habe auch eine Zusage von der University of California in San Diego. Das ist nicht so weit weg, und da gibt es einen guten Ingenieursstudiengang –«

»Noah, warum solltest du auch nur in Erwägung ziehen, auf Harvard zu verzichten? Das kannst du nicht machen.«

»Ich weiß nicht.« Er seufzte. Das klang so verwirrt und hilflos. »Meine Eltern wollen, dass ich gehe, aber ich weiß nicht, ob das nur daran liegt, dass sie mich los sein und sich nicht mehr um mich kümmern wollen. Ich habe den Studienplatz schon angenommen, aber ich weiß nicht, ob es richtig ist.«

»Ich bin mir sicher, dass deine Eltern sich nur für dich freuen. Es ist fantastisch und eine großartige Chance. Natürlich wollen sie, dass du die nutzt.«

»Sie waren so sauer auf mich«, sagte er und lachte bitter auf, während er mit dem Finger an seinem Kaffeebecher entlangstrich. »Vor allem nach der Sache mit dir … Sie wollen mich einfach loshaben.«

»Das wollen sie nicht. Sie machen sich bestimmt nur Sorgen um dich.«

»Ach, egal«, sagte er und klang derart resigniert, dass ich nicht einmal mehr mit Argumenten dagegenhielt.

Ich strich mit dem Zeigefinger über meinen Becher und schaute in den Dampf, der daraus aufstieg. »Ich freue mich für dich.«

Er streckte die Hand aus, legte sie an meine Wange und streichelte mich sanft mit dem Daumen. Mein Herz geriet ins Stolpern. »Da ist jetzt diese ganze Sache mit dir, und ich weiß einfach nicht, was ich will.«

Ich schluckte. Er würde es nicht sagen. Lee hatte sich getäuscht und ich mir nur etwas vorgemacht. Es war geradezu lächerlich zu denken, dass er das jemals zu mir sagen würde.

Er sah mir eine Ewigkeit lang in die Augen, dann beugte er sich vor und küsste mich so unglaublich sanft, dass mir Schauer über den Rücken liefen.

Sehr, sehr lange ließ er seine Lippen einfach auf meinen liegen, dann lehnte er sich auf seinem Stuhl zurück. Ich wurde aus seiner Miene nicht schlau, aber auf seiner Stirn zeichnete sich eine tiefe Falte ab.

»Elle, ich weiß, dass … dass ich ein totaler Mistkerl war und dass ich gesagt habe, ich würde mir Mühe geben und es wiedergutmachen, aber … die Sache ist, dass ich einfach …« Seufzend fuhr er sich mit der Hand durch die Haare, sodass sie in alle Richtungen abstanden. »Elle, ich werde im Herbst aufs College gehen, und ich weiß nicht, wie die Dinge sich entwickeln werden. Ich will dich nicht verlieren. Ich will nicht mit dir Schluss machen, aber …«

»Noah«, versuchte ich, ihn zu unterbrechen.

Da sagte er: »Nein, vergiss es. Das kann warten. Hör zu, trink deinen Kaffee aus, und dann brechen wir auf. Ich will dir etwas zeigen.«

»Wo?«

»Das kann ich dir nicht sagen, weil es die Überraschung verderben würde. Aber es wird dir gefallen, vertrau mir. Es ist nicht weit, aber wir müssen bald los, um rechtzeitig dort zu sein.«

Ich wollte nachhaken, »wo denn?«, aber ich wusste, er würde es mir nicht sagen, deshalb nippte ich schweigend an meinem Kaffee. Noah schüttete seinen ziemlich schnell runter, und ich fragte mich, wie er das schaffte, ohne sich die Kehle zu verbrennen.

Als ich meinen Becher wieder absetzte, lachte Noah glucksend.

»Was?«

Er streckte die Hand aus und strich mir mit dem Finger über die Nasenspitze, bevor er ihn an einer Serviette abwischte. »Du hattest da ein bisschen Sahne.« Meine Wangen begannen zu glühen, aber er lachte. »Das war süß. Und jetzt komm schon …«

»Okay, okay!«, meinte ich lachend. »Warum bist du heute bloß so ungeduldig?«

Dann fiel mir etwas ein: »O Gott, nein, ich werde nirgendwo mit dir hinfahren.«

»Was? Warum denn nicht?«

»Du bist mit dem Motorrad da. Ich habe es draußen

gesehen. Ich werde nie wieder auf dieses Ding steigen. Das eine Mal war schlimm genug.«

»Ach, komm schon, jeder verdient eine zweite Chance. Mir hast du doch auch eine gegeben. Hass die Maschine nicht.«

Ich lachte und vergaß kurz meine Übelkeit und die Angst davor, Noah zu verlieren. Im Moment fühlte ich mich sehr viel zuversichtlicher. Ich glaubte nicht mehr, dass er mit mir Schluss machen würde. Er hatte ja sogar beteuert, dass er mich nicht verlieren wollte.

»Es tut mir leid, aber ich kann nicht. Ich kann nicht noch mal auf dieses Ding steigen. Es ist zu schrecklich.«

»Aber du kannst dich dabei doch an mich schmiegen«, sagte er herausfordernd. »Komm schon, es ist wirklich nicht halb so schlimm, wie du tust.«

»Es ist schrecklich«, erwiderte ich streng. »Es tut mir leid. Ich kann nicht. Ich kann mit dir nicht Motorrad fahren.«

»Tja, du hast gar keine andere Wahl. Ich werde dich da hinbringen, selbst wenn ich dich vorher fesseln muss.«

Ich runzelte die Stirn.

»Ich mache nur Spaß. Aber es lohnt sich, versprochen.«

»Nein.«

Er beugte sich vor und drückte mir einen flüchtigen Kuss auf den Mund. »Bitte? Ich schwör dir, es wird sich absolut lohnen. Ich werde bis an dein Lebensende dein Sklave sein, wenn es dir nicht gefällt.«

Wie konnte ich da weiterhin Nein sagen?

Also erwiderte ich mit misstrauischem Stirnrunzeln: »Bis an mein Lebensende?«

»Jawohl.«

»Okay, okay, aber nur dieses eine Mal. Und du bist mir was schuldig – was Großes. Selbst *wenn* es mir gefällt.«

»Was immer du willst, Shelly. Aber du wirst es lieben. Und das Motorrad wird halb so wild sein.«

»Das bezweifle ich stark. Manchmal hasse ich dich echt, Noah Flynn.«

27

Er setzte mir den Helm auf und klickte den Verschluss zu. Ich hatte so eine Art Déjà-vu von meiner ersten Fahrt und musste bei der Erinnerung daran lächeln. Dann schwang er sich in den Sattel der Maschine, die mir diesmal noch monströser und furchterregender vorkam, und streckte mir die Hand hin. Vorsichtig legte ich die Arme um seine Taille. Meine Handflächen waren feucht und ich hörte meinen Herzschlag in den Ohren dröhnen.

Wo auch immer es hinging, ich konnte nur hoffen, dass es sich lohnte.

War es schon zu spät für einen Rückzieher? Konnte ich ihm nicht vorschlagen, dass wir das ein andermal machen würden?

»Noah, ich habe es mir anders überlegt, ich will eigentli–«

In dem Moment ließ er schon den Motor an und die Maschine erwachte zum Leben. Ich zuckte zusammen, gab ein leises Quietschen von mir und klammerte mich so fest an ihn, wie ich nur konnte. Ich spürte, dass er lachte, und bevor ich ihm sagen konnte, dass ich meine

Meinung geändert hätte, ging es auch schon die Straße hinunter.

Ich machte die Augen lieber nicht auf.

Der Wind peitschte meine nackten Arme und Beine. Bestimmt hätte ich überall Gänsehaut, wenn wir abstiegen. Wenigstens waren meine Haare unter dem Helm, sodass ich beim Abnehmen nicht total zerzaust sein würde.

Aber ich wollte nicht sehen, was verschwommen an uns vorbeiraste. Sogar als ich eine Hupe hörte, die wahrscheinlich uns galt, behielt ich die Augen fest zu und klammerte mich nur weiter an Noah.

Ich hasse das ich hasse das ich hasse das.

Ich liebe ihn ich liebe ihn ich liebe ihn.

Fast hätte ich nicht mitbekommen, dass wir stehen geblieben waren. Alles war plötzlich verstummt, und erst als Noah meine Arme behutsam von sich löste, wagte ich es, die Augen zu öffnen.

Wir befanden uns am Fuß eines Hügels in einem Park am Stadtrand. Früher war ich mit Lee manchmal im Sommer hergekommen, weil es hier ein Freibad gab. Das war gelegentlich eine nette Abwechslung zu ihrem Pool im Garten.

Noah stieg als Erster ab und zog mir dann vorsichtig den Helm vom Kopf. Ich sah ihn nur finster an und er lachte.

»Das war doch gar nicht so schlimm – komm schon, gib's zu«, sagte er und strich mein Haar glatt.

»Ich glaube, ich muss mich gleich übergeben«, erwiderte ich. Und das war kaum übertrieben.

Er lachte wieder und half mir, als ich von dem verdammten Ding abstieg. Meine Beine fühlten sich an wie Wackelpudding und gaben fast unter mir nach. Noah klappte den Sitz des Motorrads auf und holte eine große Picknick-Decke heraus. Die warf er sich über die Schulter.

Ganz, ganz sicher, dachte ich, standen wir nicht kurz davor, uns zu trennen. Das ergäbe ja überhaupt keinen Sinn.

»Komm, wir wollen uns nicht verspäten.«

»Wo gehen wir denn hin?«, fragte ich.

Er war schon auf dem Weg den Hügel hinauf und zog mich hinter sich her.

»Noah! Wo gehen wir hin?«

»Also, wer von uns beiden ist jetzt ungeduldig?«, meinte er lachend und drückte meine Hand.

Wir brauchten nicht lange bis auf die Spitze. Dort ließ er meine Hand los und breitete die Decke unter einer großen Eiche aus, deren Äste so tief herabhingen, dass ein paar Blätter meinen Kopf streiften.

Er setzte sich auf die Decke und klopfte neben sich. »Setz dich endlich!«

Ein bisschen irritiert ließ ich mich zögernd neben ihm nieder.

Dann sah ich, warum wir hier waren.

Von diesem Platz aus überblickte man die halbe Stadt und konnte bis zum Strand und zum Meer schauen. Die Stadt allein war mit ihren blinkenden Lichtern schon hübsch anzusehen. Aber der Sonnenuntergang färbte den Himmel rot und dünne Wolkenbänder leuchteten pinkfarben und silbern. Es war wunderschön. Außerdem spiegelte sich der Sonnenuntergang im Meer, sodass das dunkelblaue Wasser in Rot, Gelb und Pink leuchtete. Einfach atemberaubend. Die riesig wirkende Sonne tauchte hinter der Skyline der Stadt ins Meer. Noch dazu war es hier still – kein Lärm der Stadt und kein Geräusch der Brandung. Nur das Rascheln der Blätter über unseren Köpfen in einer leichten Brise.

»Wow«, hauchte ich. Es gab tatsächlich kein anderes Wort dafür – nur *wow*.

»Ich weiß. Und ich hab dir doch gesagt, dass du es mögen wirst.« Noah stieß mich sanft mit der Schulter an. Als ich meine Augen von der Landschaft losriss, um ihn anzusehen, lächelte er. Und zwar eins von diesen echten Lächeln, bei dem sein Grübchen sichtbar wurde und seine Augen noch mehr strahlten.

»Es ist der Wahnsinn«, sagte ich leise.

»Genau wie du«, murmelte er.

Ich schwieg eine Sekunde lang, dann musste ich lachen. »Und du bist so kitschig.«

»Es gefällt dir wirklich«, neckte er mich und stieß mich wieder mit der Schulter an.

»Ich kann nicht glauben, dass du mich wirklich hergebracht hast, um gemeinsam den Sonnenuntergang anzusehen. Das ist so … so romantisch.«

»Ich hab's dir doch gesagt, Elle. Dass ich es diesmal richtig machen will. Und ich wusste, es würde dir gefallen. Du bist so ein Mädchen. Und das ist noch nicht alles. Warte mal ab, was in fünfzehn, zwanzig Minuten kommt«, sagte er nach einem Blick auf seine Armbanduhr.

»Was passiert denn dann?«

Er lachte nur leise, antwortete nicht und drehte mit

einer Hand mein Gesicht zu sich, um mich zu küssen. Es fing als zarter Kuss an, der mein Herz zum Schmelzen brachte, aber bald hatte ich die Finger in sein Haar vergraben und seine Hände lagen auf meinem Rücken, während er mich fest an sich drückte.

Ich weiß nicht, wie lange wir so blieben, aber irgendwann zog er mich zum Liegen auf die Decke und beugte sich über mich, während wir uns immer weiterküssten. Ich hatte das Gefühl, in mir würden Funken tanzen und mein Kopf müsse gleich explodieren. Ich küsste ihn wie eine Ertrinkende, als wäre er mein Sauerstoff, und er küsste mich genauso leidenschaftlich. Es war wie im Märchen, aber eben in echt. Und all das mir.

Verdammt, sogar das Feuerwerk zwischen uns beim Küssen kam mir echt vor. Als fände es direkt über uns statt.

Ich beendete den Kuss und Noah setzte sich wieder auf, während wir beide in die Ferne schauten. Der Himmel war inzwischen dunkler – noch nicht pechschwarz, nicht einmal tintenblau, aber dunkel genug. Die glitzernden Regenbögen einer Rakete verblassten gerade.

Aber da stiegen schon neue auf, pfeifend und explodierend. So bildeten sie Muster aus Grün und Gold, Hellblau und Pink.

»Oh mein Gott«, keuchte ich.

»Da ist irgendeine Veranstaltung am Strand«, erklärte er mir. »Ich habe vergessen, was genau, aber irgendein Event und … ja.«

»Wow. Erst der Sonnenuntergang und jetzt das hier?« Es stiegen noch ein paar Raketen in den Himmel und sorgten für ein hypnotisierendes Farbenspiel.

»Was ist denn der Anlass? Für all diese süßen Gesten, meine ich …«

»Elle. Nenn mich nicht süß. Bitte.«

Ich verdrehte die Augen. »Beantworten Sie einfach meine Frage.«

Er zuckte mit den Achseln. »Keine Ahnung. Ich … also, ich meine … dich zum Ball einladen und diese Sachen, das war alles mein Versuch, dir zu zeigen, dass es mir leidtut. Aber manchmal bedeutet so ein Sorry nicht wirklich viel. Und du verdienst so viel mehr als das. Als mich. Mann, ich hasse diesen ganzen emotionalen Mist, aber ich sage es trotzdem, weil du es einfach verdienst.«

Er schluckte und ich nahm den Kopf von seiner Schulter, um ihn anzusehen.

»Noah …«, flüsterte ich, aber er schien mich gar nicht richtig zu hören.

»Nein, lass mich dir das noch sagen, Elle.« Doch dann kaute er auf seiner Unterlippe und sah eher aus wie ein ängstlicher kleiner Junge als wie der harte Flynn. Im nächsten Moment küsste er mich so unvermittelt und heftig, dass es mir den Atem verschlug. Ich war viel zu überrascht, um den Kuss zu erwidern. Als er sich wieder von mir löste, schnappte ich nach Luft.

Das Feuerwerk knisterte noch im Hintergrund und das Licht farbiger Blitze fiel auf sein Gesicht.

»Ich liebe dich, Elle«, sagte er und strich mir das Haar aus dem Gesicht.

Ich konnte nur atmen, aber kein Wort sagen und einen Moment lang auch nichts denken. Mein Herz konnte sich nicht zwischen Purzelbäumen und Aussetzen entscheiden. *Atmen,* sagte ich mir. *Atmen.*

Noah blinzelte mich an. »Sag irgendwas, Elle. Ich habe gerade alles, inklusive meiner Würde, auf den Tisch gelegt, und du sagst gar nichts.«

Ich lachte, warf ihn quasi um, schlang die Arme um seinen Hals und küsste ihn. Er erwiderte meine Umarmung und schob beim Küssen seine Zunge in meinen Mund.

Als wir uns vielleicht eine Minute später voneinander lösten, blieb er mit der Stirn an meine gelehnt und sah mich mit seinen faszinierenden Augen bohrend an. Hinter ihm explodierte eine Rakete, die violettes Feuerwerk an den Himmel warf.

»Ich liebe dich«, flüsterte ich.

Er lachte leise, und ich hörte die Erleichterung in seiner Stimme. »Na, Gott sei Dank. Ich hab schon befürchtet, ich hätte dich abgeschreckt.«

Jetzt lachte ich und schüttelte mit dem Kopf. »*Nope.* Bin immer noch da.«

»Gut.« Er gab mir einen flüchtigen Kuss auf die Lippen.

Dann schloss er mich in die Arme, und ich lehnte den Kopf wieder an seine Schulter. Das Feuerwerk am Strand dauerte noch ein bisschen und erhellte den dunkler werdenden Himmel, während ich glücklich in Noahs Armen auf der Spitze dieses Hügels saß.

Er hat gesagt, er liebt mich. Er liebt mich. *Er* liebt *mich. Ich bin verliebt in den großen Bruder meines besten Freunds … und er in mich.*

Er liebt mich.

»Noah?«

»Ja?«

»Was werden wir tun? Wenn du aufs College gehst, meine ich.«

Er seufzte und legte sein Kinn auf meinen Scheitel. Seine Finger spielten mit meinen Haarspitzen.

»Ich weiß es nicht, Elle. Ich will dich auch nicht verlassen. Aber … es ist Harvard, verstehst du? *Harvard*.«

»Ich weiß.«

»Ich liebe dich«, murmelte er. »Und ich weiß nicht, was ich tun soll.«

»Wissen deine Eltern das mit uns jetzt?«, fragte ich neugierig.

Er nickte. »Ja. Ich hab es ihnen erzählt, nachdem sie sich wieder eingekriegt hatten.« Dann seufzte er. »Du hättest erleben sollen, wie sauer sie auf mich waren. Sogar Lee hat das Haus verlassen. Erinnerst du dich noch daran, wie sie sich aufgeregt haben, als ihr beiden in der Achten die Essensschlacht in der Cafeteria angezettelt hattet. Stell dir das vor, nur noch tausendmal schlimmer.«

»Mmm …« Ich wusste nicht, was ich dazu sagen sollte. Ich hätte nie gedacht, dass Noah mir all das erzählen würde. Ich konnte mir nicht im Traum vorstellen, dass Noah sich diese Sachen überhaupt gemerkt hatte.

Natürlich weiß ich, dass Noah seine Familie liebt. Er und Lee standen sich eigentlich immer richtig nahe; und wenn es drauf ankam, waren sie immer füreinander da. Aber ich hätte nie gedacht, dass er auch nur die Hälfte dieser Dinge so genau wahrgenommen hatte.

»Meine Mom wurde viel sanftmütiger, nachdem ich ihr erzählt hatte, was ich mir alles habe einfallen lassen, um dein Herz zurückzugewinnen.« Er grinste, fuhr sich aber auch mit der Hand übers Gesicht. Daraus schloss ich, dass er eigentlich nicht weiter davon sprechen wollte, und wechselte das Thema.

»Ich gehe mal davon aus, dass du zu unserer Party nächste Woche als Superman kommen wirst, oder? Ich meine, die passende Unterwäsche hast du ja schon …« Ich biss mir auf die Lippe, als ich seinen Blick sah. Ich hatte ihn eindeutig in Verlegenheit gebracht.

Als ich den Mund aufmachte, legte er seine Hand darüber. »Wage es nicht.«

»Was denn?«, versuchte ich zu sagen, aber meine Worte wurden von seiner Hand gedämpft.

»Du wolltest wieder sagen, dass das süß ist. Ganz bestimmt.«

Ich lachte ertappt. Tatsächlich hatte ich genau das sagen wollen … »Egal. Also, als wer wirst du dann kommen?«

»Ich glaube, James Bond wäre ein bisschen übertrieben, oder?« Er zwickte mich in die Nase. »Du wirst es einfach abwarten und dich gedulden müssen, Shelly. Nein – warte, ich habe gerade einen genialen Einfall. Du solltest als riesige Muschel gehen.«

»Ja, klar, das wäre ein fantastisches Kostüm. Total praktisch.«

Er lächelte mehr als er grinste. Ich konnte meine sarkastische Miene auch nicht durchhalten, sondern grinste und lächelte, bis wir irgendwann beide verstummten.

So saßen wir dann ein paar Augenblicke und hingen jeder unseren Gedanken nach, bevor ich wieder das Wort ergriff.

Am liebsten hätte ich ihm gesagt, dass er nicht nach Harvard gehen konnte. Und irgendwie schien er auch fast darauf zu warten, dass ich das tat. Aber ich brachte es einfach nicht über mich.

»Du willst eigentlich da hin, nicht wahr?«, fragte ich leise. Ich weiß gar nicht, warum ich ihm die Frage überhaupt stellte – die Antwort kannte ich ja bereits.

Er beugte sich vor, schlang die Arme um die Knie und schaute in den Abendhimmel, wo gerade die letzten Feuerwerksraketen verloschen.

Ich setzte mich ebenfalls auf, schlug die Beine unter und beobachtete ihn. Seine Miene war vollkommen unergründlich. Noch dazu lag sein Gesicht im Schatten.

Nach einer Weile nickte er. »Ja. Ja, ich will da hin. Aber ich will dich nicht verlassen«, sagte er leise und schaute immer noch geradeaus. »Nach allem, was zwischen uns war, und … Ich will dich einfach nicht verlassen, Elle.«

»Ich möchte auch nicht, dass du mich verlässt«, gestand ich, rutschte näher zu ihm und legte eine Hand auf seinen kräftigen, muskulösen Unterarm. Meinen Kopf lehnte ich wieder an seine Schulter. »Aber du würdest es nur bedauern, wenn du dir diese Chance entgehen lassen würdest. Das wissen wir beide.«

»Ja, ich weiß.« Er legte einen Arm um mich. Seine Hand malte Kreise auf meinen unteren Rücken, und ich spürte, wie mein ganzer Körper sich bei seiner Berührung entspannte.

»Du musst da hin«, erklärte ich ihm flüsternd.

Nach einer Pause küsste er mich auf die Schläfe und ließ seine Lippen dort, während er sagte: »Ich liebe dich.«

»Ich liebe dich auch.« Plötzlich musste ich lachen. »Was ist eigentlich aus dem harten Typen, aus dem Player geworden?«

»Er hat sich verliebt«, erklärte er mir unumwunden und drückte mir einen Kuss auf die Wange. »So viel zum Thema Klischee.«

28

Am nächsten Tag fuhren Lee und ich in die Mall, um uns gegenseitig Geburtstagsgeschenke zu kaufen und um die Kostüme abzuholen, die wir uns für die Party reserviert hatten. Nachdem wir uns etwas zum Mittagessen gegönnt hatten, trennten wir uns, und ich ging auf die Suche nach Geschenken für ihn. Am Ende hatte ich ein neues Portemonnaie, eine CD, die er sich gewünscht hatte, und das coolste T-Shirt, das man sich vorstellen konnte. Er würde es *lieben*.

»Das hab ich dir doch gesagt«, meinte Lee zum einmillionsten Mal an diesem Tag, als wir uns bei seinem Auto wiedertrafen. »Hab ich dir nicht gesagt, dass sie ihm eingeheizt haben? Na? Hab ich es dir nicht gesagt?«

Ich lachte. »Ja, schon gut, ich hab's verstanden! Du hattest recht.«

Er seufzte zufrieden und warf seine Einkaufstüten in den Kofferraum. »Ich kann es gar nicht oft genug hören, wenn du das sagst, Elle.«

Ich verdrehte die Augen und stieg ins Auto. Als er sich neben mir auf dem Fahrersitz niederließ, sagte er zum wiederholten Mal: »Ich kann immer noch nicht glauben, dass es dir nichts ausmacht, wenn er nach Harvard geht.«

Mein Lächeln schwand. »Es ist nicht so, dass es mir nichts ausmacht, Lee. Ich will nicht, dass er geht. Aber ich kann ihn auch nicht hier festhalten – oder ihm sagen, er soll nach San Diego gehen. Das kann ich nicht. Er muss da hingehen. Und das will er ja auch.«

»Dann wollt ihr es mit einer Fernbeziehung versuchen?«

»Ja, davon gehen wir zumindest aus. Vorläufig. Ich weiß nicht, Lee – vielleicht haben wir beide am Ende des Sommers unsere Meinung geändert. Aber wir haben ausgemacht, dass wir es versuchen wollen.«

»Denk nur daran, was ich dir gesagt habe, ja? Wenn es nicht funktioniert, dann bin ich hier, um die Scherben aufzusammeln.«

Ich streckte den Arm aus und drückte seine Hand. Er erwiderte den Druck.

Ich war froh, dass die Schule für diesen Sommer vorbei war. Es bedeutete, dass ich nicht mehr dauernd Fragen über mich und Noah beantworten musste. Natürlich riefen die anderen Mädchen gelegentlich an, und ich unterhielt mich mit ihnen, erzählte ein paar Einzelheiten, die sie wissen wollten. Eigentlich hatte ich erwartet, das bald satt zu haben, aber so war es nicht – ich sprach gern über Noah. Ich war glücklich, weil ich ihn liebte.

Allerdings gab es noch ein anderes dringendes Thema, über das alle sprachen: unsere Kostümparty.

Ich telefonierte mit Karen und Olivia in einem Dreiergespräch.

»Wenn's sein muss«, erklärte ich ihnen lachend, »zieh doch einfach ein Kleid an und nenn dich Bond-Girl.«

»Vielleicht muss ich das machen«, sagte Olivia. »Ich habe mein Kostüm schon längst bestellt, aber es ist immer noch nicht geliefert worden.«

»Als was geht ihr, du und Lee, eigentlich?«, fragte Karen. »Ich weiß, dass du es mal erwähnt hast, kann mich aber nicht mehr erinnern.«

»Robin«, sagte ich lächelnd.

»Robin von Batman und Robin?«

»Genau. Lee ist Batman.«

»Das habe ich mir gedacht«, meinte Karen und lachte auch.

Mein Handy begann zu vibrieren und ich hielt es vom Ohr weg, um draufzuschauen. »Sorry, Leute, ich muss Schluss machen.«

»Welcher ist es denn?«, fragte Olivia.

»Wie bitte?«

»Welcher der Flynn-Brüder?«, erklärte Karen. »Es muss doch einer von ihnen sein.«

Ich kicherte. »Es ist Noah.«

Beide kommentierten im Chor: »O-ooh!«, bevor ich mich lachend verabschiedete. Dann schüttelte ich meine Kissen auf, und ein Lächeln breitete sich auf meinem Gesicht aus, als ich Noahs Stimme hörte. Wir sprachen über nichts Besonderes, aber das spielte gar keine Rolle. Solange ich mich mit ihm unterhielt, war ich glücklich.

Unglaublich, das macht also die Liebe aus einem, dachte

ich, während Noah mir vom Football-Programm in Harvard berichtete.

Denn, ganz ehrlich, alles was mit Football zu tun hatte, war mir bisher herzlich egal gewesen. Aber Noah klang so begeistert, dass ich ihm quasi an den Lippen hing und mehr erfahren wollte.

Die Liebe hatte mich anscheinend in eine noch schlimmere Verrückte verwandelt, als ich ohnehin schon war.

Aber wisst ihr was?, dachte ich und musste erst recht grinsen. *Es kümmert mich nicht im Geringsten.*

»Wow«, sagte ich und stand von meinem Platz auf. »Ich kann gar nicht glauben, dass dieses Schuljahr vorbei ist.«

»Das kannst du laut sagen. Noch schräger finde ich allerdings die Vorstellung«, Lee stieß mich mit dem Ellbogen an und deutete mit dem Kopf auf die Bühne, wo sich jetzt auch die Lehrer erhoben, »dass sie nächstes Jahr uns verabschieden werden.«

»Ja, das wird echt schräg.«

»Mir kommt es vor, als wären wir erst gestern noch kleine Kinder gewesen. Die ins Fußball- und ins Baseballcamp gefahren sind … Auf Kostümpartys gingen …«

Ich lachte. »Na ja, im Herzen sind wir Kinder geblieben.« Ich blickte mich um und suchte in dem Haufen dunkelblauer Roben nach den vertrauten dunklen Haaren und der unebenen Nase. Lees und Noahs Eltern waren Noah schon suchen gegangen, um ihm zu seinem Abschluss zu gratulieren.

»Ich bin ja nur froh, dass er es wirklich geschafft hat«, hatte ihre Mom geseufzt, als wir unsere Plätze eingenommen hatten. »Ich dachte, er würde vorher noch von der Schule fliegen. Und jetzt nächstes Jahr Harvard …« Der Stolz in ihrer Stimme war nicht zu überhören.

Ich freute mich auch für ihn. Ganz ehrlich.

Aber mein Magen zog sich zusammen bei der Vorstellung, dass er weggehen würde. Das wollte ich nicht.

Es war nicht fair.

Auch wenn es kindisch von mir war, so zu denken, konnte ich einfach nicht anders. Warum musste Harvard auch auf der anderen Seite des Landes liegen? Warum musste ich mich ausgerechnet jetzt in ihn verliebt haben?

»Und ihr beiden werdet schon siebzehn«, sagte sie. »Meine Güte! Siebzehn. Das muss man sich mal vorstellen. Nächstes Jahr geht ihr dann aufs College und …«

»Mom«, kam Lee seinem Vater zuvor, »fang jetzt nicht an zu heulen.«

»Das tue ich doch gar nicht!«, protestierte June, auch wenn ihre Stimme ein bisschen brüchig klang.

Und jetzt standen wir inmitten grinsender Teenager in Abschluss-Roben und stolzer Angehöriger. Ich reckte den Hals, um Noah zu erspähen. Aus dem Augenwinkel sah ich Lee hinter mich blicken und wollte gerade über meine Schulter schauen –

»Buh!«

Ich fuhr schier aus der Haut, sprang ein ganzes Stück in die Luft und stieß dazu auch noch einen Schrei aus, der mir viele befremdliche Blicke einbrachte. Lee lachte nur, während sein Bruder kicherte und mich ein seltenes echtes Lächeln sehen ließ.

Ich verpasste ihm einen Schlag gegen die Brust und funkelte ihn böse an, weil ich vor Schreck immer noch Herzklopfen hatte. »Du bist so was von kindisch, Noah Flynn!«, fauchte ich.

Mit seinem berüchtigten Grinsen meinte er: »Du hättest dein Gesicht sehen sollen.«

»Ach, sei still.«

Aber er lachte nur noch mehr.

»Hey«, sagte Lee, »Glückwunsch. Du hast es tatsächlich geschafft.«

Noah lachte wieder. »Ja, das habe ich anscheinend. Aber weißt du, du bist jetzt fürs Vermächtnis der Flynns zuständig. Bring dich in so viele Schwierigkeiten wie möglich und sei immer kurz davor, dass sie dich von der Schule schmeißen.«

Lee grinste. »Ja, das kann ich mir schon vorstellen.«

Noah zuckte mit den Achseln. »Deine Entscheidung.« Dann legte er mir einen Arm um die Schultern. »Alles klar, Elle?«

Ich sah ihn noch mal grimmig an, aber dieses Lächeln mit dem Grübchen machte es mir einfach unmöglich, auch nur so zu tun, als sei ich sauer auf ihn. Ich seufzte.

»Willst du mir denn gar nichts zu meinem Abschluss der Highschool sagen?«, hakte Noah nach und stieß mich mit der Hüfte an. »Kein Glückwunsch? Nicht mal ein kleiner?«

»Kommt drauf an«, scherzte ich.

»Du hebst dir das wohl für heute Nacht auf, was?«

Vielsagend zog er die Augenbrauen hoch und ich merkte, wie ich knallrot wurde. Seine zweideutige Miene half mir auch nicht weiter. Einen Moment lang machte ich mir Sorgen, dass diese Äußerung für Lee peinlich sein musste, und warf ihm einen flüchtigen Blick zu. Aber er schnitt nur eine Grimasse und gab Würgegeräusche von sich.

»Igitt, bitte, aufhören!«, stöhnte er kopfschüttelnd.

Da meinte ich lächelnd zu Noah: »Glückwunsch.«

»Danke.«

»Und jetzt College.«

»Ja …«

Dann trat Schweigen ein, und zwar keines von der angenehmen Sorte. »Hast du eigentlich schon ein Kostüm für heute Abend, Bro?«, beeilte Lee sich zu sagen.

Noah schnalzte mit der Zunge und deutete mit ausgestrecktem Zeigefinger auf Lee. »Das ist ein guter Hinweis … nein.«

»Du hast kein …? Noah!«, rief ich empört.

»Hey, ich hatte schon Mühe, daran zu denken, das Auto aufzutanken, damit ich überhaupt zur Zeugnisverleihung herfahren konnte«, verteidigte er sich. »Denkst du, da kann ich mir merken, dass ich ein Party-Outfit besorgen muss?«

»Flynn! Komm mal hier rüber, Alter. Jetzt werden Fotos gemacht!«, forderte ihn irgendwer auf, bevor ich Gelegenheit hatte, ihn mit einem vorwurfsvollen Blick zu bedenken.

»Komme schon!«, rief er zurück und gab mir noch einen flüchtigen Kuss auf den Mund. »Wir sehen uns heute Abend, Elle. Bis dann«, fügte er noch an Lee gerichtet hinzu, bevor er sich zum Fotografieren mit den anderen Absolventen aufmachte.

»Iih«, bemerkte Lee. »Bazillen.«

Ich lachte. »Halt die Klappe …«

»Sollen wir uns zum Batmobil begeben, Robin?«, fragte er mit gespielt tiefer, heiserer Stimme.

»Das sollten wir«, sagte ich und nahm seinen Arm. Wir grinsten uns an, bevor wir Arm in Arm zu seinem Wagen schlenderten. Ich hätte nicht glücklicher sein können – nach all dem Drama um meine Beziehung zu Noah hatte ich meinen besten Freund immer noch.

29

»Bist du das, Elle?«, hörte ich June, als ich Lees Haus betrat.

»Ja-ha!«

Sie kam aus dem Arbeitszimmer und begrüßte mich lächelnd. »Ich räume nur gerade ein paar Dekorationsobjekte weg, damit nichts kaputtgeht.«

Ich lachte. »Gute Idee. Ich gehe gleich nach oben und mache mich fertig.«

»Natürlich, Süße.«

Sie und Matthew würden heute Abend mit meinem Vater irgendeine Theatervorstellung besuchen – so hatten sie Programm und waren uns bei der Party nicht im Weg. Brad hatte morgen ein Fußballturnier und übernachtete sowieso bei einem Freund, also konnte Dad es sich mit Lees Eltern nett machen.

»Lee meinte übrigens, die Jungs würden früher kommen und helfen, die Möbel beiseitezuräumen.«

»Ach ja? Cool.«

»Möchtest du irgendwas trinken?«

»Ich nehme mir einfach was aus dem Kühlschrank. Danke.« Ich sah ihr nach, wie sie im Wohnzimmer weitere Dekorationsstücke einsammelte, und holte zwei Dosen Orangenlimo aus dem Kühlschrank, die ich mit nach oben nahm.

Lees Tür war offen und er hing kopfüber, mit Kopfhörern in den Ohren, vom Bett. »Lange nicht gesehen.«

»Ich bringe dir was zu trinken.«

»Großartig.« Er rollte vom Bett und purzelte auf den Boden, bevor er auf die Beine kam, um die Dose entgegenzunehmen.

»Cam und Dixon kommen gegen sieben, um mit den Sofas zu helfen und die Boxen aufzustellen.«

»Ja, das sagte deine Mom gerade.«

Ich stellte meine Dose auf Lees Schreibtisch und zog mein Kostüm aus der Tüte. Im Stehen hielt ich es vor mich und verzog das Gesicht. »Vielleicht sieht es angezogen besser aus …«, dachte ich laut.

Der Schlitz im Rock war für meinen Geschmack zu hoch, und das Oberteil wirkte an den falschen Stellen zu eng. Der Stoff war irgendein billiges Material, das metallisch schimmerte. Rock und Cape waren smaragdgrün, das Oberteil tiefrot. Um die Hüften sollte ich dazu einen senfgelben Gürtel tragen.

»Probier es an«, sagte Lee, wobei seine Stimme irgendwie hohl klang.

Als ich irritiert aufschaute, musste ich über die Batman-Maske lachen, die er schon trug. Wie einen Schleier warf er sich den Umhang über den Kopf.

»Ich seh auch nicht hin. Ich schwör's dir.«

Ich musste lachen. »Du siehst aus wie ein Idiot.«

»Bist du dir sicher, dass du nicht gerade in den Spiegel schaust, Shelly?«

»Hahaha«, erwiderte ich sarkastisch und verdrehte die Augen. Dann schlüpfte ich aus Shorts und Tanktop und zog das Kleid an. Lee half mir mit dem Reißverschluss, aber das war gar nicht so einfach. Um die Brust war es zu eng, und ich hörte ein paar Nähte krachen, als Lee den Reißverschluss mit Gewalt bis ganz oben zuzog. Ich schnallte mir noch den Gürtel um.

»Meine Güte, ist da ein eingebauter Push-up-BH drin?«

»Nein«, keuchte ich. Das Atmen fiel mir nicht ganz leicht. Aber der Schlitz ging nicht ganz so weit hoch, wie ich befürchtet hatte, und die Rocklänge war in Ordnung.

»Es sieht gar nicht mal so schlecht aus.«

»Bist du sicher?«

»Absolut. Außerdem kommen bestimmt ein paar Mädchen, die wie Nutten aussehen. Deshalb wird es schon gehen.«

»Sicher?«

Er lachte. »Nein, das war gelogen. Aber mal im Ernst, jetzt kannst du auch nichts mehr machen. Außer du willst in Unterwäsche gehen und sagen, du wärst ein Playboy-Model.«

»Nein, danke, dann bleibe ich lieber bei dem hier.«

»Shelly, das wird schon. Du wirst die Ballkönigin sein.«

Eine knappe Stunde später war mein Haar hochgesteckt und die dunklen Locken fielen mir über die linke Schulter. Ich war fertig. Lee gab einen eindrucksvollen Batman ab und trotz der Einschränkungen beim Atmen gefiel mir mein Robinkostüm.

Lees Eltern brachen auf, als mein Dad eintraf, und keine zwei Minuten später klingelte es auch schon an der Haustür.

Cam und Dixon mussten sich abgesprochen haben, denn die beiden Kostüme waren kein Zufall.

Cam trug eine elegante weiße Perücke und einen Kapitänshut, der zu seiner Uniform passte. Dixon hatte das perfekte Jack-Sparrow-Outfit an – von abwaschbaren Tattoos über Dreispitz und Plastikdegen bis zur Pistole.

»Commodore Norrington steht zu Ihren Diensten, Ma'am«, sagte Cam, zog seinen Hut, verbeugte sich elegant und küsste mir die Hand. Ich verbiss mir ein Lachen, als er sich aufrichtete und den Hut wieder aufsetzte.

»Coole Kostüme«, sagte ich.

»Sehr authentisch«, fügte Lee hinzu.

»Danke«, sagten beide im Chor und grinsten.

Dixon erklärte: »Mein Bruder hat uns die mit Rabatt besorgt, weil er einen Typen kennt, der einen Kostümverleih betreibt.«

Ich strich mit einem Finger über Dixons Wange. »Ist das Bräunungscreme?«

»Nicht anfassen!« Er schlug meine Hand weg. »Hast du eine Ahnung, wie lange es dauert, eine ganze Packung Kakao aufs Gesicht aufzutragen?«

»Das ist Kakaopulver?«, prustete Lee. »Das Zeug, aus dem man heiße Schokolade kocht?«

»Meine Schwester benutzt es als Bronzer, wenn sie sich aufstylt. Sie meinte, das funktioniert.«

Wir anderen drei mussten schrecklich lachen.

Nicht gemein, sondern einfach darüber, dass Dixon Beautytipps von seiner vierzehnjährigen Schwester beherzigte.

»Haltet einfach die Klappe«, meinte er und sah uns gespielt grimmig an.

»Okay, okay, es tut uns leid«, sagte Lee immer noch kichernd. »Es sieht echt cool aus.«

»Das will ich hoffen«, murmelte er. »Also – was ist jetzt mit den Möbeln?«

»Ich kümmere mich um die Boxen«, erklärte Cam.

»Und ich helfe Cam«, bot ich an.

»Klar, wir wollen ja nicht, dass du dir vielleicht einen Fingernagel abbrichst, was, Shelly?«, zog Lee mich auf.

»Mein Gedanke war eher, dass ich mir meine Frisur nicht ruinieren möchte.«

»Alter«, meinte Dixon zu ihm, »dein Partner ist ganz schön übel.«

Ich rollte mit den Augen und verzog mich mit Cam. Lee und Noah hatten mehrere Boxen-Sets gekauft, die wir an die Anlage im Wohnzimmer anschließen konnten, aber sie lagen in einem Schrank inmitten eines Kabelsalats.

Es dauerte trotzdem nicht lange, sie zu installieren. Dixon und Lee hatten inzwischen schon alle Möbel im Wohnzimmer und im Billardzimmer an die Wände gerückt. Auch die Küche war so leer wie möglich. Es gab also reichlich Platz für eine verrückte Hausparty – jetzt fehlten nur noch die Gäste.

Und sie kamen. Schnell und alle auf einmal, ganz pünktlich.

Bald vibrierte das Haus der Flynns im Rhythmus der

Musik, während es von Teenagern wimmelte. Nein, nicht von Teenagern: eher von einer Horde Filmfiguren.

Da gab es Disney-Prinzessinnen, Elfen und Candice war eine irre Zombie-Version von Alice im Wunderland. Ihr Freund kreuzte als Verrückter Hutmacher à la Johnny Depp auf. (Was hatten bloß alle mit ihm? Irgendwo hatte ich auch einen Edward mit den Scherenhänden gesehen.) Karen gab mit ihren roten Haaren die perfekte Ginny aus *Harry Potter* ab.

Dann waren da männliche und weibliche Versionen von Superhelden, angefangen bei Spider-Man und Wonder Woman bis zu Captain America. Warren kam als Dumbledore, allerdings hing der Bart ein bisschen runter, weil er ihn nicht richtig festgeklebt hatte. Überhaupt waren Harry-Potter-Figuren quasi der Standard – während ich ja eher mit lauter 007ern gerechnet hatte, nicht mit halb Hogwarts.

Am besten gefielen mir jedoch Tyrone und Jason.

Lee und ich hatten Tyrone gemeinsam die Tür aufgemacht. Da stand er, oben ohne und mit einer Jeans, die er eigenhändig mit der Schere abgeschnitten haben musste. Ich begriff sofort, wer er war – mit seinen dunklen Haaren und dem dunklen Teint passte das perfekt.

»Happy Birthday am Sonntag, Leute«, meinte er lächelnd.

»Danke. Aber was soll das denn sein? Bist du etwa ein Calvin-Klein-Model?«, fragte Lee.

»Er ist der Werwolf aus *Twilight*«, erklärte ich ihm in belehrendem Ton.

Wie auf Kommando drehte Tyrone sich um und

zeigte uns den Schwanz, den er mit Isolierband an seine Hose geklebt hatte. »Dafür musste ich den alten Stoffhund meiner Schwester kupieren.«

»Tatsächlich …«

Dann ertönte das nächste »Hallo, Heute! Happy Birthday!« und Jason erschien auf der Veranda. Er trug ein hellblaues Hemd, das vorne nicht zugeknöpft war, um sein sportliches Sixpack sehen zu lassen. Das hellbraune Haar war stachelig gegelt, und dazu war er von oben bis unten voller Glitzer.

»Wer bist du denn? Das Glitter-Monster?«, zog Tyrone ihn auf.

»Du musst gerade reden«, beschwerte Jason sich. »Was soll das bei dir sein?«

»Ich bin ein Werwolf.«

»Ach ja? Ich bin jedenfalls ein Vampir. *Der* Vampir.«

»Alter … du als Blutsauger. Ich dachte, du kannst gar kein Blut sehen?«, zog Lee ihn auf. Weil das stimmte, mussten wir alle erst recht losprusten.

Tyrone und Jason waren also als Edward und Jacob aus *Twilight* verkleidet. Ihre Kostüme passten ziemlich gut, auch wenn Jason nicht leichenblass war. Dafür trug er immerhin ein Vampirgebiss aus Plastik.

Es war echt surreal, sich auf unserer Party umzusehen. Ninjas und Piraten spielten mit Graf Dracula und Rocky Balboa Billard. Meerjungfrauen und Elfen flirteten mit Feuerwehrmännern und G.I. Joes.

Noah hatte ich bis jetzt allerdings noch nicht gesehen. Und wäre er schon da gewesen, hätte ich's gemerkt.

Ein bisschen fühlte ich mich außen vor – alle Pärchen knutschten, und wie auf einer Party so üblich, fanden andere eher zufällig zueinander.

Aber mir ging es trotzdem gut, ich plauderte, lachte und scherzte mit allen möglichen Leuten. Ein paar der Mädchen fragten mich, wo Noah sei, aber eigentlich waren alle zu beschäftigt damit, sich über die Kostüme zu unterhalten, als sich Sorgen um uns als neuestes Pärchen zu machen.

Ich wollte natürlich auch wissen, wo er steckte … Aber ganz ehrlich? Ich hatte so viel Spaß, dass mir kaum Zeit blieb, mich zu fragen, warum er nicht hier bei mir war.

»Sieht Faith nicht hübsch aus in ihrem griechischen Kleid? Ich habe gehört, das ist von ihrer Grandma.«

»O mein Gott, hast du gesehen, was Tammy anhat? Ich meine, was soll das darstellen? Ein Victoria's-Secret-Model?«

»Joel sieht in seinem Matrosenkostüm total heiß aus, findet ihr nicht? O mein Gott – ich glaube, er hat gerade rübergeschaut. Schaut er? O mein Gott, sieh jetzt nicht hin! Doch nicht so offensichtlich! O Gott, er hat mich gesehen. Schnell – tu so, als würdest du was Witziges erzählen.«

Auf diese Weise waren die meisten Mädchen beschäftigt, wenn sie nicht schon mit Jungs knutschten oder flirteten.

Und die Jungs? Die wollten sowieso nicht hören, wie es mit Noah so lief und wie fantastisch er küsste.

Ich spazierte in den Garten hinter dem Haus und fand dort Dixon, der mit ein paar anderen Typen am Pool abhing. Er war schon ziemlich betrunken und sang: »*Yo ho, yo ho, a pirate's life for me!*«, so laut er konnte.

Ich lachte: »Und ich habe mich schon gefragt, wohin der ganze Rum verschwunden ist.«

Dann legten sich plötzlich von hinten Arme um mich und ich spürte warmen Atem an meinem Ohr. »Hey, Birthday Girl.«

Ich drehte mich um und schob seinen Hut hoch, damit ich ihm ins Gesicht sehen konnte. Nicht dass das nötig gewesen wäre, um ihn zu erkennen. »Dann hast du dich also endlich dazu entschlossen, dich hier blicken zu lassen?«

»Yes, Ma'am.« Dazu lachte er leise.

Er trug einen anthrazitgrauen Nadelstreifenanzug mit Schulterpolstern, weißes Hemd, schwarze Krawatte, auf Hochglanz polierte Schuhe, in denen man sich spiegeln konnte, und einen dieser elfenbeinfarbenen Hüte der Zwanzigerjahre mit schwarzem Ripsband.

»Al Capone?«, fragte ich grinsend. »Du siehst –«

Er schnitt mir das Wort ab, indem er mich stürmisch, aber nur ganz kurz auf den Mund küsste. »Sag. Das. Wort. Nicht.«

Ich kicherte und hatte gar nicht gemerkt, dass alle uns ansahen. Außer am Ende des Sommerballs hatte uns keiner wirklich oft zusammen gesehen. Aber ich registrierte auch nicht, dass praktisch alle, die wir kannten, hier auf unserer Party waren und mich und Noah beobachteten.

»Es stimmt aber.«

»Tu's nicht.«

»Warum hasst du es denn so?«

»Ich bin der toughste Typ der Schule. Ich fahre Motorrad und gerate in Schlägereien. Und du nennst mich ausgerechnet *so*? Aus allen Adjektiven, die es gibt, suchst du dir ausgerechnet *das* aus?«

»Tut mir leid, aber es passt so gut!«

Er lachte auf, zwickte mich in die Nase, sodass ich eine Grimasse schnitt. Darüber musste er erst recht lachen.

»Hast du denn Spaß, Birthday Girl?«

»Hmm, noch nicht so richtig.«

Er zog eine Augenbraue in die Höhe und legte den Kopf schräg wie ein neugieriger Hund. Lächelnd stellte ich mich auf Zehenspitzen und flüsterte ihm als Antwort auf seine unausgesprochene Frage ins Ohr: »Ich habe meinen Geburtstagskuss noch nicht bekommen.«

Er sah mich einfach nur an. Ich spürte, wie mein Puls sich beschleunigte. Vielleicht hatte ich sexy und verführerisch einfach nicht drauf. Es war albern gewesen, das überhaupt zu versuchen …

Er beugte sich ein wenig vor und streifte meine Lippen. Von einem Kuss konnte nicht wirklich die Rede sein.

Dann sagte er: »Was ist nur mit der süßen, naiven, unschuldigen kleinen Elle Evans passiert, die ich dachte, vor einer Horde hormongesteuerter Jungs beschützen zu müssen?«

»Die Kissing Booth ist passiert.«

Da lachte er wieder und ich spürte seine Brust unter meiner Hand, die dort immer noch lag, vibrieren.

»Sieht so aus.«

»Also bekomme ich jetzt meinen Kuss?«, fragte ich und wich schmollend ein Stück von ihm zurück. Ich war mir nicht sicher, ob mein Welpenblick vielleicht nur bei Lee und meinem Dad funktionierte, aber einen Versuch war es wert.

»Du weißt schon, dass du noch gar nicht Geburtstag hast?«

»Na und? Worauf willst du hinaus?«

Er verdrehte die Augen und gab mir einen schmatzenden Kuss auf die Wange, bevor er meinen Arm von sich wegnahm und sich anschickte fortzugehen. Ich rührte mich nicht, blinzelte nicht einmal – einfach weil ich zu verblüfft war. Ein Schmatzer auf die Wange? Das war alles?

»Hey«, rief ich ihm nach. Aus irgendeinem Grund wollte ich lachen, wahrscheinlich weil wir beide wussten, dass er mich nur ärgerte. Aber ich tat ruhig und beherrscht. »Denkst du etwa, so lasse ich dich davonkommen?«

»Ich bin Al Capone«, erwiderte er supercool. »Ich kann mir alles erlauben.«

»Sehr witzig.«

»Das dachte ich mir«, sagte er und verzog den Mund zu seinem typischen Grinsen. Allerdings glitzerten seine Augen, weil er sich dermaßen zu amüsieren schien.

Meine Reaktion darauf kam total spontan.

Ich schnitt eine Grimasse und streckte ihm sogar die Zunge raus. Wie ein kleines Kind.

Aber Noah lachte nur – aus ganzem Herzen. So ein

Lachen, bei dem einem Tränen in die Augen treten und man den Mund zu einem superbreiten Lächeln verzieht und man nach einer halben Minute Bauchschmerzen kriegt.

»Mein Gott, ich liebe dich, Shelly«, sagte er leise. In seiner Stimme, seinen Augen und seiner Miene war immer noch dieses Lachen.

Vielleicht lag es daran, wie er mich in die Arme schloss, an seinem Gesichtsausdruck oder dem Lachen, keine Ahnung – aber ich wurde im wahrsten Sinne des Wortes schwach. Auf einmal wusste ich, was in diesen Kitschromanen gemeint war, wenn von weichen Knien und Dahinschmelzen die Rede war. Hätte Noah mich nicht bei den Schultern gepackt, hätten meine Beine womöglich wirklich unter mir nachgegeben.

Ich merkte, dass ich genauso lächelte wie er, als er sagte: »Ich fang dich bald wieder ein, aber jetzt geh ein bisschen Party machen, Birthday Girl.«

»Wow. Wer hätte das gedacht, dass ich den Tag noch erlebe, an dem der überfürsorgliche, zu physischer Gewalt neigende Bruder meines besten Freundes mir sagt, geh Party machen?«, zog ich ihn auf. »Und mir dabei nicht mal aufträgt, ich solle aufpassen, was ich trinke oder mit wem ich rede. Und keine Bemerkung über mein Outfit macht.«

Ich erwartete, dass er die Augen verdrehen, mich auslachen oder mir irgendeine ironische Antwort geben würde. Aber er lächelte nur verlegen und wirkte irgendwie … schuldbewusst.

»Ich meinte das nicht im negativen Sinn«, erklärte ich.

»Ich weiß. Mach dir keine Gedanken. Aber es tut mir leid. Du weißt schon … dass ich so …«

»Überbehütend? Ein Kontrollfreak? Ein Blödmann war?«

Er lachte. »Genau. Das alles. Aber nur fürs Protokoll … Du siehst heute Abend extrem scharf aus.«

Als ich daraufhin grinste und rot wurde, schien ihn das auch zu amüsieren.

»Jetzt geh weiterfeiern, Elle, und ich komme dich dann suchen.«

»Na gut«, sagte ich fröhlich und drückte ihm im Vorbeigehen noch einen Kuss auf die Wange. Und erst da konnte ich Dutzende Augenpaare auf mir spüren.

Um mich zu stärken, holte ich mir eine Dose Cola aus dem Kühlschrank und erblickte, als ich mich umdrehte, einen Schwarm Mädchen, die alle flöteten, was für ein süßes Paar wir doch seien. Wie neidisch sie auf mich wären. Wie attraktiv Flynn aussähe und was für ein Glück ich hätte. Und dann wieder: Was für ein süßes Paar wir abgäben.

»Ich wünschte, ich hätte, was du hast«, erklärte Tamara mir mit einem schwachen Lächeln.

»Was? Einen heißen Bad Boy?«, fragte ich stirnrunzelnd.

Sie lachte. »Nein. Ein Happy-End wie im Märchen.«

30

Ich wünschte, es wäre ein Happy-End wie im Märchen gewesen.

Die Party war für meinen Geschmack viel zu schnell zu Ende. Die Stunden verflogen nur so, und schon war es ein Uhr und das Haus wieder leer, bis auf Noah und mich, Lee und Rachel. Eine besonders große Unordnung herrschte nicht, weil nicht so viel Alkohol getrunken worden war. Wir sammelten Müll ein, den wir in Säcken gleich draußen an der Straße deponierten, und um zwei Uhr war Rachel in Lees Armen auf der Couch eingeschlafen. Und auch er nickte immer wieder ein.

Ich lag auf der anderen Couch, den Kopf in Noahs Schoß. Ich wollte wach bleiben, einfach noch Zeit mit ihm verbringen. Vielleicht wäre es mir sogar gelungen, die Augen offen zu halten, wenn er mir nicht mit den Fingern über das Haar gestreichelt hätte. Das war beruhigender als jedes Schlaflied.

»Noah«, sagte ich, aber es war nur ein schläfriges Murmeln.

»Mmm.« Er klang so halb wach, wie ich mich fühlte.

Vielleicht ging es ihm genauso. Meine Augen waren schon zu und ich über den Zustand hinaus, in dem ich sie noch mit Willenskraft hätte öffnen können.

»Woran denkst du?«

Er zögerte, bevor er antwortete. »An uns. Ans College.« Ich wartete geduldig, dass er das näher ausführte. »Ich –« Ein Gähnen unterbrach ihn. »Ich will nicht, dass du hier rumhängst und wartest, bis ich in den Ferien wiederkomme, und inzwischen irgendwie kein Leben hast. Ich weiß, es klingt seltsam, wenn ich das sage, nachdem ich die ganze Zeit über versucht habe, dich zu beschützen, aber … Keine Ahnung. Es kommt mir nur einfach … einfach dir gegenüber unfair vor«, sagte er und gähnte wieder, »dass du hier auf mich warten musst … Ich bin so müde. Und in solchen Sachen bin ich sowieso ganz schlecht.«

Ich lachte schläfrig. »Meinst du diese Gefühlssachen?«

»Genau. Keine Ahnung. Wir geben uns die größte Mühe und hoffen das Beste. Mehr können wir sowieso nicht machen, oder?«

»Ich werd dich vermissen«, sagte ich achselzuckend.

Er drückte meinen Arm.

So schwiegen wir eine Zeitlang. Ich wusste, dass er nicht schlief, weil er weiter mit den Fingerspitzen durch meine Haare fuhr. Dann störte ein Schnarchen die Stille, das aber gleich wieder in gleichmäßiges Atmen überging. Es kam von Lee, der inzwischen also auch schon eingeschlafen war.

Noah bewegte sich und schob mich zur Seite. Ich kniff die Augen fester zusammen und gab als Zeichen des Protests ein Brummen von mir. Aber da lag er auch schon neben mir auf der Couch und drückte mich an sich. Ich musste lächeln und wollte mich zu ihm umdrehen. Das dauerte allerdings ein bisschen, weil ich so schläfrig war.

»Elle«, sagte er in diesem ahnungsvollen Ton, der verriet, dass er mir etwas Ernstes mitteilen wollte. Dabei war ich jetzt eigentlich zu müde zum Reden …

»Was?«, flüsterte ich benommen in der Dunkelheit zurück.

»Ich liebe dich.« Er küsste mich auf die Stirn. Ich schmiegte mich noch enger an ihn und legte meinen Kopf in seine Halsbeuge, während er mich noch fester in die Arme schloss.

Innerhalb von Sekunden war ich eingeschlafen.

Keiner von uns wachte auf, als Lees Eltern hereinkamen. Wir wachten auch nicht auf, als sie sich in der Küche zu schaffen machten, um einen Brunch zuzubereiten, und auch dann nicht, als sie den Rest des Hauses aufräumten.

Es war schon fast zwei Uhr nachmittags, als ich endlich die Augen aufschlug.

Den Großteil des Tages hatte ich also verschlafen. Den Nachmittag verbrachte ich mit Lee bei Videospielen. Noah war in der Zeit zu irgendeinem Schrottplatz gefahren, um sich Teile für sein Motorrad zu besorgen. Seine SMS war nicht ganz eindeutig gewesen, weil ich den Mechaniker-Slang nicht beherrschte und nur raten konnte, was genau er da machte.

Und dann hatte ich Geburtstag.

Einfach so war ich siebzehn geworden.

Klar war ich bis Mitternacht aufgeblieben, um Lee eine Nachricht zu schicken, aber erst jetzt wurde es mir so richtig bewusst. Wahrscheinlich weil ich hellwach war, während ich an meine Zimmerdecke blickte, auf die die Morgensonne Kringel malte.

Ich fühlte mich, als sei ich im letzten Jahr plötzlich erwachsen geworden.

Und um ganz ehrlich zu sein: Ich hasste es.

Vor allem weil erwachsen zu sein bedeutete, große Entscheidungen zu treffen. Etwa das College im nächsten Jahr. Ich musste echt übers College nachdenken. Verdammt, ich hatte noch keinen Schimmer, was ich überhaupt werden wollte! Ich hatte mich einfach so treiben lassen und über solche Sachen kaum nachgedacht. Weil ich es eben auch nicht wusste.

Klar, erwachsen zu sein, hatte auch all die guten Seiten: Boyfriends haben, Auto fahren, rausfinden, wer man eigentlich war, und so weiter und so fort, blablabla.

Aber war es wirklich so schlimm, wenn ein Teil von mir sich wünschte, es würde alles immer so weitergehen? Dass ich nach Hause laufen und mein Daddy mir ein Pflaster aufs Knie kleben würde? Dass ich mit einer Arschbombe in Lees Pool springen und mir nur darüber Gedanken machen musste, ob meine mehr spritzte als seine?

Da wurde meine Zimmertür aufgerissen.

»Happy Birthday, du Troll!«

Ich setzte mich auf und warf ein Kissen nach Brad.

Aber er zog schnell die Tür wieder zu, bevor es ihn ins Gesicht traf. Danach machte er sie wieder auf und rief: »Steh endlich auf!«

»Warum? Es ist doch erst ungefähr acht Uhr morgens!«

»Wenn ich aufstehe, stehst du auch auf!« Erst da fiel mir auf, dass er schon angezogen war, und ich verdrehte die Augen. Das stimmte schon – Brad hatte irgendwie das Bedürfnis, alle aus den Betten zu treiben, sobald er selbst auf war. Ich konnte mir vorstellen, dass er auch schon Dad aus den Federn gescheucht hatte, damit er sein Müsli bekam.

»Ich steh ja schon auf. Bin schon auf. Meine Güte!«

»Ich hab dir doch auch Happy Birthday gewünscht, stimmt's?«, sagte er.

Ich seufzte. »Ja. Danke, Brad.«

»Beeil dich einfach, okay?«

Ich wusste zwar nicht, was die Hektik sollte, aber er warf das Kissen zurück auf mein Bett und zog die Tür wieder zu, bevor er mit der Anmut eines Hurrikans die Treppe runterfegte. Ich verdrehte die Augen, musste aber trotzdem lächeln. Dann öffnete ich meinen Kleiderschrank und suchte nach etwas zum Anziehen.

Wir würden zum Mittagessen ausgehen, aber dafür konnte ich mich später noch umziehen. Jetzt schlüpfte ich in eine Jeansshorts und ein T-Shirt. Das mit dem Essengehen machten wir jedes Jahr, immer mit der Familie. Lee und ich, seine Eltern und mein Dad – meine Mom auch, als sie noch lebte – und Brad und Noah. Eine Zeitlang waren unsere Großeltern, wenn sie gerade zu Besuch waren, auch mitgekommen.

Mit meinen Haaren gab ich mir noch nicht viel Mühe, sondern band sie nur zu einem Pferdeschwanz zusammen. Dann lief ich nach unten.

»Na endlich«, murmelte Brad, als er mich in die Küche kommen hörte.

»Happy Birthday, Kumpel!«, sagte Dad mit einem strahlenden Lächeln. Er stand hinter dem Küchentisch vor einer riesigen Torte. Es war eine Schokoladentorte mit Erdbeerglasur und verwackelter weißer Zuckerschrift: *Happy 17th*.

»Ist das mein Frühstück?«, scherzte ich hoffnungsvoll.

»Nicht ganz. Aber Brad und ich sind extra früh aufgestanden, um sie zu backen. Jetzt mache ich erst einmal Pfannkuchen.«

»Genau, und er wollte nicht anfangen, bevor wir alle da sind«, brummte Brad. Dazu knurrte sein Magen wie ein eingesperrter Tiger, den man mit einem Stück Fleisch ärgert. Dad und ich mussten beide lachen. »Er hat gesagt, es wäre blöd, zweimal welche zu machen.«

»Deshalb wolltest du mich unbedingt aus dem Bett haben, Brummbär«, sagte ich und strubbelte ihm durch die Haare, bevor ich Dad umarmte.

»Wie war die Party? Gestern konntest du mir ja noch nicht viel davon erzählen.«

»Tut mir leid.«

»Das ist schon in Ordnung. Du warst ja den ganzen Tag bei Lee. Ich dachte, vielleicht hattest du einen furchtbaren Kater und wolltest deinem Vater nicht unter die Augen kommen.«

Ich lachte. »Ganz so schlimm war's nicht. Es wurde sowieso gar nicht viel getrunken. Wir hatten so viel Spaß, dass das gar nicht nötig war, glaube ich.« Das war ein Scherz, aber er war jetzt so im Eltern-Modus, dass sein Gesicht mir eindeutig sagte: *Man muss sich ja auch nicht betrinken, um Spaß zu haben.*

Der Rest des Vormittags verging ziemlich rasch, und um halb zwölf parkten wir vor einem schicken Restaurant, dessen Namen ich noch nicht mal aussprechen konnte. Ich hatte mir ein süßes Sommerkleid angezogen, dunkelblau mit gelbem Blumenmuster. Dazu trug ich Sandalen, ein bisschen Schmuck und hatte meine Haare einfach zum Pferdeschwanz gebunden gelassen.

Wir trafen kurz nach der Familie Flynn ein. Der Kellner sagte: »Ah, dann sind Sie ja jetzt komplett. Ich führe sie gleich an Ihren Tisch.«

Ich hörte June meinen Bruder fragen, wie es ihm beim Fußball erginge. Auch unsere Väter unterhielten sich.

Meine Augen fanden sofort die von Noah, der mich anlächelte, aber bevor ich darauf reagieren konnte, war Lee auch schon an meiner Seite. Ich riss meinen Blick von Noah los, um meinem besten Freund die volle Aufmerksamkeit zu schenken.

»Happy Birthday!«, sagten wir im Chor und grinsten einander dabei an. Lee drehte lachend an meinem Pferdeschwanz, sodass er wie der Rotor eines Hubschraubers kreiste. Ich gab ihm einen Schubs mit der Schulter und umarmte ihn fest. Er drückte mich genauso, lehnte sich aber auch noch nach hinten, sodass ich kurz vom Boden abhob.

»Wie war dein Tag denn bisher?«, fragte er mich, während wir unseren Familien folgten.

»Genauso wie vorhin, als wir telefoniert haben – gut. Und deiner?«

»Muss ich deine Antwort für dich wiederholen?«

»Nein«, meinte ich lachend.

»Ich habe es sogar geschafft, Rachel zu sehen«, erzählte er. »Wenn auch nur für ungefähr eine Stunde, weil wir dann fahren mussten.«

»Oh. Hat sie dir einen fetten Geburtstagskuss gegeben?« Dazu verzog ich das Gesicht und machte laute Kussgeräusche.

»Tja …«

»Ihr beiden seid so süß zusammen. Das ist wie … wie Spider-Man und Mary Jane. Ich wollte schon sagen, Batman und irgendwer, aber ich weiß nicht, mit wem Batman zusammen war.«

Lee lachte schon wieder. »Und was wärt ihr dann? Der Schöne und das Biest? Denn du müsstest natürlich das Biest sein. Noah und ich teilen uns schließlich einen Genpool, und ich stamme bestimmt nicht aus demselben wie das Biest. Ich meine, schau mich doch an.«

Das tat ich und verzog das Gesicht. »Igitt.«

Er lachte weiter und wir setzten uns nebeneinander an die Mitte des Tischs. Noah saß mir diesmal gegenüber, was eine schöne Abwechslung zu Brad war. Der trat mich sonst gern unterm Tisch und behauptete, wegen meiner »Riesenschenkel und klobigen Füße« nicht genug Platz zu haben.

»Happy Birthday, Elle«, sagte er mit einem sanften Lächeln.

Ich grinste zurück. »Danke.«

»Na, was hast du zum Geburtstag bekommen, Lee?«, fragte mein Dad.

»Ich weiß es noch nicht. Ich wollte auf Shelly warten.«

»Und du, Elle?«, fragte Matthew mich.

»Ich habe auf Lee gewartet«, antwortete ich verlegen.

Der Kellner nahm unsere Getränkebestellung auf und teilte Speisekarten aus. Noah stellte seine vor sich auf und beugte sich ein bisschen vor, sodass ich nur noch seine Ellbogen und seinen Scheitel sah.

Ich überflog die Karte, die ich ja mindestens einmal jährlich studierte, und fragte mich, ob ich mutig sein und mal etwas anderes probieren sollte. Oder sollte ich wieder Hähnchenbrust mit Parmesan, Barbecue-Soße, gebratenem Gemüse und Pommes frites nehmen?

Als Nächstes meldete sich mein Handy mit einer neuen Nachricht. Ich vermutete Warren oder jemand anders, der mir gratulieren wollte.

Aber es war nicht Warren.

Du siehst echt hübsch aus.

Ich blickte hoch, aber er war ganz in seine Speisekarte vertieft und schien mich gar nicht zu bemerken. Ich blinzelte ein paarmal, bevor ich wieder nach unten auf mein Handy schaute und auf *Antworten* drückte.

Danke. Ich wusste wirklich nicht, was ich sonst darauf sagen sollte, also beließ ich es dabei – kurz und bündig.

Was machst du später?

Ich weiß nicht. Wann später?

Nach der Torte. Ich habe da so eine Idee für Birthday Girl.

Am Ende der Nachricht stand ein blinzelndes Smiley. Ich sah die Nachricht einen Moment lang an und fragte mich, ob irgendeine Anspielung drinsteckte. So, wie ich ihn kannte, hatte er wahrscheinlich irgendetwas herrlich Kitschiges geplant, von dem er wusste, ich würde es lieben.

»Elle, hör bitte auf, am Tisch Nachrichten zu schreiben«, ermahnte Dad mich.

»Sorry.«

Ich sah Noah in seine Speisekarte schmunzeln, aber er sah mich immer noch nicht an. Ich erwog, ihm zu antworten und zu fragen, was für eine Idee das sei. Aber wahrscheinlich wartete er genau darauf, damit er mich weiter aufziehen konnte – indem er sagte, es sei eine Überraschung. Diese Genugtuung verschaffte ich ihm nicht, sondern steckte mein Telefon zurück in meine Handtasche.

»Danke schön«, bemerkte Dad etwas spitz.

»Seid ihr alle bereit zum Bestellen?«

Nach dem Essen fuhren wir wie immer zurück zum Haus der Flynns, um unsere Geschenke auszupacken und um die riesige Torte zu verputzen, die Dad und Brad für mich gebacken hatten.

Von seinen Eltern bekam Lee ein paar CDs und Klamotten. Noah hatte ihm eine neue Anlage für sein Auto geschenkt – deshalb hatte er letztens zum Schrottplatz gemusst, weil ihm irgendwelche Teile dafür fehlten. Lee hatte schon erraten, welche CD er von mir bekam. Das war auch nicht schwer, nachdem ich ihm vor ein paar Tagen verboten hatte, das Album auf seinen Computer runterzuladen, ihm aber den Grund dafür nicht nennen wollte.

Das Portemonnaie gefiel ihm auch. Dann packte er das T-Shirt aus. Es war blau und versehen mit dem Aufdruck I'M WITH STUPID, also: Ich bin mit einem Idioten unterwegs. Außerdem war noch ein Pfeil drauf, der nach unten zeigte.

Er brach in Gelächter aus, schnappte sich eins von meinen Päckchen und warf es mir zu. »Danke, Elle. Jetzt mach du das hier auf.«

»Ist das von dir?«

»Klar. Mach es endlich auf!«

Das tat ich. Und ich konnte eine Minute lang nicht aufhören zu lachen. Das T-Shirt war gelb – und aus demselben Laden. Darauf stand: I'M WITH STUPID und ein Pfeil nach oben. Es war also die Mädchen-Version des T-Shirts, das ich für ihn ausgesucht hatte.

Wenn das nicht verrückt ist …

»Habt ihr euch abgesprochen, oder was?«, scherzte sein Vater, als ich mir das T-Shirt hinhielt.

»Nein«, antworteten wir, immer noch lachend, im Chor.

Lee sagte: »Wir können nur einfach Gedanken lesen.«

Er hatte noch einige Bücher für mich – in denen es um Vampire ging, weil er wusste, dass ich dafür eine

Schwäche hatte. Schließlich gab es noch ein kleines Päckchen, das fest eingepackt und so zugeklebt war, dass ich es mit den Zähnen aufreißen musste.

»Was ist das?«, fragte Brad ungeduldig, während ich noch am Klebeband zerrte.

»Wie soll ich das wissen? Es ist doch noch eingepackt!«

»Ich verrate nichts!«, rief Lee. In seinem Lächeln steckte eine Spur Bosheit, die mir ein bisschen Angst machte …

Endlich gab das Klebeband nach und ich konnte das Papier abreißen. Es war ein bisschen wie bei diesem Spiel, wo etwas auf vielerlei Weise verpackt ist und man es so schnell wie möglich öffnen soll. Was immer es war, Lee hatte es gefühlt eine Million Mal in einen langen Papierstreifen eingewickelt.

»Was ist das?«, fragte Brad erneut und reckte den Hals.

Als ich es erkannte, flammten meine Wangen sofort auf, und ich ließ es wie scharfe Munition sofort fallen. »Lee!«

»Was denn? Ich will eben noch nicht Onkel werden – dafür bin ich noch nicht alt genug!«

»Ach, und das konntest du mir nicht geben, wenn nicht lauter andere Leute dabei waren?« Er wusste genau, wen ich damit meinte – warum vor *meinem Dad*? Und *seinen Eltern*!

»Und vor deinem Freund, lass uns das nicht vergessen.«

Ich versuchte, meine Wangen mit schierer Willenskraft zum Abkühlen zu zwingen, aber sie gehorchten mir einfach nicht. Dad hatte bereits hastig Smalltalk mit June und Matthew begonnen. Alle ignorierten ganz bewusst das Päckchen Kondome, das ich gerade wieder vom Boden aufgehoben hatte.

Noah beugte sich von seinem Platz auf dem Sofa nach vorn und nahm es mir aus der Hand. »Danke, Lee. Die nehm ich für später an mich.«

Ich hätte es nicht für möglich gehalten, aber ich wurde noch röter. Deshalb schlug ich mir die Hände vors Gesicht. June hüstelte, und mir war klar, dass meine Eltern diese Bemerkung gar nicht hatten überhören können.

Lee schien das allerdings nichts auszumachen. Er tätschelte mir die Hand und meinte: »Ich wollte nur, dass du vorsichtig bist, Shelly. Ich passe hier auf dich auf.«

»Ich kann gar nichts sehen«, beschwerte mein halb-unschuldiger zehnjähriger Bruder sich. »Was ist es denn?«

»Was für Erwachsene«, sagte ich.

»Tampons«, erklärte Lee.

Diesmal gab ich ihm einen leichten Klaps auf den Hinterkopf. »Freundchen, du bist einfach unerträglich.«

»Ich weiß«, erwiderte er so zufrieden grinsend, dass ich laut auflachen musste. Es ging nicht anders.

Unsere Eltern schienen bemerkt zu haben, dass die Kondome nirgends mehr zu sehen waren. »Hier, das ist für dich, Elle«, sagte mein Dad und gab mir eine Schachtel. Sie war länglich und mit schwarzem Samt überzogen. Wie eine Schmuckschatulle.

Ich nahm sie zögernd. »Was ist das?«

»Also, eigentlich, äh … hat sie deiner Mom gehört. Sie hat aber immer gesagt, dass du sie bekommen sollst. Ich wollte sie dir schon letztes Jahr geben, aber dann hatte ich sie vergessen. Ich weiß, dass siebzehn ein etwas zufälliges Alter dafür ist, aber … ich wollte auch nicht riskieren, dass ich sie nächstes Jahr wieder vergesse.« Er lachte schuldbewusst und lächelte dann traurig.

Wir hatten den ganzen Schmuck meiner Mutter behalten. Ich meine, natürlich hatten wir das. Schließlich gibt man so etwas ja nicht weg. Ich hatte ein paar Ohrringe von ihr, die ich schon als kleines Mädchen gemocht hatte, und eine Goldkette, die ich manchmal trug. Aber was auch immer das hier war – offensichtlich kein Schmuckstück für den Alltag.

Ich öffnete den goldenen Verschluss und klappte die Schachtel auf.

Ich hatte vielleicht eine Halskette erwartet – elegante Perlen oder etwas in der Art. Aber das war es nicht. In der Schatulle lag eine Armbanduhr – eine silberne mit winzigen Topasen rund um das Zifferblatt. Der Sekundenzeiger, eine schmale silberne Linie auf schwarzem Grund, wanderte im Kreis. Vorsichtig nahm ich die Uhr heraus. Die blauen Steine sahen echt aus, und ich war mir sicher, dass sie unglaublich teuer gewesen sein musste.

»Die Steine sind echt«, erklärte Dad, als könne er meine Gedanken lesen.

»Sie ist wunderschön«, bemerkte June mit mütterlichem Lächeln.

Ich dachte zuerst, ich müsste vielleicht weinen. Das

erwarteten alle von mir. Ich konnte sehen, wie sie alle damit rechneten, dass ich in Tränen ausbrechen und kundtun würde, wie sehr ich meine Mom vermisste.

Und ich vermisste sie auch. Das tat ich wirklich. Ich wünschte mir, dass sie noch da wäre und sich in der Küche zu schaffen machte, irgendeine alberne Soap im Fernsehen anschauen oder sich für ihre Arbeit fertig machen würde.

Aber ich konnte nichts an der Tatsache ändern, dass sie tot war. Und das hatte ich schon vor Jahren akzeptiert. Ich konnte sie vermissen und sie mir so sehr zurückwünschen, dass es wehtat, aber ich vermochte rein gar nichts daran zu ändern, dass sie nicht mehr bei uns war. Und das hatte ich verstanden. Also nützte es auch nichts, um sie zu weinen, weil das Weinen sie nicht zurückbringen würde.

Aber ich war mir sicher, dass sie alle schockiert waren, als ich die Uhr grinsend an meinem linken Handgelenk befestigte. Sie war kalt und schwer und hing ein bisschen locker, aber ich liebte sie.

»Danke, Dad.«

Er lächelte und in seinem Gesicht war eine Mischung verschiedener Gefühle zu sehen. Die Trauer in seinem Blick, Glück in seinem Lächeln, Erleichterung, die das leichte Stirnrunzeln zum Verschwinden brachte. Doch dann holte er noch etwas aus seiner Tasche – eine weitere kleine schwarze Samtschachtel. Sie war allerdings anders als die, in der sich die Uhr befunden hatte: Es gab keine goldene Schließe und die Scharniere waren auch nicht zu sehen.

»Sind das passende Ohrringe?«, scherzte ich.

»Nein – das ist dein Geschenk für dieses Jahr. Genau genommen ist die Uhr ja bereits überfällig gewesen …« Er lachte und schüttelte den Kopf, als versuche er, die Traurigkeit zu verbannen. Lächelnd nahm ich die Schachtel entgegen.

Irgendwie hatte ich sogar mit passenden Ohrringen gerechnet.

»Du schenkst mir einen … Schlüssel?« Ich nahm ihn heraus und ließ den Schlüsselanhänger an meiner Fingerspitze schaukeln. Dann kapierte ich es endlich. »O mein Gott! Du schenkst mir ein Auto!«

Alle lachten, weil sie es entweder schon vorher gewusst oder, wie in Lees Fall, schneller geschaltet hatten als ich. Ich sprang auf und warf meinen Dad mit einer heftigen Umarmung fast um.

»Danke danke danke danke danke!«

Er lachte. »Du hast es ja noch nicht mal gesehen.«

»Genau. Es könnte ja irgendein schrottiges Teil sein, das jedes Mal ausgeht, wenn du an ein Stoppschild kommst«, scherzte Noah.

»Es ist in der Garage geparkt, denn wir mussten es ja irgendwo verstecken, wo du es nicht sehen würdest.«

Ich rannte hinaus und zerrte keuchend das Garagentor in die Höhe.

Hinter mir hörte ich alle anderen aus dem Haus kommen. Die Garage war ziemlich dunkel. Auf dem Boden Ölflecken, und überall lag Noahs Werkzeug verstreut. Lees Fahrrad lehnte an der Wand. Es gab Bälle für Football und Fußball sowie ein paar alte oder kaputte Möbel.

Aber in der Mitte von alldem stand mein Geburtstagsgeschenk.

Es war ein gebrauchter Ford Escort. In Dunkelblau und sogar mit einem Paar neonpinkfarbener Plüschwürfel, die am Rückspiegel baumelten.

»Die Würfel waren übrigens meine Idee«, warf Lees Dad ein. »Nur damit das klar ist.«

Ich lachte aufgekratzt und lehnte mich durchs offene Fenster auf der Fahrerseite ins Wageninnere. Es roch ein bisschen nach Holz und altem Leder. Der Wagen sah nicht aus, als würde er traumhaft laufen, mit einem leise schnurrenden Motor, und es würde mich nicht schockieren, irgendwann mal daneben auf ein Pannenfahrzeug zu warten.

Aber ich mochte es sofort.

Mit einem nagelneuen Wagen irgendeiner schicken Marke hatte ich als Geschenk von Dad ohnehin nicht gerechnet. Das wollte ich auch gar nicht. Ich wollte ein Auto, bei dem ich mich nicht fürchten würde, es zu fahren. Ich war nicht die allerbeste Fahrerin. Aber endlich besaß ich meinen eigenen Wagen!

»Jetzt muss ich dich nicht dauernd bitten, mich irgendwohin zu kutschieren«, erklärte ich Lee.

»Tja, ich werde jedenfalls nicht bei dir mitfahren«, scherzte er mit ernster Stimme. »Dafür ist mir mein Leben zu schade, vielen Dank auch.«

Ich lachte und ging erneut zu meinem Vater, um ihn zu umarmen. »Danke! Es gefällt mir total gut!«

»Ich weiß, es ist nicht das Beste, aber du kannst mit diesem alten Mädchen erst mal anfangen. Ein paar Schrammen und Dellen wird sie aushalten, kein Problem.«

»Vertraut eigentlich *niemand* meinen Fahrkünsten?«

Alle lachten darüber. Dann sagte Brad: »Na gut, na gut. Aber jetzt ist es doch mal Zeit für die Torte, oder?«

Wie auf Kommando knurrten meiner und Lees Mägen im Chor. »Absolut«, stimmten wir ihm zu und rannten um die Wette zurück ins Haus.

31

»Also was genau ist deine Idee?«, fragte ich Noah. Er räumte gerade Teller in die Spülmaschine, während ich noch ein paar leere Gläser brachte. Lee war draußen bei seinem Auto und kümmerte sich um die neue Stereoanlage. Brad schaute fern und unsere Eltern unterhielten sich über … na ja, über was auch immer. Ich hatte die Gelegenheit abgepasst, um allein mit Noah zu sprechen.

Er schaute hoch und sah mich mit seinen stahlblauen Augen an.

»Vorhin«, erklärte ich, »da hast du mir doch geschrieben, du hättest später noch eine Idee für mich.«

»Ach, das.«

»Ja, ach das. Erzählst du mir jetzt, was *das* ist?«

»Es dir zu erzählen würde doch die ganze Überraschung zunichtemachen, verstehst du?«

»Ich hatte schon so eine Ahnung, dass du das sagen würdest«, stöhnte ich und reichte ihm die Gläser an. Er räumte sie ein, richtete sich auf und drückte die Spülmaschine mit dem Knie zu.

Als Nächstes schloss er mich in seine Arme und flüsterte mir ins Ohr: »Wir könnten natürlich auch Lees Geschenk ausprobieren …« Er strich mit den Lippen über mein Kinn.

Ich wusste nicht, was ich darauf antworten sollte – aber das hätte ich sowieso nicht gekonnt, da ich offenbar plötzlich meine Stimme verloren hatte.

Noah lachte leise. »Das mit den Kondomen war aber nicht meine Idee«, sagte er und lehnte sich zurück, um mich mit diesem teuflischen Grinsen anzusehen.

»Ich will dich an einen bestimmten Ort bringen, von dem ich weiß, du wirst ihn lieben. Aber es muss eine Überraschung bleiben.«

»Na gut …« Ich zermarterte mir das Hirn. Der Sonnenuntergang oder ein Feuerwerk konnte es nicht noch mal sein, sondern etwas anderes. Aber Noah steckte im Moment so voller Überraschungen, dass eigentlich alles infrage kam.

»Obwohl«, meinte er nachdenklich, »wenn du Lees Geschenk später benutzen möchtest …«

Ich wurde rot und vergrub mein Gesicht an seiner Schulter, damit er es nicht sah. Doch er lachte, küsste mich aufs Haar und drückte mich fester an sich.

Ich ignorierte seine Bemerkung und erwiderte die Umarmung. »Ich liebe dich.« Die Worte kamen reflexartig aus meinem Mund, als wären es die selbstverständlichsten drei Worte der Welt, die man zum großen Bruder seines besten Freunds sagt.

Er küsste mich noch einmal auf den Scheitel und sagte: »Ich liebe dich noch mehr.« Daraufhin schüttelte ich an seiner Schulter den Kopf.

Dann sagten wir nichts mehr, standen einfach nur

in gegenseitiger Umarmung da, wie in unserer eigenen kleinen Blase.

»Oh! Sorry – lasst euch nicht stören. Ich wollte mir nur was zu trinken holen!«

Wir rückten ein bisschen auseinander, während June sich ein Glas Wasser nahm. Als sie sich umdrehte, lächelte sie uns an – und das wirkte nicht wie »Hab ich euch erwischt!«, sondern eher wie »Kinder, ihr seid so goldig«.

Immerhin hatten wir nicht geknutscht oder so was.

Denn das wäre natürlich schon peinlich gewesen.

Noahs Mom kehrte ins Wohnzimmer zurück und ich sah ihn an. »Und wann fahren wir zu dieser Überraschung?«

»Jetzt, wenn du willst. Es dauert auch nicht lange.«

»Jetzt? Echt?«

Er zuckte mit den Achseln. »Wenn du jetzt aufbrechen möchtest, klar.«

Ich musste grinsen. »Kann ich fahren?«

»An einen Ort, von dem du nicht weißt, wo er ist … Ob das eine schlaue Idee ist, Elle?«

»Na ja – du kannst mich ja hinlotsen, oder? Bitte, bitte, bitte!« Ich schenkte ihm mein schönstes Lächeln, weil ich die Aussicht, mein neues Auto auszuprobieren, dermaßen aufregend fand.

»Na gut, schön! Aber mach mir keinen Vorwurf, wenn du dann doch vorher errätst, wo es hingeht, und damit die Überraschung ruinierst, okay?«

Ich kicherte. »Was ist das bloß mit dir und deinen Überraschungen?«

Er zuckte mit den Achseln. »Ich dachte, das ist romantischer, als einfach zu sagen, ›Hey, Elle, ich fahre mit dir nach … um den Sonnenuntergang und das Feuerwerk anzusehen‹. Außerdem hast du doch schon immer eine Schwäche für romantische Filme.«

»Na ja …« Verlegen biss ich mir auf die Lippe. »Okay, okay, ich verstehe, was du meinst. Dann los jetzt.«

»Bist du etwa ungeduldig?«

»Okay, bieg hier links ab … und dann die Zweite rechts. Dort sollte man parken können.«

Ich befolgte seine Anweisungen und wünschte, ich hätte nicht darum gebeten, selbst zu fahren. Ich war so darauf bedacht, keinen Kratzer ins Auto zu machen, dass ich sehr konzentriert nur auf die Straße blickte. Ich konnte also den Blick nicht schweifen lassen, um zu erraten, wohin es ging. Ich erkannte auch keine der Straßen – und folglich hatte ich keine Ahnung, wohin er mich führte, und noch viel weniger, worin die Überraschung bestehen würde.

Ich parkte an der gewünschten Stelle, stieg aus und hörte schon Noah seine Tür zuschlagen.

»Na schön«, sagte ich und konnte ein Grinsen nicht unterdrücken. »Dann führ mich mal.«

Schmunzelnd griff er nach meiner Hand und schob unsere Finger ineinander. Unsere Arme schwangen wie ein Pendel hin und her, während wir zurück in die Richtung gingen, aus der wir gekommen waren.

Als ich mich umsah, wurde mir bewusst, dass wir uns nicht mehr in der Stadt befanden. Einige der Wohnhäuser waren umgebaut worden – sodass sich im Erdgeschoss Läden befanden. Eine Blumenhandlung oder eine Bäckerei. Ich wusste immer noch nicht, wo wir uns befanden, aber es sah hübsch aus. Auf kleinen Rasenflächen standen Bäume und auf den Fensterbänken blühten Blumen. Ein paar Leute waren unterwegs, darunter auch welche, die ihre Hunde ausführten. Nur gelegentlich fuhr ein Auto vorbei.

Es handelte sich um ein ruhiges, kleines Dorf. Irgendwo in der Ferne hörte ich Kirchenglocken, als wären sie das Echo meiner Gedanken.

Ich drehte mich zu Noah, der meinen Blick auffing und mich mit diesem Lächeln oder Schmunzeln bedachte, bei dem ich ihm ansah, welchen Spaß es ihm machte, mich über unser Ziel im Ungewissen zu lassen.

Ich erwiderte sein Lächeln und drückte seine Hand.

»Da sind wir.« Er blieb stehen. Ich trat einen Schritt zurück, damit er den Laden, vor dem wir standen, als Erster betrat. Über dem Eingang hing eine dunkelgrüne Markise, die einen Schatten auf Noahs Gesicht warf, während er die Tür aufdrückte. Ein Glöckchen klingelte und erinnerte mich an die Elfe in *Peter Pan*.

Dann wusste ich auf einen Schlag Bescheid. Wegen des Dufts.

Ein köstliches Aroma: süße Vanille, kräftiger Kakao, die verschwommene Süße von Karamell und der Duft von Schokolade, der den Magen zum Knurren brachte und mir das Wasser im Mund zusammenlaufen ließ. All das waberte hinaus und umfing uns in dem Moment, als Noah die Tür öffnete. Ich musste regelrecht nach Luft schnappen.

Dann marschierte ich an Noah vorbei, der mir die

Tür aufhielt. Ich erinnerte mich, wie ich noch vor ein paar Monaten hinter ihm ins Haus gegangen war, um Lee zu besuchen. Damals wusste er, dass ich da war, dachte aber nicht mal daran, mir die Tür aufzuhalten – er ließ sie einfach los, und ich konnte zusehen, dass ich sie abfing. Das tat er bestimmt nicht aus böser Absicht, sondern es war einfach typisch Noah Flynn.

Deshalb entging mir jetzt auch nicht, dass er sie mir aufhielt. Es wirkte so nebensächlich und unwichtig, aber ich bedankte mich trotzdem mit einem Lächeln.

Dann ließ ich mich ganz von dem Schokoduft einhüllen. Der Laden war von Lampen mit gelbem Licht wie von Kerzenschein erhellt. Der Fußboden war mit einem mahagonifarbenen Teppich belegt, die Wände hatte man cremefarben gestrichen. Auf der Theke stand eine richtig alte Registrierkasse – so eine mit beschrifteten Knöpfen, die klingelte, wenn die Lade aufsprang.

Der Laden sah süß aus und duftete auch genauso. Während ich mich im Kreis drehte und alles staunend betrachtete, entdeckte ich die viele Schokolade.

Ich wusste gar nicht, was ich zuerst tun sollte – wohin schauen oder etwas zu Noah sagen.

»Herzlich willkommen!«, zwitscherte eine fröhliche Stimme, der man anhörte, dass sie zu einem älteren Menschen gehörte. Als ich die Augen von den Pralinen hinter Glas losriss, sah ich eine Frau in den Sechzigern oder Siebzigern. Sie entsprach genau meiner Vorstellung von der Besitzerin so eines Süßigkeitenladens.

Sie war stämmig, mit rosigen Wangen und dunkelgrauen Haaren, die sie zu einem Dutt frisiert hatte, aus dem aber ein paar lockere Strähnen gerutscht waren. Sie trug Jeans und eine frisch gestärkte weiße Bluse, dazu noch eine pinkfarbene Schürze mit Spuren von Schokolade in verschiedenen Schattierungen und Zuckerguss in allen möglichen Farben darauf.

»Hallo«, sagte Noah und trat an die Theke. »Ich habe vorhin angerufen. Mein Name ist Flynn.«

»Oh, natürlich, natürlich! Ich erinnere mich. Es ist schon alles fertig eingepackt, mein Junge! Gebt mir zwei Sekunden!« Die Frau lächelte uns mütterlich an und eilte dann nach hinten, wobei sie einen Stapel aus Kartons umstieß, die sich jedoch leer anhörten.

»Hoppla!« Über ihre eigene Ungeschicklichkeit lachend richtete sie die Schachteln rasch wieder auf. Als sie außer Sichtweite war, hörten wir sie im hinteren Bereich des Ladens vor sich hin summen.

»Du hast vorher schon angerufen?«, fragte ich Noah und musste unweigerlich lächeln. »Woher wusstest du überhaupt, dass es diesen Laden gibt?«

»Ich, äh …« Er räusperte sich und kratzte sich den Nacken. »Ich habe mich erinnert, dass wir – nein, das weißt du wahrscheinlich nicht mehr – aber als wir noch ziemlich klein waren, da habe ich *Charlie und die Schokoladenfabrik* gelesen. Danach habe ich mir irgendwie in den Kopf gesetzt, Willy Wonkas Fabrik zu besuchen. Meine Mom – und deine auch, denn sie war damals dabei – brachte mich hierher, weil sie meinte, das käme Wonkas Fabrik am nächsten. Vor ein paar Jahren ist mir das wieder eingefallen, und ich bin mit dem Bus hergefahren, um den Laden zu suchen.«

Ich brauchte kurz, um das zu verarbeiten. Es war so untypisch für Flynn, eine private Erinnerung zu teilen. Außerdem brachte es mich fast aus der Fassung, ihn mir als süßen kleinen Jungen vorzustellen, der unbedingt Willy Wonka besuchen will.

Wahrscheinlich würde er es aber nicht so toll finden, wenn ich ihn wieder »süß« nannte. Deshalb sagte ich nur: »Ich erinnere mich. Ich brauchte das Buch später für ein Schulprojekt. In der Bibliothek waren alle Exemplare ausgeliehen, und Lee meinte, du hättest eins, sodass ich es nicht kaufen müsste. Aber du wolltest es nicht hergeben.«

»Oh, ja.« Lachend biss er sich auf die Lippe und sah ein bisschen verlegen aus. »Was war noch mal meine Ausrede gewesen?«

»Du hattest keine«, sagte ich nach kurzem Überlegen. »Du hast es mir nur einfach nicht geliehen.«

Er nickte. »Das klingt vorstellbar.«

»Wolltest du echt Willy Wonkas Schokoladenfabrik besichtigen?« Meine Stimme hatte einen leicht ironischen Ton angenommen und aus meinem Lächeln war ein Grinsen geworden.

»Hey, damals war ich acht, okay?«

Wir lachten beide, als die Dame mit einer großen weißen Schachtel zurückkam, die mit einer violetten Schleife versehen war. »Bitte sehr!«

Noah verschränkte die Hände hinter dem Rücken und wippte kurz auf den Fersen vor und zurück.

Ich verstand und zuckte zusammen. »Für mich?«

»Hast du etwa gedacht, ich vergesse tatsächlich, meiner Freundin ein Geburtstagsgeschenk zu machen?« Er sah mich mit diesem teuflisch attraktiven Strahlen an, und die alte Dame lachte freundlich.

»Also, das … das ist mir vorher gar nicht aufgefallen.«

»*Shelly*. Ich habe dir immer etwas zum Geburtstag geschenkt.«

»In einem Jahr war es ein Furzkissen.«

»Aber immerhin ein Geschenk. Außerdem war ich da zwölf, wenn ich mich richtig erinnere. Hast du damals etwa mit etwas Hübschem und Bedeutungsvollem gerechnet?«

»Äh, nein.«

»Und du hast wirklich geglaubt, ausgerechnet dieses Jahr vergesse ich es?«

Ich zuckte verlegen mit den Achseln. Als er mir bei der Bescherung der anderen nichts gegeben hatte, wollte ich nicht unbedingt fragen, wo sein Geschenk wäre. Erstens, weil das total unhöflich gewesen wäre. Und zweitens hatte er in seiner SMS ja geschrieben, er habe »da so eine Idee für das Birthday Girl«. Deshalb dachte ich, er würde stattdessen mit mir irgendwo hingehen. Und wenn es nur zum Knutschen wäre.

Jetzt nahm ich die Schachtel von der Ladenbesitzerin entgegen. »Vielen Dank.«

»Es ist jeweils eine von jeder Sorte«, erklärte sie. »So viel wie in zwei Lagen Platz hatten. Aber ich habe die besten Sachen für dich ausgesucht. Du bist doch nicht allergisch gegen Nüsse, Liebes?«

»N-nein.« Ich geriet ins Stottern, weil sie so unfassbar schnell und eifrig sprach, aber das schien Teil ihrer herzlichen Art zu sein.

Sie lächelte. »Gut, gut, gut! Also, ihr könnt euch gerne noch ein bisschen umsehen – falls ihr Zeit habt. Sonst würde ich jetzt mal die Bestellung kassieren.«

»Äh …« Ich sah Noah an. Schließlich hatte ich keine Ahnung, ob wir nur hier waren, um die Pralinen abzuholen, oder er noch andere Pläne hatte. Ich meine, er steckte ja offenbar voller Überraschungen.

Aber er hob nur die Hände und schüttelte den Kopf. »Du hast die Autoschlüssel.«

Als mir das wieder einfiel, tänzelte ich vor lauter Vorfreude. »Ja, stimmt!«

»Ich gebe euch noch was richtig Gutes«, sagte die Dame und wackelte zu einem der Schränke. Sie öffnete eine Schublade und nahm ein Tablett heraus. Ich folgte ihr wie magisch angezogen. Noah war einen halben Schritt hinter mir.

Auf dem Tablett lagen winzige Schokoladenwürfel. Neben jeder Sorte lag ein Zettel mit so verschnörkelter Handschrift, dass man sie kaum lesen konnte. Die Pralinen sahen aus wie von größeren Stücken abgeschnitten. Der Duft, der von ihnen aufstieg, ließ mir das Wasser im Mund zusammenlaufen.

»In denen hier«, sie zeigte auf eine Sorte, »ist Knisterzucker. Das ist das seltsamste Gefühl der Welt. Knisterzucker! Und die hier sind mit Mangogeschmack. Ich habe auch noch andere Fruchtsorten.«

»Wie sieht's mit Orange aus?«, fragte Noah, und ich spürte, wie er sich an meinen Rücken presste und eine Hand auf meinen Unterarm legte, während er sich vorbeugte, um das Tablett zu sehen.

»Ah ja, da haben wir es!« Sie griff nach einem Würfel und gab ihn Noah. Der nahm ihn und warf ihn in seinen Mund.

»Das ist mein Probiertablett«, erklärte sie fröhlich und hatte anscheinend meine Gedanken erraten. »Nur zu, Liebes. Bedien dich!«

Mit diesen Worten drückte sie mir das Tablett in die Hand und ließ mich selbst aussuchen.

Die Türglocke klingelte und eine Frau kam herein. »Hallo, Mabel«, begrüßte sie die Ladenbesitzerin. Ich widmete mich wieder dem Tablett.

Noah griff an mir vorbei und nahm sich irgendeine andere Kostprobe. Dann hüstelte er und verzog angewidert das Gesicht, schluckte schließlich aber trotzdem. »Kokosnuss.«

Ich lachte. »Stimmt. Tja, du hättest das vorher lesen sollen, Dummerchen.«

»Ich hab's versucht«, flüsterte er mir ins Ohr.

Ich unterdrückte ein Lachen und wackelte zögernd mit den Fingern in der Luft, weil ich versuchte, mich zu entscheiden. Weiße Schokolade? Dunkle Schokolade? Eine Sorte mit Streuseln? Mit Kaffee? Fruchtig? Oder massiv schokoladig?

Das Wort *Honigwabe* fiel mir ins Auge, und ich nahm mir einen Würfel davon. Fast war ich froh über die schwer zu entziffernde Schrift der alten Dame, denn hätte ich alle Geschmacksrichtungen lesen können, hätte ich sie wahrscheinlich auch probieren wollen.

Wir kosteten noch ein paar und gingen dann zur Kasse.

»Und, Kinder, wie lange seid ihr denn schon ein Paar?«, fragte Mabel.

»Äh …«

»Einige Monate«, antwortete Noah. »Aber wir kennen einander praktisch schon unser ganzes Leben lang.«

»Ach, das ist ja mal so süß wie Apple Pie! Wisst ihr, ich sehe ja viele junge Paare hier hereinkommen, aber ich will euch sagen, wenn ich eine Fotowand von allen hätte, dann kämt ihr beide ziemlich weit nach oben.«

Ich lachte. »Etwa weil wir so süß sind?«

Ich bemerkte Noahs Grimasse, als ich das Reizwort sagte, aber er schwieg und holte stattdessen sein Portemonnaie heraus und bezahlte in bar. Als wir unseren Einkauf gerade noch in einer Tüte verstauten, gab uns die Frau noch eine Schachtel Fudge.

»Die bekommt ihr noch aufs Haus«, erklärte sie lächelnd.

»Oh, nein, das ist –«

»Du hast doch heute Geburtstag, stimmt's?« Ich nickte. »Na, dann herzlichen Glückwunsch!«

Ich bedankte mich lächelnd.

Noah legte einen Arm um meine Taille und wie automatisch lehnte ich mich ein bisschen zurück und schmiegte den Kopf in die Beuge zwischen seinem Hals und seiner Schulter. Wieder fragte sich die klischeemäßige Romantikerin in mir, wie wir bloß dermaßen perfekt zusammenpassen konnten. Wie zwei Puzzlestückchen. Und das, obwohl unsere Persönlichkeiten so verschieden waren. Noah küsste mich auf die

Schläfe. In diesem Moment kümmerte es mich nicht, dass wir einander womöglich Kummer bereiten könnten oder dass er bald aufs College fortgehen würde. Ich wusste nur, wie verliebt ich in ihn war.

32

Die Tage vergingen wie im Flug. Ich führte öfter den Hund der Nachbarn spazieren – nicht gegen Geld, sondern eher um mich zu beschäftigen. Manchmal begleitete Noah mich.

Da Dad arbeiten musste, bestach er mich, damit ich Brad und seine Freunde in meinem neuen Auto herumkutschierte – in den Park, zum Fußballplatz, ins Kino oder einfach nur für einen Milchshake.

Ich hätte mich eigentlich geweigert, aber Dad sagte: »Wär's dir lieber, wenn ich ein Vater wäre, der dir genau vorschreibt, wann du abends zu Hause sein musst oder strikte Regeln bezüglich deines Freunds aufstellt? Denn dann mache ich das.«

»Du willst mich mit Noah erpressen, damit ich Brad herumfahre?«

Er nickte. »Ich bin immer noch nicht besonders glücklich über euch beide, Elle. Ich glaube, du weißt gar nicht, wie nachsichtig ich da bin.«

Also ließ ich es auf sich beruhen.

Außerdem gewöhnte ich mir an, immer später nach Hause zu kommen. Den Tag verbrachte ich meist mit den Jungs am Pool der Flynns, abends sah ich mir dann mit Noah einen Film an, während Lee und Rachel auf dem anderen Sofa saßen. Danach war ich so beschäftigt mit Noah, dass ich die Zeit vergaß.

An dem Montag, bevor wir zum Strandhaus fahren würden, lungerten wir wieder am Pool herum. Ein paar andere Mädchen waren auch dabei – Lisa, die immer noch mit Cam zusammen war, Rachel und May. Noah unternahm irgendetwas mit ein paar Jungs aus der Football-Mannschaft.

Lees Dad grillte für uns alle, während seine Mom auf der Terrasse ein Buch las. Rauchiger Sommerduft stieg mir in die Nase.

»Morgen sind wir zusammen unterwegs – Girls' Day«, verkündete Lisa von ihrer Sonnenliege aus. Ich wollte gerade in den Pool, hatte mir das T-Shirt schon halb über den Kopf gezogen und hielt inne.

»Cool«, sagte Rachel.

Ich zog mich weiter aus, warf das Shirt auf die Liege und nahm auch meine Sonnenbrille ab.

»Elle, bist du dabei?«

»Komm schon! Das wird lustig!«, meinte Lisa fröhlich.

»Was wird lustig?«, fragte Cam, der gerade aus dem Pool kletterte. Er schüttelte sich wie ein Hund und gab Lisa tropfnass einen Kuss auf die Wange, bevor er sich wieder aufrichtete. »Ach, Elle, sag jetzt nicht, dass du irgendeinen fiesen Streich im Sinn hast.«

Ich lachte. »Nein, nein.«

»Wir gehen shoppen«, erklärte May ihm.

»Ohne Lee«, fügte Lisa hinzu.

»Was passiert ohne mich? Shelly? Rachel? Wovon schließt ihr mich jetzt wieder aus?«

»Vom Shoppen«, antworteten Rachel und ich lachend im Chor.

»Du? Shoppen? Ohne mich, deinen persönlichen Stylisten?« Lee machte ein entsetztes Gesicht. »Kaufst du mir dann trotzdem einen Milchshake?«

Ich grinste. »Na gut.«

»Das ist dann also ein Ja?«, hakte Lisa nach.

»Klar.« Ich fühlte mich sogar ein bisschen geschmeichelt, weil ich ohne Lee bei etwas einbezogen wurde. Aber gleichzeitig fürchtete ich auch, mich fehl am Platz zu fühlen, weil ich bei solchen Mädchenaktivitäten normalerweise nicht mitmachte.

»Ach, Elle, das wird schon nicht so schlimm«, meinte Dixon, der sich gerade am Beckenrand hochstützte. »Du kannst ja ein bisschen Reizwäsche für Flynn besorgen.«

Ich wusste nicht, wie ich darauf reagieren sollte – lachen oder rot werden. Ich tat beides.

Da spritzte Lee ihm jede Menge Wasser direkt ins Gesicht. Dixon musste eine Menge davon geschluckt haben, denn er ließ sich prustend zurück in den Pool fallen, während wir alle lachten.

»Alter, das ist meine Shelly, von der du da redest!«, rief Lee pathetisch. Er sagte »meine Shelly«, wie jemand anders »meine kleine Schwester« sagen würde. Aber dann fügte er noch hinzu: »Das ist so eine eklige Vorstellung« und erschauerte demonstrativ.

»Ach ja?«, forderte ich ihn heraus.

»Oh ja!«

Ich stand einfach nur da, sah ihn unschuldig an und brüllte dann: »*Arschbombe!*«

Das Shoppen erwies sich tatsächlich als lustig. Es war zwar auch seltsam für mich, statt mit meinem besten Freund mit »den Girls« loszuziehen, aber ich genoss es trotzdem.

Den Tag danach verbrachte ich mit Ein- und gleich wieder Auspacken, um am Ende meinen Koffer auszuleeren und noch mal von vorne anzufangen. Es fiel mir immer schwer, fürs Strandhaus zu packen. Am Ende nahm ich trotzdem immer die gleichen Sachen mit wie immer. Schon seit Jahren fuhren wir jeden Sommer mit ins Strandhaus der Flynns.

Ich wollte, dass alles so war wie immer, aber ich wusste auch, das würde nicht funktionieren. Noah und sein Dad würden zwei Tage früher abreisen als wir anderen, um sich gemeinsam den Campus in Harvard anzusehen. Rachel käme auch für ein paar Tage – was mir nichts ausmachte. Ich freute mich sogar, mal außer June noch andere weibliche Gesellschaft zu haben.

Und auch wenn das Strandhaus so aussah wie immer – mit sandigen Böden, ein bisschen zu eng für uns alle, mit abblätternder Farbe, knarzenden Dielenbrettern und zusammengewürfeltem Mobiliar, an dem wir so hingen –, war es anders. Zuerst dachte ich noch, alles sei doch wie immer.

Als Rachel den ersten Abend da war, gingen wir in großer Runde zum Essen aus und Noah und ich benahmen uns wie ein richtiges Pärchen. Dann kochte er einmal Abendessen für mich, während alle anderen auswärts aßen, und danach gingen wir am Strand spazieren. Bei diesen Gelegenheiten merkte ich, wie sehr sich alles verändert hatte und dass nichts so bleiben würde, wie es mal gewesen war.

Nicht einmal meine Beziehung zu Noah.

Ich wusste ja nicht, wie es laufen würde, wenn er erst einmal fort war. Daran wollte ich gar nicht denken. Denn ich wollte keine dunkle Wolke über der gemeinsamen Zeit, die uns noch blieb. Deshalb redete ich mir ein, wir würden es schon sehen, wenn der Zeitpunkt gekommen wäre, aber …

Ehrlich gesagt wusste ich nicht mal, ob es überhaupt so weit kommen würde. Es war seltsam, meine Zeit zwischen meinem besten Freund und meinem Freund aufzuteilen. Ich war dankbar dafür, dass Lee Rachel hatte. Da hatte ich kein allzu schlechtes Gewissen, wenn ich viel Zeit mit Noah verbrachte.

Er ging mit mir ins Kino, und es war so schön, nach all der Zeit der Heimlichtuerei ein ganz normales Paar zu sein. Ich konnte immer noch nicht glauben, wie sehr er sich in den letzten paar Monaten verändert hatte.

Einmal allerdings, als ich Brad zum Fußballspielen mit seinen Freunden in den Park brachte, sah ich, wie Noah mit jemand beim Football in eine Schlägerei geriet, während der Rest des Teams die beiden anfeuerte.

Trotz aller Änderungen, die ich bei ihm bewirkt hatte, war er eben immer auch noch der harte Typ, mit dem ich aufgewachsen war. Irgendwie gefiel mir das ja auch. In gewisser Weise fand ich es sogar beruhigend, dass er seine Ecken und Kanten, in die ich mich ursprünglich verliebt hatte, nicht komplett verloren hatte.

Das Motorrad allerdings … Er versuchte, mich zum Mitfahren zu überreden. Mit den Argumenten, es sei leichter zu parken und schneller. Er schlug sogar vor, mir beizubringen, wie man damit fuhr. Aber ich blieb hartnäckig: Das Motorrad war mir verhasst.

Und dann saßen wir am Flughafen. Aus dem Lautsprecher ertönte die Ansage, der Flug um acht Uhr fünf, nach Boston, sei jetzt bereit zum Einsteigen an Gate 5. Alle Passagiere begeben sich bitte …

Ich stand gleichzeitig mit Noah auf und spürte, wie er meine Hand drückte. Mit der freien Hand warf er sich den Rucksack über die Schulter.

»Ich schätze mal, es ist so weit«, sagte Lee. Ich ließ Noahs Hand los, während die beiden Brüder einander auf diese für Jungen so typische Art ruppig umarmten und gegenseitig auf den Rücken klopften. »Mach's gut.«

»Versuch, nicht in zu viele Schlägereien zu geraten, mein Sohn«, ermahnte Matthew ihn mit Autorität in der Stimme und legte ihm dabei die Hand auf die Schulter. Noah nickte, aber wir wussten alle, dass er nicht wirklich zuhörte.

»Ruf uns an, wenn du dort bist«, sagte June und umarmte ihn. Sie strahlte vor Stolz, aber ihr Blick war auch traurig, weil ihr kleiner Junge groß geworden war, am anderen Ende des Landes aufs College ging und schlicht flügge wurde. Sie schluckte, als bemühe sie sich, nicht zu weinen.

Da war sie natürlich nicht die Einzige.

Ich wollte Noah nicht verlieren und immer noch nicht gehen lassen, aber das war nicht meine Entscheidung. Ich wusste, es war ja nicht auszuschließen, dass es mit uns nicht funktionieren würde.

Aber stellt euch vor: Damit konnte ich leben.

Nicht jede Beziehung ist für die Ewigkeit. Außer im Märchen, versteht sich. Vielleicht würde ich mich noch hundertmal verlieben, bevor ich jemanden fand, mit dem ich den Rest meines Lebens verbringen wollte. Und vielleicht war Noah dieser Jemand. Ich wusste, dass manche Dinge zu Ende gehen mussten, auch wenn ich das nicht wollte – aber wenn es so kam, würde ich damit zurechtkommen.

Vielleicht würde ich diejenige mit dem gebrochenen Herzen sein und auf einen anderen Jungen warten, der die Stücke wieder zusammensetzte. Aber bis dahin freute ich mich darüber, Noah zu lieben, auch wenn er so weit weg in Boston war. Ich lebte schließlich in der Gegenwart.

Natürlich wünschte ich mir, es würde für immer sein. Die hoffnungslose Romantikerin lebte weiterhin in mir.

Ich begleitete Noah, so weit es ging. Er drückte meine Hand und sah mich an.

»Es wird funktionieren«, versicherte er mir. »Irgendwie.«

»Wer von uns ist jetzt lächerlich romantisch?«, scherzte ich.

»Ich sehe dich in ein paar Wochen«, sagte er. Und nach einer kleinen Pause: »Du wirst mir fehlen.«

»Du wirst mir auch fehlen.« Ich stellte mich auf

Zehenspitzen, um ihm einen Kuss zu geben. »Wir werden es einfach versuchen. Dann kann hinterher keiner sagen, wir hätten es nicht versucht.«

»Wie immer pessimistisch, was, Shelly?«, zog er mich auf und zwickte mir in die Nase. »Ich rufe dich an, sobald ich da bin.«

»Du rufst besser als Erstes deine Mom an«, riet ich ihm. »Sie wird sauer sein, wenn du ihr nicht Bescheid gibst, dass du sicher gelandet bist.«

»Da könntest du recht haben«, meinte er lachend und legte die Arme um meine Taille.

»*Letzter Aufruf für alle Passagiere des Flugs nach Boston um acht Uhr fünf …*«

Seufzend drückte ich ihn noch einmal an mich und atmete seinen Duft ein. Ich kannte ihn so gut, aber jetzt versuchte ich, ihn mir dauerhaft einzuprägen. Er umarmte mich und ich bemühte mich, mir auch dieses Gefühl zu merken – seine Arme, die mich hielten, sein Gesicht in meinem Haar.

»Ich liebe dich«, flüsterte er mir ins Ohr.

»Ich liebe dich«, erwiderte ich und musste mich zusammennehmen, um die aufsteigenden Tränen zurückzuhalten. »So sehr.«

»Wir werden es versuchen«, erinnerte er mich und gab mir einen sanften, süßen Kuss auf den Mund. Er schmeckte nach Zuckerwatte, genau wie beim ersten Mal. Weil er mir an einem Stand im Flughafen welche gekauft hatte – »um der alten Zeiten willen«.

Meine Finger spielten mit den Haaren in seinem Nacken und die vertrauten Funken tanzten in meinem Bauch, während wir uns küssten. Es war, als enthielte dieser Kuss all das Glück, alle Traurigkeit, alle Hoffnungen und Ängste – einfach alles, was wir schon erlebt hatten. Gefühlt Jahrzehnte später lösten wir uns voneinander und er lehnte mit seiner Stirn an meiner.

»Ich muss gehen«, murmelte er.

»Wir sprechen uns später. Viel Glück.«

Da schenkte er mir sein berühmt-berüchtigtes Grinsen, während er ein paar Schritte rückwärts ging, bevor er sich auf den Weg zum Gate machte. »Glück? Shelly, du vergisst wohl, dass du hier mit Flynn redest. Der braucht doch kein Glück.«

Ich lachte und war trotzdem kaum verwundert, als mir eine Träne über die Wange rollte. Als sie sich in meinem Mundwinkel fing, wo ich noch die Erinnerung an Noahs Kuss spürte, schmeckte ich das Salz. »Dummer Gewalt-Junkie!«

Er zwinkerte mir lachend zu und war Sekunden darauf außer Sichtweite.

Wenig später stand ich an der Fensterfront und sah das Flugzeug die Startbahn entlangrollen. Da spürte ich, wie sich jemand neben mich stellte und den Arm um mich legte. Ich lehnte den Kopf an Lees Schulter. Er sagte nichts, aber das war auch unnötig. Er war einfach für mich da, wie er es immer sein würde.

Als Noahs Maschine Fahrt aufnahm und schließlich vom Boden abhob, merkte ich, dass ich zaghaft lächelte. Ein trauriges Lächeln.

Vielleicht würde das mit Noah funktionieren. Ich hoffte es. Deshalb hielt ich die Daumen meiner herabhängenden Hände fest gedrückt. Vielleicht würde das mit Noah aber auch nichts – weil wir andere Leute kennenlernten oder auseinanderdrifteten oder eine Fernbeziehung einfach nicht zu uns passte. Aber was auch immer passierte, ich wusste, dass ein Teil von mir immer Noah Flynn gehören würde, dem ehemals härtesten Typen an der Schule. Ein kleines Stück meines Herzens würde immer seins sein.

Was auch geschieht, versicherte ich mir selbst, während ich Noahs Flugzeug nachschaute, *wird in Ordnung sein*.

»Überleg mal«, sagte Lee schließlich, »all das nur wegen einer Kissing Booth.«

Ich lachte, gab ihm einen leichten Stoß in die Rippen, und er musste auch lachen. Dann drückte er mich noch mal kurz an sich, bevor wir uns vom Anblick der leeren Rollbahn und des bewölkten Himmels, in dem das Flugzeug bereits verschwunden war, abwandten und uns auf den Heimweg machten.

Dank

Zuerst ein riesiges Dankeschön an das Team bei Random House – insbesondere an meine fantastische Lektorin Lauren, die einfach brillant war. Großer Dank geht auch an das Wattpad-Team und alle meine Follower. Ihr habt mir geholfen, meine Stimme als Autorin zu finden, und ich bin euch allen so dankbar. Ohne euch wäre ich nicht so weit gekommen.

Danken möchte ich auch meinen erstklassigen Lehrern und meinem Head of Year, die mir eine so große Ablenkung zugestanden haben. Ihre beständige Unterstützung und Ermutigung waren unschätzbar wertvoll.

An alle im Goldfischglas (das manche an der Schule auch Aufenthaltsraum nennen): Ich bin so glücklich, euch zu haben, Leute. Ihr habt mich inspiriert und so sehr unterstützt, auch wenn ihr es gar nicht wusstet. Amy, Caroline, Kate, Abi – ich weiß gar nicht, wo ich ohne euch alle wäre. Danke, James, dass du mich ermutigt hast, nie aufzugeben. Aimee J danke ich für das unendlich viele Lachen, das du in mein Leben gebracht hast.

Ich danke meiner Familie. Ihr habt mich bei meinem

ziemlich zeitraubenden Hobby und auf dem Weg zu meiner (hoffentlich!) neuen Karriere alle so unglaublich unterstützt.

Last but not least geht ein großes Dankeschön an meinen GCSE-Lehrer in Englisch, Mr. Maughan. Ihr engagierter Unterricht und Ihr Interesse an meinem Schreiben waren eine riesige Motivation für mich.

Trish Cook

Midnight Sun

288 Seiten, ISBN 978-3-570-31212-4

Auf den ersten Blick ist die 17-jährige Katie ein Mädchen wie jedes andere: Sie schreibt ihre eigenen Songs, hängt mit ihrer besten Freundin ab oder beobachtet ihren Schwarm Charlie aus der Ferne. Als der eines Abends Katies Auftritt als Straßenmusikerin sieht, verliebt er sich Hals über Kopf in sie. Katie schwebt im siebten Himmel – doch sie verschweigt Charlie etwas Lebenswichtiges: Katie leidet an einer seltenen Krankheit, die jegliches Sonnenlicht zur tödlichen Gefahr macht. Wie berauscht treibt sie mit Charlie durch die lauen Sommernächte und setzt alles auf eine Karte …

30370

www.cbj-verlag.de

Kody Keplinger

Lemon Summer

ca. 320 Seiten, ISBN 978-3-570-31111-0

Seit ihre Eltern geschieden sind, verbringt Whitley die Sommerferien bei ihrem Dad. Doch was für sie sonst die beste Zeit des Jahres war, entpuppt sich diesmal als reinster Albtraum. Denn ihr Dad – Überraschung! – hat eine neue Verlobte. Und die hat einen Sohn. Der sich ausgerechnet als Whitleys One-Night-Stand entpuppt. Weil Gefühle aber so gar nicht ihr Ding sind, lenkt Whitley sich ab: Party bis zum Umfallen. Dabei übersieht sie fast die guten Dinge direkt vor ihrer Nase. Wie den Jungen, dem wirklich etwas an ihr liegt ...

30295

www.cbt-buecher.de